Amalita Fortabat / Carlos Bulgheroni
Francisco Macri / Roberto Rocca / Jorge Born

LOS DUEÑOS DE LA ARGENTINA

La cara oculta de los negocios

* *Cómo amasaron sus fortunas*
* *Cómo levantaron sus imperios* * *Vidas íntimas*
* *Conexiones políticas* * *Escándalos*

Diseño de tapa: Mario Blanco

Fotos: Gentileza de Editorial Atlántida

LUIS MAJUL

Amalita Fortabat / Carlos Bulgheroni
Francisco Macri / Roberto Rocca / Jorge Born

LOS DUEÑOS DE LA ARGENTINA

La cara oculta de los negocios

** Cómo amasaron sus fortunas*
** Cómo levantaron sus imperios*
** Vidas íntimas * Conexiones políticas*
** Escándalos*

EDITORIAL SUDAMERICANA
BUENOS AIRES

PRIMERA EDICION
Abril de 1992

OCTAVA EDICION
Mayo de 1992

IMPRESO EN LA ARGENTINA
Queda hecho el depósito
que previene la ley 11.723.

Humberto I 531, Buenos Aires.

ISBN 950-07-0746-2

A mi compañera,
María Conte-Grand,
por supuesto.

Alegato

Los dueños de la Argentina se parecen a Dios: *están en todas partes.*

Fabrican el cemento de las paredes con las que construyen nuestra casa, además de la pintura para adornarla. Hacen la yerba del mate de la mañana, el arroz del mediodía y la carne o los fideos de la noche. Inventan tubos de acero por donde saldrá el petróleo que ellos extraen, que se transformará en combustible para los automóviles que también producen, y en los que a veces se viaja con teléfonos móviles que comercializan con éxito, por los caminos por donde cobran peaje. Nos ayudan a comunicarnos por la línea de teléfono, algunas de cuyas facturas de cobro se confeccionan con el papel de uno de nuestros elegidos. Tejen frazadas en invierno y producen espirales para mosquitos en verano. Se meten en nuestra cama con sus sábanas y en nuestro baño con sus toallas.

Los 5 dueños de la Argentina que conforman este trabajo podrían fundar un pequeño país: facturan más de 4.500 millones de dólares por año; dan trabajo directa e indirectamente a más de 200 mil personas; deberían pagar más de 1.500 millones de dólares de impuestos cada 360 días.

Los dueños de la Argentina que protagonizan esta investigación trascienden los gobiernos democráticos y los golpes de Estado, las catástrofes naturales y las hiperinflaciones. Son impermeables a casi todos los modelos económicos, y resultan inalcanzables para el resto de los mortales.

Pero este libro, *Los dueños de la Argentina,* es la exhibición impúdica del concubinato entre estos 5 grupos económicos y el poder político. Es la entrada en puntas de pie a la intimidad de *Amalita,* los expedientes de *Bulgheroni,* los escándalos de *Macri,* los secretos del ingeniero *Rocca* y el destino trágico de *Jorge Born.* Es la trama cruda y conmocionante de los instrumentos *legítimos e ilegítimos,* de los mecanismos *transparentes y corruptos,* que usaron estos seres humanos para amasar sus fortunas y levantar sus imperios. Es la historia de todos ellos, contada por ellos mismos, en testimonios inéditos, sin omisión de lo bueno que hicieron por sus semejantes y por el país.

Los dueños de la Argentina es también un viaje alucinante hacia adentro de muchas de las empresas que pertenecen a *Loma Negra,*

Bridas, SOCMA, Techint y Bunge & Born, donde trabajan seres humanos. Y es además la muestra contundente de que el *capitalismo prebendario* convive con el *capitalismo de riesgo.* La prueba irreversible de que mientras existan funcionarios incapaces de defender al Estado y los argentinos seguirán habiendo empresarios capaces de aprovechar esa debilidad para hacer buenos negocios.

Los dueños de la Argentina, finalmente es una crónica plagada de nuevos y viejos casos escandalosos. *La novedad, esta vez, es que se alude a su cara más desconocida.*

Primera parte

Amalita la grande

1. Quién es esa rubia

—Who's that blond showy woman sitting in front of us?

—She is Amalia Fortabat, the owner of the most important company of cement in Argentina.

—...I've heard about her. The day that woman pays the gas taxes as she should, I'll take this country seriously.

El breve y susurrado diálogo transcurre entre David Mulford, subsecretario para Asuntos Interamericanos del Tesoro de los Estados Unidos, y Javier González Fraga, presidente del Banco Central. Es un mediodía frío del 23 de agosto de 1990. Hay una discreta recepción al enviado norteamericano en la quinta de Olivos. El presidente Carlos Menem parece distraído. El ministro de Economía, Erman González, intenta sin éxito escuchar lo que apenas secretea Mulford. González Fraga se lo traduce, en medio de una pequeña carcajada, casi textual:

—Preguntó quién era esa llamativa mujer rubia que está sentada enfrente de nosotros. Le informé que era Amalita. Y él me comentó, enseguida: "Oí hablar de ella... El día que pague la tarifa de gas como corresponde voy a empezar a tomar en serio a este país".

Argentina acababa de salir de la hiperinflación y ya había probado el trago amargo del plan de Bunge & Born. Mientras algunos de sus funcionarios se enriquecían, el gobierno peleaba por bajar el gasto público y acabar con los privilegios de todo tipo. Intentaba cortar la transferencia de dinero desde el Estado hacia las grandes empresas. Mulford acababa de poner el dedo en la llaga. Uno de los hombres más confiables del presidente George Bush denunciaba las prebendas e irregularidades en la propia quinta presidencial.

Sabía de lo que hablaba.

Hablaba de una resolución aprobada por la Subsecretaría de Combustible del gobierno radical en 1985 por la que se les permitía a todas las cementeras gozar de una tarifa diferencial para el pago del gas. Se trataba de un descuento especialísimo del 25 por ciento. El Estado le otorgaba a las cementeras esa facilidad a cambio de que quemaran la piedra caliza en los meses de verano, en vez de hacerlo en invierno. Se argumentaba que de esta manera estas grandes consumidoras iban a desahogar la demanda en los meses de frío, cuando el gas es imprescindible para el resto de los mortales, y la iban a acrecentar en la temporada de calor, cuando el consumo cae en picada.

Tanto Mulford como González Fraga, quien había denunciado este "curro" cuando asesoraba el Directorio de Empresas Públicas (DEP), sabían que la cementera de Amalita, Loma Negra, tenía un consumo anual de 250 millones de metros cúbicos de gas sólo para sus plantas de Olavarría y Catamarca.

No ignoraban que este mecanismo le permitía ahorrar a esta compañía unos 5 millones de dólares anuales. La cuenta era sencilla: la señora había dejado de pagar, en cinco años, más de 30 millones de dólares de gas argentino.

Lo hizo, entre otros motivos, porque nadie se atrevió a denunciarlo públicamente. Y lo seguía haciendo a pesar de que Miguel Roig, el primer ministro de Economía de Menem, el hombre al que "habían asesinado las presiones" había planteado el corte del subsidio, en una reunión de gabinete tensa, que contribuyó a su sorpresivo infarto.

Erman González la miró fijamente, como si fuera la primera vez.

Ella no era una mujer más.

Ella era María *Mema* Amalia Lacroze de los Reyes Oribe viuda de Fortabat, 69 años recién cumplidos; Leo en el horóscopo occidental y Gallo de Metal en el chino; empresaria cementera y ganadera, embajadora itinerante por obra y gracia del Espíritu Santo de Menem, pintora, poetisa y bailarina de tango; la mujer más rica del país con una fortuna que se calcula entre los 2 mil y los 3 mil millones de dólares; galardonada con la Legión de Honor y el premio Isabel La Católica; primera mecenas de la República con una ayuda social aproximada de 2 millones de dólares anuales; empresaria del año en 1981; elegida la dama más influyente del país en 1987; íntima de David Rockefeller; caprichosa, sensible, llorona, enamoradiza, impulsiva, generosa, autoritaria, déspota, temperamental, seductora como las de antes, naïf, inteligentísima, vengativa, codiciada, supersticiosa, vidente, telépata y mortal... aunque ella considere que va a pasar los 100 años.

—El plan económico no va a funcionar —insistió Mulford— mientras este tipo de cosas sigan existiendo.

Hubo una época en que ni este tipo de cosas ni la señora rubia existían. Una época de varias generaciones pasadas.

El padre de Amalita, Alberto Juan Lacroze, astrónomo, médico nutricionista, poeta, fundador del partido Demócrata Progresista, era un hombre sencillo y poco pretencioso. El abuelo de Alberto había fundado en 1869 la Compañía de Transportes Lacroze, es decir, el tranvía. Y la abuela del fundador del tranvía había sido una Cernadas, una fiel representante de la clase medianamente alta criolla argentina. De acuerdo con las investigaciones del genealogista Narciso Binayán, la abuela de la Cernadas se llamaba María Trinidad Flores y fue copropietaria de una buena parte de lo que es ahora el barrio de Flores. La madre de Amalita, Amalia de los Reyes Oribe, ama de casa, era una mujer complicada y bastante pretenciosa, que llevaba con energía las riendas del hogar. El abuelo de Amalia era José María de los Reyes, uno de los generales que mató más indios en la Campaña del Desierto. La madre de Amalita fue, además, descendiente directa del general Manuel Oribe, integrante de los Treinta y Tres, ex presidente del Uruguay entre 1835 y 1838 y uno de los incondicionales del restaurador Don Juan Manuel de Rosas.

Alberto Juan Lacroze y Amalia de los Reyes Oribe se casaron enamorados. El 15 de agosto de 1921 Amalita empezó a existir, un poco antes que su hermana Sara, y bastante más temprano que su hermano Bebe, quien muriera en un accidente terrible, tal cual la embajadora lo presintió, como se verá más adelante.

A pesar de que Amalita, a la que llamaban Mema, pasó sus dos primeros años en París, sus padres no eran millonarios. Los que conocen bien su historia secreta juran que Lacroze era un típico profesional, bastante seco, y su madre una típica aristócrata decadente, con limitados recursos económicos. La señora que el 23 de agosto de 1990 fue denunciada por Mulford se enamoró por primera vez de un vecinito del barrio Norte cuando contaba con apenas 7 años. Pero además, desde los 12, se dio el lujo de desairar durante años —como hizo Fermina Daza con Florentino Ariza en *El Amor en los Tiempos del Cólera*, de García Márquez— a otro mocito que se paraba frente a la plaza sólo para verla subir al ómnibus que la transportaba hasta la escuela.

Empezó el bachillerato en las Esclavas del Sagrado Corazón de María pero lo abandonó dos años después, por una razón muy particular: su padre no soportaba almorzar sin ella.

Ella jamás se lo achacó a nadie, pero por culpa del amor desmesurado de su papá jamás aprendió a sumar ni restar, ni a dividir ni a escribir a máquina, aunque su cuenta tiene muchísimos ceros.

Amalita pretendió ser monja, pero no resistió la tentación de la carne. Manifestó sus deseos de ser médica o enfermera, pero a sus padres los escandalizó la idea de que pudiera ver un cuerpo desnudo.

A los 14 años supo que iba a ser lo que es.

Fue cuando no una, sino un grupo de brujas, le vaticinaron sin rodeos:

—Señorita: usted se va a casar con un maharajá.

Maharajá significa gran rey, o príncipe de las Indias.

—¿Un maharajá? —preguntó Amalita—. ¡Pero si yo nunca voy a viajar a la India!

A los 19 años conoció a su maharajá, el dueño de Loma Negra, el hombre por el cual ella se transformó en una maharají el 13 de enero de 1976, tres días después de la muerte de su esposo, ya que se quedó con toda la fortuna.

También a los 19 años se casó con Hernán de La Fuente, un abogado tan seco como Juan Alberto Lacroze. Hernán le dio una hija, Inés de la Fuente, quien a su vez se casó con Julio Amoedo y cuyas particularísimas historias de vida serán relatadas al pie de la letra cuando llegue la ocasión.

Lo que importa ahora es contar la biografía no autorizada de su segundo marido, Alfredo Fortabat (AF), el verdadero emperador del imperio del cemento.

Alfredo Fortabat nació en el siglo pasado. Exactamente el 13 de mayo de 1894. Tauro en el oráculo occidental, caballo de fuego en el oriental, empresario cementero, financiero y ganadero, amigo de los nazis, de Frondizi, de Perón, *bon vivant*, amarrete para algunos, calculador para todos, alto, engominado, mezcla de Humphrey Bogart y orangután, adicto a los cigarros Romeo y Julieta, a los autos como el Packard, el Buick y el Cadillac, educado en La Sorbonne, piloto de avión excepcional, mujeriego, visionario, patrón de estancia... usufructuó lo que sería Loma Negra, gracias a su desmedida ambición.

Alfredo Fortabat fue el último hijo de Lucien Fortabat y Helena Pourtalé. Los Pourtalé fueron los primeros pobladores franceses de Olavarría, y también los que más rápidamente hicieron fortuna. Joaquín, el padre de Helena, ostentó el dudoso honor de ser el primer gringo en alambrar un campo para evitar el ingreso de los indios. A Pedro, el hermano de Joaquín, le entregaron gratuitamente los terrenos que se encontraban frente a la plaza del pueblo. Él los recibió con la obligación de construir la escuela y la iglesia. Cuentan pobladores de la zona que Pedro no había terminado la obra cuando ya empezó a cobrarle un canon al municipio en concepto de alquiler. Ambos hermanos poseían miles de hectáreas de campos. Se trataba de una familia bien: qué duda cabe.

Lucien Fortabat, el padre de Alfredo, era vasco francés. Había nacido en un pueblito de pastores y ovejeros muy cercano a los Pirineos y llamado Moleón. Era un pueblo al que se reconocía porque, al subir, se tropezaba con las montañas. Lucien aterrizó en Olavarría con una superrecomendación, en 1872. Era un hombre muy pobre pero de mucha cultura. Sabía hablar latín y griego a la perfección, y un año después de vivir en la Argentina dominaba el español como si hubiese nacido en Madrid. La recomendación que trajo de Francia le permitió que los Pourtalé lo contrataran como profesor particular de sus hijas.

No se sabe si fue esa cultura o el presunto hecho de haberla embarazado lo que determinó que el señor culto y pobre que era Lucien contrajera enlace con la señorita rica y de la alta sociedad que era Helena. Lo que sí se sabe es que Lucien Fortabat, el padre de Alfredo Fortabat, pronto dejó el disfrute espiritual de la docencia para dedicarse al placer material de las vacas y las finanzas de los Pourtalé. La historia quiso que enseguida el señor Fortabat multiplicara su renta: la extensión del Ferrocarril del Sud y la prolija limpieza de indios que hizo el general tucumano autonomista nacional Julio Argentino Roca valorizaron todas las tierras de la pampa, incluida la suya.

Un diario de Olavarría, con fecha 1916, muestra una gran foto de Lucien, con unos enormes mostachos. La crónica dice que fue redactor del Estatuto para la Sociedad Francesa de Socorros Mutuos. Que el 15 de octubre de 1893 fue elegido abanderado en una asamblea de accionistas. Que 11 años después de desembarcar con una mano adelante y otra atrás, consiguió un puesto en el directorio del Banco de Azul, una institución que les prestaba dinero a todos los ganaderos, incluidos los Pourtalé. Y también agrega que, para ese entonces, ya tenía nada menos que 7 establecimientos de campo.

Uno de ellos se llama *Blanca Chica*. Se trata de 10 mil hectáreas de tierras de excelente calidad. Allí crió él, luego Alfredo y finalmente Amalita, reproductores finos de las más variadas especies. El monte principal de la estancia es todavía conocido con el sugestivo nombre de *El Millón*, y prueba el sentido práctico de las cosas que tenía Lucien: la madera del monte era aprovechada para fabricar y vender tablas y cajones que en Bahía Blanca y Buenos Aires se pagaban a precio oro.

Otro de los establecimientos de campo es la Estancia *San Jacinto*. Se trata de un predio de 7 mil hectáreas: el lugar donde Lucien descubrió que se podía hacer piedra caliza, la materia prima del cemento. Es decir: el negocio que lo llenaría de oro.

Helena y Lucien parieron tres hijos. Se llamaban Juan, Carlos y Alfredo Fortabat.

Juan, el mayor, procreó a Julia Helena y a Juan Luciano. La mujer de Carlos tuvo a Marie Elenne, a Juana y a Micaela. Y Alfredo, que no podía tener hijos, se quedó con toda la fortuna de la familia.

Todo tiene su explicación:

En 1921 murió Lucien Fortabat y dejó a sus tres hijos partes iguales de una impresionante fortuna que los memoriosos de la época calcularon en 30 millones de dólares con respaldo en oro. Para que se entienda bien: cerca de mil millones de dólares actuales para cada uno. La herencia incluía, entre otras cosas, la cementera Loma Negra con los 15 hornos que había entonces en Olavarría y todas las estancias y cabañas, además del Banco de Azul.

Pero en 1929 el planeta se conmovió con la Gran Depresión. Bajó estrepitosamente la Bolsa de Valores. El precio de las materias primas cayó en picada. A la carne de vaca, que hasta entonces se exportaba a 30 pesos, nadie la pagaba más de 8. La lana de las ovejas que enriqueció a generaciones enteras se tiraba, o se utilizaba para tapar charcos, porque nadie la compraba. En medio de todo ese desastre quebró el Banco de Azul, la propiedad más grande del fallecido Lucien Fortabat, la gran caja fuerte donde toda la colectividad francesa de la zona depositaba las ganancias que le daba el campo.

De un día para el otro, los Fortabat pasaron a ser una mala palabra: los ahorristas exigieron el remate de los bienes del banco y la familia para cobrar su dinero; los Pourtalé buscaron a los hermanos para —literalmente— decapitarlos.

En una tarde de primavera, confusos y desesperados, los tres hermanos rubricaron un pacto de honor cuyos detalles no se conocieron hasta ahora. Un pacto de honor, sencillo y a muerte, que consistía en lo siguiente:

* Juan, como hermano mayor nacido en 1889, afrontaría la quiebra del banco y buscaría la mejor manera de salir del apuro.
* Alfredo, como el más chico y avispado, salvaría, a través de diferentes mecanismos, todos los bienes familiares que aparecían fuera de la quiebra.
* Se separarían para actuar mejor y reencontrarse al cabo de 5 años, cuando el holocausto hubiera pasado, y con lo que quedara de los bienes. Un hombre que lo conoce bien escuchó decir a Juan Luciano Fortabat, el hijo de Juan Fortabat que hoy tiene 60 años, esta terrible revelación:

—*La transacción fue sumamente injusta. Mi padre se llenó de desprestigio y tuvo que exiliarse en Valparaíso, Chile, para que los acreedores no lo mataran. Y Alfredo salvó todas las riquezas y los activos que estaban a nombre de ambos, y se quedó con el control de todos.*

La Depresión del 29 fue muy distinta a la que en su momento tuvo como responsable al ministro de Economía, José Martínez de Hoz: en ese tiempo, los bancos que quebraban eran rematados de inmediato, y esa quiebra no era afrontada por el Estado. Es decir: el conjunto de los argentinos. El Banco Nación era el principal acreedor del Banco de Azul. Y por lo tanto puso en remate sus bienes. Eran propiedades ubicadas en la zona, Azul y Olavarría y el remate debía hacerse en el lugar de los activos. Pero, extrañamente, los eventuales compradores nunca llegaron a destino. Un vecino de Olavarría delató el motivo:

—*Don Alfredo cambiaba los carteles indicadores de lugar. La gente se perdía durante horas y horas. Y para los que conocían el camino, siempre había dos o tres matones con instrucciones precisas de no franquear el paso. Entonces compraba los campos él mismo, a través de un testaferro.*

De manera que el esposo de Amalia Lacroze salvó una gran parte de las propiedades, y a las otras, las de la familia, las colocó a nombre de testaferros, entre los cuales se cita a un tal Chojo. Y cuando Juan, su hermano mayor, regresó de Chile a buscar su parte del botín, Alfredo rompió el pacto, al informarle:

—*Lo que salvé yo es mío. Y se acabó.*

Así fue como la férrea familia Fortabat se rompió en pedazos de dolor. Porque Juan sólo atinó a jurarle a Alfredo que lo mataría donde lo encontrase.

Desde ese fatídico día los hermanos no se volvieron a ver. Desde ese amargo momento, Alfredo contrató una fuerte custodia personal. Una custodia que lo acompañó hasta el 4 de setiembre de 1958, el día en que Juan Fortabat murió, atacado por una neuritis diabética.

Habían permanecido sin hablar 38 años, y Alfredo sintió entonces la necesidad de dirigirle la palabra... sobre su tumba.

La escena del velatorio transcurrió en la calle Ramseyer 891, en Olivos. Era un chalet con un living comedor, tres dormitorios y dos baños. Juan Luciano acababa de cumplir 17 años. Su hermanita, Julia Helena, apenas tenía 5. Testigos presenciales reconstruyeron ese alegato de la siguiente manera.

—*En este acto* —habría jurado solemnemente Alfredo— *me comprometo a hacerme cargo de tu esposa y de tus hijos, hasta que muera.*

Alfredo Fortabat cumplió la misión con su particularísimo estilo.

Primero adoptó a Juan II como hijo putativo y le exigió que trabajara de día y estudiase de noche. Juancito soñaba con ser abogado. Su padre postizo le truncó ese sueño. Sin embargo casi lo empujó para que pudiera obtener tres rimbombantes títulos: de contador, de licenciado en Economía y de doctor en Ciencias Económicas. Mientras tanto, el joven desarrolló en Loma Negra una carrera ejemplar... e inútil. Empezó como pegador de estampillas, siguió como cadete de Tesorería, administrativo en Compras, asistente en Expedición y subjefe de Costos y de Análisis. Cada vez que Juan II subía un escalón, se acrecentaba tanto en él como en su familia la certeza de que heredarían una parte de ese gran imperio de cementos y vacas.

—*Vos hacé lo que yo te digo y algún día te voy a recompensar* —juraron testigos presenciales que Alfredo le decía a su sobrino.

Los hechos demostraron que esa promesa no se cumplió.

Hay pruebas irrefutables de que Juan II ingresó a la compañía con un salario aproximado de 400 pesos. Y también que se fue, después de 12 abriles, con un sueldo de cerca de 1.200 pesos. Remuneración, esta última, que habría crecido más como producto de la inflación de esos años que por el reconocimiento a una trayectoria. Hay testimonios contundentes que muestran, además, que las recompensas de Alfredo Fortabat a su hijo putativo consistieron en regalarle libros de estudios, o en entregarle 100 pesos por cada materia aprobada en la facultad.

Pero el dueño de Loma Negra no desatendió del todo el compromiso de honor anunciado a los pies de la tumba de su hermano. No se puede decir que lo incumplió desde el momento en que, por ejemplo, ofició de testigo del matrimonio entre Juan Fortabat II y Helena Marini, en 1954. No se puede asegurar que el tutor ignoró a su protegido cuando le organizó, para la ocasión, un almuerzo fastuoso en su propia casa de tres pisos sita en la Avenida Alvear —ahora Libertador— y San Martín de Tours, donde los pisos de mármol, las estatuas griegas y los espejos de metal pulido hicieron sentir a los comensales como en un palacio. No se puede afirmar que AF se hizo el distraído cuando pagó los estudios de Julia Helena y las necesidades básicas de su cuñada.

Lo que le dolió y le sigue doliendo a la familia Fortabat es la virtual desaparición de María Amalia Lacroze de los Reyes y Oribe apenas murió Alfredo, en 1976. Lo que le duele a la modelo y conductora de televisión, Elena Fortabat, es que su abuela —es decir, la madre de su padre, Juan Fortabat II— viva "así, postrada en una cama, en una casa que se cae a pedazos". Lo que los Fortabat nunca van a terminar de asimilar es el hecho de que la viuda de Alfredo se haya quedado con toda la fortuna del apellido, a través de un mecanismo que ellos consideran *por lo menos confuso*.

Pero todo tiene su tiempo. Y éste es el tiempo de contar un romance fulminante que hizo historia. El romance entre la dama y el hombre de cemento. El romance que la mayoría de las revistas de actualidad no pudieron contar por miedo a la represalia de la embajadora itinerante.

La historia oficial que narra ella misma dice que se conocieron en el invierno de 1941. La guerra en Europa es intensa. En Argentina gobierna el abogado radical concordancista Roberto Marcelino Ortiz. Buenos Aires parece helada. Amalita, de 19 años, con un gorro y tapado de terciopelo, y del brazo de su novio, Hernán La Fuente, ingresa al teatro Odeón, como si fuera una diosa. De pronto, los ojos grises de ella se posan en la mirada segura y enérgica del hombre alto y fuerte de casi 50 años que está en el palco. Él, que ha llegado acompañado de su legítima esposa —Elisa "La Negra" Corti Maderna— siente el flechazo y le devuelve la mirada.

Nadie nunca pudo explicar cómo es que Alfredo se las arregla para regalarle una caja de bombones cerisettes pasando por encima de su mujer y del hombre de Amalia. Tampoco cómo es que, a pesar del shock, ella se compromete con su novio oficial en el verano de 1942. De cualquier manera, al día siguiente del compromiso, Jorge Saint, el de las fábricas de chocolate *Águila Saint*, reúne a ella, a Hernán y a Alfredo, a pedido del último. De repente se encuentran navegando por el Tigre a bordo del *Pichi-mué*, el espectacular barco de Fortabat. Y de repente también ambos, como si fueran uno Humphrey Bogart y la otra Ingrid Bergman, quedan juntos, unidos, en la proa, mientras los demás ignoran todo, en la popa. Este es el diálogo que Amalita jamás desmintió. Las palabras que le permitieron, entre otras cosas, ser lo que es ahora:

Alfredo: SIENTO UNA PROFUNDA ADMIRACIÓN. EN REALIDAD, ALGO MÁS QUE ADMIRACIÓN.

María Amalia: PERO NOS VIMOS UNA SOLA VEZ EN LA VIDA.

Alfredo: LAS COSAS IMPORTANTES SE PRODUCEN UNA SOLA VEZ EN LA VIDA.

Pero así y todo, Amalita se casa igual con su festejante en setiembre de 1942, y ella, haciéndose la distraída, lo llama para invitarlo.

—*No voy a ir* —cuentan que le dijo él—. *No puedo soportar su casamiento.* Alfredo Fortabat vence por un segundo su desesperación y le regala, para la boda, una pulsera de oro de *Ghiso*. El 14 de abril de 1944 nace Inés La Fuente Lacroze.

Ya han pasado fugazmente por la presidencia de la República el abogado catamarqueño y conservador Ramón Castillo y el general entrerriano Juan Pablo Ramírez. El general Edelmiro Julián Farrell se sienta en el sillón de Rivadavia. Está por ingresar a la historia argentina Juan Domingo Perón. En el mes de abril de 1945 Fortabat no aguanta más y la invita junto a su esposo y su hija a la San Jacinto. La estancia que fue testigo de mil amores ocultos.

En 1947 los Lafuente viajan a Europa... y Fortabat los sigue. Él y ella, ella y él, se encuentran cara a cara en un salón de baile de París. Él le confiesa su amor. Ella no se da por aludida, pero antes de terminar el año se separa. Alfredo vuelve al ataque:

—*Quiero casarme con usted ya.*

Ella dice: matrimonio no. Agrega que no habrá de abandonar a su hija. Lo demás es conocido. Se casan en Montevideo, Asunción del Paraguay, y hasta en un pueblito mexicano que se llama Techitenango. Viajan a San Francisco, New York, Hawai, Los Ángeles. Visitan además Francia, Grecia, Egipto y pasan un año nuevo en El Cairo junto a la actriz Rita Hayworth y el Rey Faruk.

Son 30 años de estar juntos. 30 años, para ella, de oler su colonia 4711 de Roger Gallet, de rozar sus pies repletos de talco. De dar juntos la vuelta al mundo en tres oportunidades. De amarse y agredirse profundamente.

Lo que pocos conocen es la otra parte de la historia. La extraoficial. La más realista. La que corresponde al mundo de los mortales y que consta de las siguientes vicisitudes:

* Alfredo Fortabat se separó oficialmente de "La Negra" Corti Maderna en 1949. Ella era una mujer de mucho carácter y pocas pulgas. La dama que intentó por primera vez —asesorada por el entonces importante estudio Meyer, que paradójicamente tenía su despacho en el mismo edificio de las oficinas de Loma Negra— embargar los bienes del señor Fortabat.

Fue una misión imposible. Para entonces, el rey del cemento había arreglado sus papeles con suma prolijidad y sólo figuraba como administrador de las empresas cuyos supuestos accionistas estaban en el exterior. Alguien que conoció bien a Alfredo dijo:

—*Lo único que le pudo embargar La Negra fue una gran cantidad de botellas de vino que tenía en su impresionante bodega. Pero ni siquiera consiguió quedarse con todas: Alfredo, apenas iniciado el pleito, se las empezó a tomar, una por una.*

* Para entonces, AF ya poseía 11 automóviles de colección impecables, y también tres aviones. Como su primera mujer no se resignaba a quedarse sin nada y empezaba a cuestionar todas las compras de inmuebles, el señor le ofreció un arreglo privado —al margen del juicio— que consistió en entregarle todas las joyas y que le permitió a la señora vivir más que decentemente por largos años.

* Las malas lenguas afirman que Hernán de la Fuente, además de haber suplantado a Amalita por la vedette Nélida Roca, reclamó y obtuvo una especie de recompensa por no molestar. La recompensa habría sido una escribanía.

* Después de los tres casamientos truchos, Amalia y Alfredo se

unieron legítimamente, en 1951, gracias a una ley de familia que los memoriosos recuerdan con el sugestivo nombre de *Ley Fortabat.* Era una compleja ley de familia. Una que, incluía, entre otras cosas, el voto femenino.

El ministro Perette estaba literalmente tapado por los libros. La sesión se había prolongado hasta la madrugada. El artículo 31 de la ley 14.394 del gobierno de Perón permitía volver a casarse a las personas cuyos cónyuges hubieran muerto o desaparecido. Hasta ahí todos estaban de acuerdo. Pero poco antes de la votación, *una mano traviesa agregó algo así como: también pueden casarse las personas que estuvieran determinado tiempo separadas o con sentencia de divorcio.* Primero se votó. Después, cuando se dieron cuenta, se armó un escándalo descomunal. Había entrado el párrafo por la ventana. Perón se estaba peleando con la cúpula de la iglesia.

—*Fue una ley hecha para Alfredo... y enseguida derogada* —recuerda un amigo de la pareja.

Amalita y Alfredo fueron al otro día a concretar su unión. Se trató de la sexta pareja en la historia de la Argentina. Fueron muy pocas las que lograron hacerlo antes de que se derogara el artículo fatídico.

* Amalita y Alfredo, como todas las parejas del mundo, tuvieron etapas de profundo apoyo mutuo y otras de agresiones de distinto tipo. Entre las primeras se debe mencionar el momento en el que la llamada Revolución Libertadora lo consideró amigo y contribuyente de Perón y del Partido Justicialista. Fueron días demasiado tensos. Los hombres del general Eduardo Lonardi intervinieron tanto la cementera como las estancias y cabañas. Tomaron debida nota de cuando Alfredo le prestó *San Jacinto* al ministro del Interior Borlenghi para que fuera a conversar íntimamente con una señorita que no era su mujer. Detectaron que AF le había regalado al gobernador de la provincia de Buenos Aires, Aloé, caballos y vacas a cambio de favores políticos. Como siempre, no pudieron probarle nada. Pero su esposa permaneció junto a él, como una gata en celo.

* Entre las peleas más dolorosas, se puede registrar la que ocurrió un verano. El hermano de Amalita, el Bebe, le fue con la noticia a un pariente indirecto, en el parador de una playa de Punta del Este.

—*¿Te enteraste de la última?* —preguntó Bebe.

—*No. Contá* —lo urgió su interlocutor.

—*Amalita se fue de casa de Alfredo. Parece que está viviendo en el* (Hotel) *Alvear y que no quiere volver.*

—*¿Pero qué pasó?* —fue la pregunta obvia.

—*Pasó que ella se cansó que después de tantos años de casados, no le pusiera nada a nombre de ella.*

Alfredo Fortabat era así. Pagaba todas las cuentas corrientes que poseía su señora en las mejores casas de ropa y joyas de Argentina y de Europa. La llenaba de presentes constantemente. Pero lo que no hacía nunca era otorgarle la propiedad de nada. Las amigas más íntimas de la señora supieron que ella, en el fondo, nunca pudo manejar nada hasta que su marido murió. Testigos de la trifulca reconocieron que ella inició un juicio de divorcio. Agregaron que los más grandes estudios especializados en derecho de familia pelearon por tomar el asunto. Recordaron que representó a la mujer Ismael Bruno Quijano, quien fuera ministro de Justicia de los gobiernos de Frondizi y Lanusse, uno de los últimos *bon vivant* en serio que tuvo la Argentina. Su hijo, el decorador Gonzalo Bruno Quijano, reconoció que su padre trabajó en el grandioso pleito. Pero cerró la conversación con el autor con estas 16 palabras:

—*Todos lo sabíamos. Pero papá nunca nos comentó nada. Se llevó ese secreto a la tumba.*

El juicio de divorcio nunca llegó hasta las últimas consecuencias. Ambos lo arreglaron de una manera parecida a la que encontraron en su momento Alfredo y su primera esposa. La diferencia fue que ella volvió a casa, y de un día para el otro el gran escándalo se transformó en apenas un comentario capcioso entre las mujeres de la alta sociedad que se juntaban para jugar a la canasta.

Otro de los motivos de conflicto en la pareja se llamó José María Alfaro y Polanco, entonces embajador de España, un señor fino que encandilaba a las señoras ricas y famosas y les hacía perder la cabeza.

Poeta, periodista, guerrero, político y uno de los autores del himno fascista *Cara al sol... con la camisa negra,* Polanco fue el embajador que más años permaneció en la Argentina: exactamente 16, desde 1955 hasta 1971. Vivió todo intensa y apasionadamente. Conoció profundamente a Leopoldo Marechal, a Ernesto Sabato, a Manuel Mujica Lainez y a Jorge Luis Borges. Compartió momentos íntimos con el fundador de *Clarín,* Roberto Noble. Se enamoró apasionadamente de los barrios porteños y también... de muchas de las mujeres que los habitaban.

Hay dos versiones contradictorias sobre el modo en que se produjo el conflicto coprotagonizado por Alfaro. Las dos habrían tenido como escenario a la embajada de España.

Una dice que todo comenzó durante una fiesta bailable en la que Alfaro habría apretado a la señora Lacroze más de lo que se estilaba. Y agrega que, por ese motivo, Fortabat se la habría llevado de un brazo, poco menos que a la rastra.

Otra asegura que fue en un acto dedicado a la lengua española. Y detalla que en el cierre, el afectado Alfaro y Polanco habría declamado algo así como:

—*La lengua española, en fin, es la lengua con la que se le reza a Dios. Y es también... definitivamente... el idioma con el que uno le repite a la mujer de su vida... te amo.*

Los que se inclinan por esta última versión aclaran que el problema no fue lo que dijo, sino que, en el instante en que lo iba diciendo, la miraba a Amalita, quien supuestamente lagrimeaba, emocionada, desde la primera fila. Hace más de 20 años que pasó lo que pasó, pero todavía algunos miembros de la decaída aristocracia argentina siguen considerando a estos hechos como uno de los más divertidos de los que haya vivido la clase.

El último entuerto entre la estelar pareja fue prolijamente relatado en noviembre de 1985. Se contó que la señora Lacroze había abandonado a su marido poco antes de su muerte, pero que además se había llevado sus joyas, y que había volado hacia Europa en su Lear Jet. También se narró que ella regresó después de que su pareja la llamó por radio para darle una mala noticia. Una mala noticia que decía:

—*Querida: las joyas que te acabás de llevar son falsas.*

Millares de rumores falsos recorrieron la historia de la actual embajadora itinerante. Todos los rumores que corresponden a una verdadera leyenda viviente.

El 23 de agosto de 1990, mientras escuchaba atento la brutal verdad del subsecretario Mulford, González Fraga volvió a mirar con detenimiento a la señora María Mema Amalia Lacroze de los Reyes Oribe viuda de Fortabat. Pero no se preguntó, como hace la mayoría de la gente, qué habrá hecho esta mujer para amasar semejante fortuna.

En las llamativas circunstancias que rodearon la muerte de su marido y el posterior manejo del Imperio Fortabat se esconde parte de la respuesta.

2. *El testamento de Fortabat*

Sucedió durante un desfile organizado por la firma *Pierre Cardin*, en uno de los salones más paquetes del *Hotel Alvear*, cuando empezaba 1991. La señora Lacroze viuda de Fortabat compartía la mesa con el ex decano de la Facultad de Medicina, el profesor Guillermo Jaim Etcheverry. La presentación era a beneficio del decaído Hospital de Clínicas. Ella tenía un pesado anillo de oro. Tan pesado que a cada rato se lo daba vuelta, para mover su mano con más comodidad. Una mesa más allá, lucía todo su esplendor la bella Elena Olazábal viuda de Hirsch, una de las accionistas más importantes e influyentes del grupo *Bunge & Born*. De improviso, como distraída, Amalita apuntó a Jaim:

—*¿Conocés a Elena?*

—*No, para nada* —respondió Etcheverry.

—*Bueno. Es una mujer que tiene mucha, pero mucha, pero muchísima plata. Una de esas fortunas que son incalculables. Pero la diferencia entre ella y yo es que la mayor parte de su fortuna pertenece a la familia.*

—*¿Y en qué consiste esa gran diferencia?*

—*En que yo, cada día que me levanto, lo hago sabiendo que la plata es mía, y que puedo hacer con ella lo que se me dé la gana.*

Amalia Lacroze puede hacer con todo su dinero lo que se le dé la gana desde el 10 de enero de 1976, el día en que su esposo, Alfredo Fortabat, murió de un derrame cerebral a los 82 años.

El motivo de la muerte del rey del cemento fue tan "estúpido" como la del médico Juvenal Urbino, uno de los tres vértices del triángulo sentimental que García Márquez planteó en *El amor en los tiempos del cólera*. Urbino murió a raíz de una tonta caída que sufrió buscando a su cotorra por los árboles de su casa. AF falleció, según se sabe, a raíz de un derrame cerebral provocado por un intrascendente golpe contra el parante de un jeep que lo transportaba a una de sus estancias.

Amalita le repitió a muchos de sus amigos que él se había abandonado tres o cuatro meses antes de su muerte. Les confesó que el hombre que parecía un huracán de repente se volvió manso. Que empezó a dormir la siesta, cosa que nunca había hecho en su vida. Y que su mayor signo de desgano fue el permitirle al perro de su hijastra, María Inés La Fuente de Amoedo, ponérsele entre las piernas, durante la navidad de 1975 que todos festejaron en Punta del Este. Alfredo siempre había odiado a los perros. La herida le formó un coágulo. Empeoró enseguida. Cuando lo trasladaron en ambulancia desde Punta del Este hasta el aeropuerto de Laguna del Sauce, ya estaba en coma. Cuenta Amalita que su hombre murmuró:

—*No entiendo nada de lo que está pasando.*

Cuenta también que murió en Buenos Aires, y que una de sus últimas frases fue:

—*Todo lo que tengo es tuyo. Porque sólo vos podés hacer algo mejor de lo que yo hice.*

Aparentemente, no hubo testigos para corroborar la veracidad de semejantes palabras. En cambio hubo personas que vivieron los últimos días de Alfredo y que ofrecieron su propia versión de los inquietantes hechos. Ésta es la reconstrucción de sus testimonios.

Don Alfredo testó todos los santos años, desde 1929. Pero su legado escrito no apareció justo en el momento en que más se necesitaba. La de rehacer cada año el testamento era una ceremonia muy particular que siempre se desarrollaba dos o tres días antes de su viaje anual a Europa. Primero se hacía traer por su escribano, el doctor Moltedo, el testamento del año anterior. Enseguida le pedía a su fiel secretario privado, Isaac Bensousan, que le acercara sobre, hojas y el calentador para derretir el lacre. Recién entonces se encerraba durante dos horas en la oficina y daba instrucciones de que no lo interrumpieran, aunque se viniera el mundo abajo.

Nunca lo preparó en otro lugar que no fuera su oficina.

La suya tenía más de 20 metros cuadrados y estaba en el primer piso de Diagonal Norte 634, la sede central de Loma Negra. La parte de atrás se conectaba con una especie de ático donde había, entre otras cosas, una biblioteca repleta de libros, un bar donde nunca faltaba ni el champagne ni el vino blanco, helado y... una caja fuerte marca Fischer, en la que el señor guardaba la mayoría de sus secretos terrenales. Una puerta de la oficina daba a su baño privado; otra, a la sala de la reuniones del directorio; la tercera comunicaba con la sala de espera y la última con otra habitación en la que se encontraba un sillón de cuatro plazas, aproximadamente de 3 metros por 4. Esa sala miraba hacia el frente. Un ex fiel empleado suyo aseguró que al sillón no lo utilizaba para dormir, sino para actividades más excitantes.

Cada año, y siempre con la misma voz, AF llamaba a su tesorero, Juan Carlos Agnese, para entregarle el sobre lacrado con su nuevo testamento. Ese sobre cerrado fue visto durante muchos años, por una docena de los colaboradores de máxima confianza. Dos de ellos confirmaron que a ambos lados del dorso, Alfredo Fortabat le colocaba su firma. Y aseguraron que durante los primeros años, el sobre era entregado al escribano De la Villa. Pero desde el momento en que a De la Villa lo asesinaron en su propia oficina, Don Alfredo le empezó a entregar el sobre en custodia al escribano Moltedo, uno de los socios del estudio en el que también trabaja Eugenio Aramburu, el actual vicepresidente de Loma Negra *y hombre de plena confianza de Amalita.* Uno de los hechos que enrarecen el caso es que el médico personal de Alfredo, el doctor Quirno, murió antes de que Fortabat empezara a empeorar, y no lo pudo atender. Al profesional que lo reemplazó, de apellido Cao, sus amigos lo "cargaron" durante muchos años con un chiste sugestivo: le preguntaban cómo hizo para pasar de médico a estanciero. Y se lo preguntaban porque sospechaban que *alguien le había regalado una estancia inmediatamente después de la muerte de Don Alfredo.* Se trata de una versión que nunca pudo ser confirmada.

Otra de las circunstancias que convierten a este asunto en algo bastante oscuro es que el último escribano de AF, el único custodio del sobre lacrado, el hombre que guardaba al gran secreto del Imperio Fortabat, el doctor Moltedo... también murió, de muerte natural, días antes del 10 de enero de 1976.

Ambos sucesos provocaron durante muchos años la curiosidad de los principales colaboradores del señor y de muchos otros empleados jerárquicos y parientes directos e indirectos. Éstas fueron algunas de las preguntas que se hicieron:

* ¿Por qué nunca apareció el testamento que todos los años renovaba Don Alfredo?
* ¿Por qué el señor no le dejó el 50 por ciento de su herencia a quien se le antojara como corresponde a una persona que no tenía sucesión ni para arriba ni para abajo?
* ¿Por qué no entregó ni un peso a su familia más directa, compuesta por una tía y cinco sobrinos de apellido Fortabat?
* ¿Por qué no transfirió ni un pequeño legado a sus empleados de toda la vida, como AF lo había asegurado muchísimas veces?

Don Alfredo Fortabat fue velado durante tres días consecutivos en la iglesia San Martín de Tours. Asistió a la ceremonia más gente de la que se esperaba. Pero mientras lo velaban, sus hombres de confianza, Bernardo Miretzky —hoy incondicional de Amalita—, y su tesorero, Juan Carlos Agnese, fueron a la estancia del fallecido Moltedo con la pretensión de rescatar el último testamento.

Revolvieron toda la casa. Hurgaron en cada rincón. Consiguieron abrir la caja fuerte. Sin embargo no encontraron absolutamente nada.

La supuesta inexistencia de ese testamento más una carta manuscrita que pocos vieron fueron los elementos en los que se apoyó María Amalia Lacroze de Fortabat para reclamar *todos los bienes, incluidos los de Loma Negra.* Parientes directos revelaron esto en su momento, y lo repitieron infinidades de veces, aunque nunca en público. Esos mismos familiares contaron que el elemento decisivo que determinó el traspaso directo de la fortuna fue un seguro de vida que un día firmó Alfredo antes de subirse a un avión. Un seguro por el que se comprometía a entregar todos sus bienes a la legítima esposa en caso de que le sucediera algo malo.

Los principales funcionarios de *Loma Negra* y también los

escribanos no tuvieron más remedio que interpretar este último documento como la firme voluntad del occiso.

Así fue como un imperio construido a lo largo de 50 años pasó a manos de una exquisita mujer en 72 horas.

Pero todavía falta conocer la verdadera trama de la construcción de este imperio de concreto.

Loma Negra se fundó en 1926. Ya se relató cómo, a partir de 1929 Alfredo desplazó a su hermano Juan y se quedó con la empresa. Se dijo también que el padre de ambos, Lucien Fortabat, había descubierto que en su Estancia San Jacinto había yacimientos de piedra caliza que servían para hacer cemento.

Sin embargo, hay dos testimonios sobre el verdadero origen del imperio. Uno dice que a partir de ahí los Fortabat se pusieron a producir cemento rápidamente.

Otro, le asigna a un alemán de la zona llamado Aust el descubrimiento de los yacimientos de piedra. Y también lo hace aparecer viajando hacia la Alemania en guerra para buscar capitales. Capitales que no pudo conseguir. Según esta versión, Aust se contactó con un banquero norteamericano llamado Stone, apellido que, casualmente, significa piedra. El banquero Stone mandó a su hijo. El hijo confirmó el hallazgo y le compró el negocio a Aust. Así nació, en 1916, la International Cement Corporation, es decir, la primera cementera de Argentina. Luego la Cement se diversificó. Abrió canteras en Estados Unidos, Uruguay y Brasil. Y cambió su nombre para llamarse *Lonestar*. En la misma versión se afirmó que cuando la cementera tenía todo para llevarse el mundo por delante... *temió que la acusaran de hegemónica y monopólica e "inventó" y subsidió una competencia llamada Loma Negra S.A.* Esta lectura de la historia apunta a quitarle méritos a Don Alfredo. Sin embargo, la estrategia que piloteó en los años subsiguientes lo convirtió en un verdadero hombre de negocios y hacedor de fortunas.

La estrategia consistió en abrir fábricas en las zonas del país donde calculó que podía ser necesario más cemento. El motivo es superlógico: el cemento es muy perecedero. Apenas toca el agua, se fragua y se arruina. La mínima humedad lo hace inservible. *El cemento no puede hacer viajes muy largos, porque se endurece.* Por otra parte, el costo del transporte encarece el producto desmesuradamente. Pensando en todo eso, Alfredo Fortabat abrió una segunda planta en Frías, Santiago del Estero, en 1937. Después de 1956, inauguró otra en San Juan. Y en 1970 instaló otra importantísima en Zapala, provincia de Neuquén. *Sus amigos y también enemigos reconocen que en algún momento, Loma Negra llegó a producir el 90 por ciento del cemento que se consumía en Argentina.*

Don Alfredo era un capitalista que utilizaba los vínculos con los gobiernos para evitar que el Estado se metiera en sus asuntos pero que competía a muerte con sus adversarios de negocios. Estas son las pruebas:

* Nunca hablaba directamente con sus rivales. Tampoco antici-

paba su próxima jugada. Cuando las papas estaban calientes, enviaba a sus hombres de confianza a discutir con los dueños de las otras compañías.

* Años después de la fundación de Loma Negra, se instaló en Olavarría otra cementera llamada Calera Avellaneda. Se trataba de una competencia demasiado cercana y riesgosa. Por eso AF compró inmediatamente el 36 por ciento de las acciones de Calera y durante mucho tiempo logró, con su voto en las asambleas, que la compañía no se expandiera y perjudicara a la suya.

* La compra de otra planta en la provincia de Buenos Aires, en la localidad de Barker, en 1956, se juzgaba inútil. Los expertos del momento no entendían cuál era el negocio de levantar una fábrica muy cerca de la otra, ubicada en Olavarría. La historia demostró después que lo hizo para que no la comprara *Corcemar*, la segunda cementera más importante del país.

Don Alfredo Fortabat tenía un estilo de conducción muy similar al de patrón de estancia del siglo pasado. Un empleado muy cercano a él, explicó que se creía Luis XIV, el rey de Francia que pasó a la historia con la frase: "El Estado soy yo". El ex colaborador relató una anécdota que lo pinta de pies a cabeza:

Don Alfredo trataba a su secretario privado, Isaac Bensousan, casi como a un esclavo africano. Isaac, antes de entrar al despacho del señor, se debía colocar a dos metros de distancia y, desde ese lugar, aplaudir o toser, para delatar su presencia. La señal para que avanzara era un leve levantamiento de la cabeza de su patrón. La señal para que se fuera, era la misma. Pero al retirarse tenía que hacerlo caminando para atrás, hasta llegar a esos dos metros que constituían el límite entre la libertad y la sumisión.

A su señora, y durante mucho tiempo, no la trató mucho mejor. Alguien recuerda que, mientras ambos volaban hacia Europa, Alfredo se pasó una buena parte del viaje arrojando a la cara de Amalita el humo de sus poderosos habanos *Romeo y Julieta*. Todavía la viuda de Fortabat desprecia el humo. El propio general Roberto Viola debió aguantarse sin fumar más de tres horas cuando la visitó en su casa y en carácter de presidente.

Alfredo Fortabat era un hombre muy valiente y bastante "loco". Tuvo dos accidentes de avión que pudieron ser mortales.

El primero aconteció cuando volaba, solo, en su pequeño Pipper, sobre sus campos de Olavarría y, de repente, se le desprendió la carlinga. La carlinga es una especie de capot que tienen esos avioncitos. AF la quiso retener, pero, en el intento, se rompió un brazo. Cuenta la leyenda que utilizó el brazo sano para aterrizar, a campo traviesa. Y que después de la hazaña tomó la carlinga y la colocó firme, como debía hacerse.

El segundo fue en el aeroparque Jorge Newbery y tuvo en vilo a la mayor parte de su familia. Esta vez manejaba otro de sus aviones un piloto yugoslavo, de apellido Katalinic. Estaban por bajar a tierra en el momento en que se percataron que no se abría el tren de aterrizaje. Volaron tres horas para agotar el combustible y reducir así el peso del aparato. Se comunicaron permanentemente con la torre de control. Una radio porteña transmitió en directo los momentos clave del acontecimiento. Los amigos de Alfredo juraron que se produjo el siguiente diálogo entre el copiloto Fortabat y la torre de control.

—*Aquí torre de control. ¿Cómo se encuentran?*

—*Muy bien. Tan bien que acabo de descorchar una botella de champagne. En este momento la estamos tomando. Estamos festejando anticipadamente por el éxito de la operación.*

Minutos después, el avión aterrizó sobre el césped, de panza. Solo hubo que lamentar la rotura de las hélices.

Alfredo Fortabat fue enterrado en Loma Negra, porque amaba la tierra que lo convirtió en un magnate.

Después de muerto, su sucesora quiso que se le atribuyeran dos frases, *pour la galerie*.

Una es de Schopenhauer:

—*No hay nada más fuerte que un hombre que se siente solo.*

Otra es el lema de Napoleón:

—*Lo posible ya está hecho. Ahora hagamos lo imposible.*

Sin embargo, fuentes que jamás podrán ser desmentidas aseguraron que a su sobrino, Juan Fortabat II, le deslizó dos sugerencias menos románticas y más prácticas. La primera:

—*Nunca confíes ni te entusiasmes con los gobiernos de turno, pero siempre haceles sentir que estás con ellos.*

La segunda:

—*Con las mujeres hay que hacer exactamente lo mismo que con los gobiernos.*

Más de 10 años antes de su desaparición, un pequeño grupo de jerárquicos que conocía los verdaderos números de la cementera y las estancias, pero también de las propiedades personales de Don Alfredo, se puso a jugar con sus máquinas de calcular. El equipo de economistas llegó a la conclusión que, en ese momento, la fortuna de Fortabat superaba los 7 mil millones de dólares. De cualquier manera, su única heredera habría recibido los siguientes activos:

* 23 establecimientos de campo que totalizaban más de 160 mil hectáreas con 170 mil cabezas de ganado adentro. Entre las más importantes, se encuentran: Estancias y Cabañas Don Alfredo; Estancias Argentinas El Hornero; Estancias Unidas del Sud; Estancias del Litoral Caambá; La Tosca; Las Cortaderas y Ayán Pitín. También una finca de 160 hectáreas en Middleburg, Virginia, Estados Unidos.

* Las siguientes Compañías Cementeras: *Loma Negra de Olavarría, Buenos Aires; Cementera Patagónica de Zapala, Neuquén; Compañía Comercial e Industrial Sanjuanina, en Rivadavia, San Juan; Loma Negra de Barker, Buenos Aires; Compañía Industrial Norteña, de Frías, Santiago del Estero.*

* Estas propiedades inmobiliarias: la que hoy ocupa la Fundación Fortabat, sobre la avenida del Libertador; la casa de Libertador y San Martín de Tours donde vivieron muchos años; la casa de San

Isidro, donde se festejó el casamiento de su nieta Bárbara; la casa de Mar del Plata que habría intentado vender sin éxito; la casa de Grecia y el edificio de Loma Negra, en Diagonal Norte 634; el departamento en el Hotel Pierre, de New York.

* Y estas otras propiedades: un Lear Jet; otro avión Beechcraft 90; un Cesna Sky Master; un helicóptero Hughes 500; un barco que parece un transatlántico y varios automóviles.

Sin embargo, la señora sumó a esas pertenencias y con gran habilidad:

* Otro establecimiento rural en Virginia de 200 hectáreas, que le habría costado cerca de un millón de dólares.

* Una nueva casa en José Ignacio, Punta del Este, que empezó a construir en noviembre de 1990.

* Estas pinturas: un Turner al que pagó 7 millones de dólares; un Brueghel que se llevó por un millón; dos Van Gogh, uno que le habría costado 10 millones y medio de dólares y otro que habría comprado en casi 2 millones; un Gauguin, de casi 3 millones; un Monet de cotización incierta.

* La fábrica de Loma Negra en Catamarca y la planta de cemento en Yaciretá, Corrientes.

* La radio LU32 Coronel Olavarría; Radio El Mundo de Buenos Aires.

* Las oficinas de la nueva empresa petrolera Geosource en la Galería Jardín, Florida 537.

* Una planta modelo de inseminación artificial para la Estancia Don Alfredo.

* Una nueva flota de automóviles para la empresa y para su propia seguridad.

Un ex alto directivo de Loma Negra que conoce el negocio del arte reveló que Amalita gastó 25 millones de dólares en pinturas. Y que ahora podría vender esas obras en más de 300 millones. Otro ex altísimo ejecutivo calculó que si la viuda de Fortabat tuviera que vender hoy todas las fábricas de cemento no le darían mucho más de 250 millones.

Más allá de los cálculos ajenos, la señora de Lacroze impuso, a partir de 1980, un discurso que contiene los siguientes presupuestos: que ella cuadruplicó la fortuna y el imperio de su marido; que en menos de 5 años hizo lo que su esposo no pudo hacer en 40; que Loma Negra era grande, pero que ella la transformó en inmensa; que la construcción de la nueva planta de Catamarca fue una epopeya exitosa de la que ella se considera absolutamente reponsable.

Es el momento de conocer la cara oculta del mito.

Alfredo Fortabat murió el sábado 13 de enero. El lunes 15 de enero de 1976 la señora presidió la nueva reunión de directorio. Entre las primeras medidas que tomó, una fue la de congelar a dos de los hombres más fieles de su esposo. Eran precisamente los que habían presenciado durante muchos años la ceremonia del testamento de Alfredo: su secretario privado, Bensousan, y su tesorero, Agnese. El primero era el único que tenía, además del señor

Fortabat, un duplicado de las llaves de la caja fuerte. Y el segundo el único que conocía, aparte de AF, la combinación de esa caja.

A Bensousan le asignó tareas de menor responsabilidad, que parecieron humillarlo.

A Agnese lo ubicó en una oficina muy cómoda pero muy lejos del centro de las decisiones.

Ambos renunciaron, hastiados.

Pero a Bernardo Miretzky, que era la mano derecha de su marido, lo captó. Y para hacerlo utilizó, entre otros mecanismos, la designación de su hija Clara Miretzky de Lamas, como número uno de la mina de oro que representa la Fundación Alfredo Fortabat.

El 24 de marzo de 1976 irrumpieron el golpe de Estado y Martínez de Hoz.

En 1977 ella tomó la decisión de construir la nueva planta de Catamarca. Pronto se conocerá cómo hizo para levantarla.

En 1978 la tablita hizo que el precio argentino del cemento subiera de 80 a 100 dólares la tonelada.

En 1979 la tonelada se cotizó en 110, lo que le generó a la compañía una rentabilidad de más del 25 por ciento en dólares.

El proyecto de la Gran Obra Pública que diseñó el denominado Proceso, el Gran Curro que significaron las construcciones para el Mundial 78 y la plata dulce hicieron crecer la venta de cemento como nunca en la historia.

Cuando el señor Fortabat abandonó el mundo de los vivos, Loma Negra dejaba una ganancia anual de más de 8 millones de dólares. Poco después su señora blandió como una corona los balances de su era: el de 1978 registraba 60 millones, el de 1979 165 millones, y el de 1980 165 millones, en concepto de utilidad. Los altos cargos veneraban a la soberana porque ganaban sueldos que se ubicaban entre los 15 y los 25 mil dólares. El mensaje era claro y contundente: *Amalita dejaba de ser una heredera para transformarse en la nueva reina del cemento.*

Pero a partir de 1980 llegó la Gran Depresión. Se cayó Martínez de Hoz. Se derrumbó la obra pública. Se desmoronó la industria y... sucumbió también el negocio de Amalita. La realidad pronto se empezó a expresar en números. El consumo de cemento por habitante, que en 1980 alcanzó la cifra récord de 262 kilogramos, llegó a caer, en 1989, a 130 kilogramos, el mismo nivel de... 1950.

Loma Negra, Amalita y, para ser justos, las demás cementeras, se habían expandido demasiado. La capacidad instalada de sus fábricas resultaba infinitamente mayor que la cantidad de cemento que producían.

Una de las muestras más cabales de esa sobreexpansión fue la planta de Catamarca.

El proyecto al que ella definió como el hijo varón que no pudo tener.

Loma Negra Catamarca costó cerca de 250 millones de dólares. Se trata de la planta cementera más moderna de Sudamérica. Tiene, entre otras cosas, una perforadora inmensa, una excavadora hidráulica pocas veces vista, una trituradora de impacto de doble efecto y una capacidad de producción de cemento de 600 toneladas hombre por hora. A este establecimiento modelo nada de lo humano parece serle ajeno: está computarizado hasta el oxígeno. Pero la planta de Catamarca se hizo con uno de los subsidios más grandes de la Argentina: la promoción industrial.

La promoción industrial nació con el objetivo de abrir más fábricas y multiplicar las fuentes de trabajo en las zonas donde no abundaban ninguna de las dos. Pero la Fundación de Investigaciones Latinoamericanas (FIEL), calculó que para hacer posibles la mayoría de los proyectos de promoción industrial el Estado cedió a las grandes empresas un dólar por dólar invertido. Es decir: que el conjunto de los beneficiarios de la promoción no gastó plata de su bolsillo. O mejor: que una gran mayoría financió a una selecta minoría de argentinos.

El ex subsecretario de finanzas, Raúl Cuello, consideró a la promoción industrial una inmoralidad. La promoción que sirvió para construir Loma Negra en Catamarca fue aprobada en 1979, cuando todavía reinaba el amigo de Amalita, Martínez de Hoz. Estos son los privilegios que contemplaban:

* La desgravación del impuesto a los capitales hasta 1989.
* La desgravación del impuesto a las ganancias.
* La exención de derechos de importación hasta un monto superior a 23 millones de dólares.

La inflación de los últimos 10 años hizo el milagro de licuar la deuda impositiva de Loma Negra Catamarca. Para decirlo de otra manera: la cementera casi no pagó impuestos a las ganancias ni a los capitales.

Los derechos de importación representan el 30 por ciento del valor del producto. De modo que si la firma importó maquinarias por más de 23 millones de dólares tambien dejó de pagar, por ley, más de 6 millones de dólares.

—*Lo que nos ahorramos con la promoción industrial en Catamarca fueron chaucha y palitos* —explicó un ex presidente de Loma Negra. Y agregó que la instalación de esa planta fue un mal negocio.

—*Fue malo porque pensábamos gastar 85 millones de dólares y gastamos 250. Pero fue pésimo porque sólo conseguimos que nos aprobaran la promoción por los 85. Yo mismo peleé contra el gobierno para que nos eximieran del impuesto a los sellos y del IVA (Impuesto al Valor Agregado).*

Queda claro que por un error económico y un fracaso en el lobby de la empresa los argentinos se salvaron de transferir un paquete de millones de dólares más grande que el detallado. Queda claro, además, que los directivos de la compañía cumplieron con la premisa de cualquier empresario: conseguir más rentabilidad.

Lo que todavía no está claro es cómo hicieron Loma Negra y las demás cementeras para evitar que la catastrófica explosión del Plan de Martínez de Hoz las llevara a la quiebra. Enseguida veremos a quiénes le pesaron las facturas por su sobreexpansión.

Se denomina *cártel* al convenio entre empresas destinado a evitar la mutua competencia. A esta práctica se la considera mala palabra dentro del capitalismo racional que, como se sabe, es el único sistema económico que hoy se aplica en el mundo. Y, por otra parte, se entiende por competencia leal, el ejercicio de desplazar al adversario por medio de la baja de los propios costos, la modernización de las maquinarias y la racionalización de gastos de la propia compañía.

Hay datos contundentes que demuestran que las cementeras forman un verdadero cártel. Existen hechos incontrastables que prueban que hace mucho no compiten como se debe.

El acuerdo secreto y tácito entre los miembros de la Cámara de la Industria del Cemento es el siguiente y fue explicado en una especie de clase magistral, por un altísimo directivo de Loma Negra.

Loma Negra tiene una capacidad instalada para abastecer a un mercado de consumidores que arbitrariamente se calculará en 90.

La segunda cementera más importante, Minetti, posee una capacidad instalada de 50.

La tercera, Corporación Cementera Argentina, de 30.

La cuarta, Calera Avellaneda, de 15.

La quinta, Cemento San Martín, de 10.

La sexta, Petroquímica Comodoro Rivadavia, de 3.

Y la séptima, Sandrín Hermanos, de 2.

Como se puede deducir, estas 7 compañías tienen equipos, máquinas, personal y capacidad necesaria como para ofrecer cemento a un mercado de 200. Sin embargo, el mercado real le demanda solamente 100. Ahora la pregunta es cómo se las arreglaron para sobrevivir. Y la respuesta es: *acordando un nivel de precios similar para todas y lo suficientemente alto como para financiar esa sobreexpansión.*

Un botón de muestra:

En agosto de 1991, en el momento de cerrar esta investigación, la bolsa de cemento de Loma Negra costaba 4,5 dólares, la de *Corcemar,* 5,5 dólares; la de *Cemento San Martín* 4,7 dólares, y la de *Calera Avellaneda* 5 dólares.

Al mismo tiempo, las cementeras de Chile, Brasil y Paraguay lo cotizaban a 3 dólares. Como si esto fuera poco, el cemento tiene una protección natural contra la entrada de cementeras extranjeras: el altísimo costo del transporte y el hecho de que no puede ser trasladado a distancias largas. La experiencia del gobierno radical de importar cemento desde Checoslovaquia constituyó una dura lección para los inventores de la idea: *una gran cantidad de bolsas llegaron duras por haber estado varios días en las bodegas húmedas del barco.*

Otra prueba de la constitución del cártel son las discusiones que mantuvo el secretario de Comercio y encargado de controlar los precios, Ricardo Mazzorín, con el grupo de las cementeras, desde 1987 a 1989.

En ese tiempo, las compañías debían revelar al gobierno su

estructura de costos, con el objeto de que demostraran, blanco sobre negro, la lógica que utilizaban para fijar los precios. Los directivos de las cementeras odiaban a Mazzorín. Lo odiaban, porque lo primero que le escucharon decir, fue:

—*Señores. Tienen instaladas plantas para 10 millones de toneladas y sólo pueden vender 5 millones. No pretendan multiplicar el precio por dos para cubrir sus propias deficiencias.*

En las reuniones posteriores, un representante de Loma Negra, que pidió no ser identificado, replicó:

—*De alguna manera tenemos que recuperar la gran inversión que hicimos en los 80.*

Y el secretario le respondió:

—*La inversión, aunque sea grande, es parte de la lógica del riesgo empresario. Todos sabemos que fue una previsión equivocada. Los consumidores no pueden hacerse cargo del error de las empresas.*

Los encuentros continuaron y el odio hacia el funcionario radical se acrecentó. Sobre todo cuando decidió fijar un precio tomando en cuenta la estructura de costos de la cementera más eficiente. Es decir, de Loma Negra.

El problema es que también era el precio más bajo.

Fue cuando el propio representante de la firma de Amalita montó en cólera.

—*¡Pero con este precio* —argumentó— *las fábricas chicas se van a fundir!*

—*Prefiero que se fundan las más chicas, en su intento por ajustarse y ser más eficientes, a que las grandes consigan una superrentabilidad a costa del consumidor* —remató Mazzorín.

La caída del equipo de Juan Sourrouille primero y del presidente Raúl Alfonsín inmediatamente después fueron saludadas con satisfacción por los miembros de la Cámara de la Industria del Cemento.

Pero Loma Negra no es sólo cártel e ineficiencia. También es una de las empresas que mejor trata a sus empleados.

Por alguna razón que no sigue la lógica de las demás decisiones pero que habla bien de la señora Amalia Lacroze, el personal de Loma Negra es el mejor pago de todas las empresas del sector, y uno de los que percibe mejores remuneraciones en toda la industria argentina.

En Loma Negra no hay peones. Todos, absolutamente todos, son obreros especializados.

La categoría más baja es un medio oficial. Un empleado de esa clase y con 5 años de trabajo ganaba en agosto de 1991, 440 dólares por mes.

Un oficial de primera con la misma antigüedad se metía en el bolsillo 480 dólares. Y uno especializado, en idénticas circunstancias, percibía 560. El secretario general de la Unión de Mineros, Carlos Cabrera, siempre se llevó estupendo con la señora embajadora itinerante. Cabrera se precia de mantener el salario de los cementeros un 10 por ciento por encima del sueldo de los metalúrgicos de Lorenzo Miguel. Él siempre le reconoció a Amalita los meses que se bancó sin despedir a nadie cuando de las bocas de las fábricas no salía ni por casualidad una bolsa de cemento.

Sólo un par de veces se trenzaron duro. La más reciente fue cuando la recesión hizo que la dueña de la empresa amenazara con una suspensión masiva.

—*Si me suspende a los muchachos se arma la podrida y no respondo de mí* —dicen que le dijo Cabrera, después de pasar por encima de Carlos Zapiola, gerente de Personal.

—*Tranquilícese que aquí no va a pasar nada* —le aseguró Amalita... y cumplió su promesa.

La otra fue en la etapa del gobierno militar, cuando Amalita decidió sin razones aparentes despedir al secretario general de la seccional Olavarría.

Los testigos de este entuerto aseguran que el sindicato se puso firme y la señora lo tuvo que reincorporar.

Para muchos de los obreros que trabajan en la planta de Olavarría, Amalita es más que Evita. Ellos juegan en las canchas de básquet y de fútbol de la empresa. Las madres semianalfabetas tienen un colegio gratuito donde aprender. Para las fiestas de fin de año la señora siempre está ahí. Y ni siquiera le tiembla el pulso cuando tiene que disfrazarse de boy-scout en ocasión de una fiesta de los hijos de sus empleados o en el momento de bailar un tango con el operario que hace la limpieza.

Tanto Amalita como Alfredo siempre creyeron que lo mejor que tuvo el peronismo fue que con su presencia impidió que avanzaran los sindicatos comunistas. Fortabat, para demostrar su amistad a la Unión de Mineros Argentinos Justicialistas, le regaló a la seccional de Barker un edificio de tres pisos con cancha de fútbol, tenis y pileta de natación.

Es cierto que Loma Negra, entre marzo de 1976 y agosto de 1991 redujo el 10 por ciento de su personal obrero. Y también es cierto que durante este período el nivel de productividad de las cementeras subió en idéntica proporción a la baja del salario. Pero los trabajadores de las distintas fábricas siguen viendo a la compañía como un lugar más o menos cómodo y bastante seguro. Un veterano directivo del sindicato que los agrupa puso las cosas en su verdadero lugar:

—*Ahora mismo me estoy acordando del 65, cuando le hicimos el plan de lucha a Illia y paramos Olavarría durante 4 días. ¿Sabe lo que era eso?... Desde la puerta de la fábrica se podía ver una cola de cientos de coches parados. ¡Y no eran los coches de los patrones, sino de los compañeros! En esa época los cementeros trabajábamos 12 horas por día: 8 para alimentar y vestir a la familia y 4 para comprar el autito. Pero hoy, como está el país, a la señora no se le puede pedir más.*

Loma Negra, para un ex miembro del directorio, es una empresa moderna, con un departamento excelente de Control de Planta y un área inmejorable denominada Calidad de Producto. Es también una firma que paga todos sus impuestos, incluidas la cuota previsional y sindical, que no necesita coimear a los funcionarios de turno y que tiene cero deuda, lo que en la Argentina constituye una honrosa excepción. Y es, finalmente, una compañía que contrata a los mejores gerentes, como Raúl Rodríguez Melgarejo, en Administración, y el mencionado Carlos Zapiola, en Personal.

Pero para otro ex miembro del mismo directorio, LN adolece de las siguientes falencias:

* No existe un Departamento de Investigación y Desarrollo que indique hacia dónde se debe ir.

* No hay un Consejo de Planeamiento estratégico que se anime a ensayar una diversificación de actividades, un ensanchamiento del imperio del cemento por un lado y las vacas por el otro.

Y un ejecutivo que ahora se puso una pequeña empresa por cuenta propia ofreció su visión final, desde adentro y para afuera.

—Loma Negra es el superimperio que no fue. El gran ejemplo de la empresa desperdiciada. Porque su potencial era enorme. Y pudo haber llegado mucho más arriba de lo que ahora están el Grupo Macri o el Grupo Techint, fundados varios años después.

No hay una sola fórmula para medir los resultados de las grandes empresas, pero el de las cifras es la más elocuente.

En 1976, al morir su fundador, LN se encontraba entre las primeras 10 empresas argentinas.

En 1980 pasó al número 14.

Y la última medición que corresponde a 1990 la muestra en el número 48.

Los que se precian de conocerla mucho y bien dicen que las razones del relativo éxito o del notable fracaso hay que buscarlas en una sola circunstancia. Y esa circunstancia es el estilo de Amalita.

Ella lleva su estilo como un sello inalterable a los negocios, el amor y la política. Pero no es el estilo que muestra en las revistas *Hola, La Revista, Para Ti, Gente o Noticias*. Tampoco se parece al estilo que caricaturiza Antonio Gasalla en su programa de *Telefé*.

Un día la sorprendieron al preguntarle con qué mujer de cualquier época que haya pisado la tierra se sentía identificada. Y ella, después de meditarlo convenientemente, sentenció:

—Me siento identificada con Catalina la Grande.

Catalina II, la Grande, hija del duque de Anhalt Zerbst y mujer de Pedro III, *imperó en Rusia después de que asesinaran a su marido, entre 1762 y 1796.*

Las guerras que esta mujer lideró y ganó, sus conquistas sobre los turcos, pero también la protección que concedió a los sabios y a los filósofos, hicieron olvidar *su violencia, su despotismo y sus costumbres.*

Esta comparación ayuda a entender el modo de ser de Amalita e invita a descorrer el velo completo de su compleja y apasionante conducta.

3. *Mema*

María Amalia *Mema* Lacroze de los Reyes Oribe viuda de Fortabat Pourtalé puede ser caprichosa; seductora; irresistible; autoritaria; enamoradiza; casi maníaca; excelente anfitriona; fría y calculadora; generadora de cortes y entornos; temible; vidente o telépata; experta lobbista y portadora de una generosidad que excede los límites del sentido común.

Todo depende de las circunstancias en las que se encuentre, y de cómo se haya levantado esa mañana.

Sus caprichos son memorables. Ahora sus ex colaboradores y circunstanciales amigos los recuerdan con una sonrisa de resignación.

Un empleado que manejaba una de sus estancias, precisamente la de San Jacinto, supo desde siempre que la señora era perfeccionista. Aún así, le pareció un poco exagerado que aquel 24 de diciembre hiciera tirar a la pileta a un integrante del cuerpo de mozos sólo para que recogiera una hoja de árbol que había caído en el agua.

Todos los mozos estaban en fila, de punta en blanco, con sus uniformes lavados y planchados, peinados como para casarse, con las uñas limpias y los zapatos brillosos.

Dicen que la zambullida fue triste y espectacular.

Otros de los caprichos que se convirtieron en leyenda es su obsesión por comer bife de lomo exactamente a punto. Se ignora si es una exageración o la pura realidad, pero se cuenta que un mediodía la cocinera preparaba un bife tras otro, porque Amalita no llegaba, y tenía miedo que se le pasara el anterior.

El miedo resultó patético, también, en la cara de uno de los mucamos de su casa particular, un día de la segunda semana de mayo de 1990.

Ella hacía esperar en el enorme salón de recepción a dos particulares visitantes. Los hacía esperar en unos sillones de ensueño, que daban la sensación de estar posado en una gran nube de algodón. Como la señora demoraba, uno de ellos se levantó para aflojar los músculos de las piernas. El joven no había terminado de incorporarse cuando el mucamo, ultrarrápido, dio unos golpecitos en el almohadón del sillón, para alisar las insignificantes arrugas.

Los huéspedes no lo interpretaron como un gesto extraño la

primera vez. Pero se empezaron a inquietar cuando notaron que el hombre volvía a alisar el almohadón, y cada vez con mayor velocidad, todas las veces que se paraban. Finalmente, entre divertidos y hastiados, le preguntaron al valet:

—*¿Por qué no deja a los almohadones en paz? No tiene necesidad de desarrugarlos. A nosotros no nos incomoda.*

Y el empleado respondió, con timidez:

—*No lo hago por ustedes. Lo hago porque si la señora llega a ver algún almohadón desarreglado, "me mata".*

Ese mismo día, Amalia Lacroze debió cambiarse de zapatos, para una sesión de fotos. Los testigos no recuerdan si la señorita que hacía de ayudante personal intentó colocarle el zapato izquierdo en el pie derecho, o el zapato derecho en el pie izquierdo. Lo que recuerdan con precisión es que Amalita le clavó una mirada dura, temible, que hizo turbar a la chica y también hizo pensar a los huéspedes que quizá fuera sancionada.

Es posible que haya sido la misma mirada que le lanzó a su nieto y presunto heredero del imperio, Alejandro Bengolea, el día de 1985 en que el chico —porque quería jugar o porque estaba distraído— cometió la osadía de sentarse en el sillón del escritorio de su abuela, adonde nadie se arrima si no es por orden expresa.

Sin embargo, en Loma Negra hay órdenes que no son tan expresas y que se cumplen al pie de la letra.

Una es sencilla y fácil de recordar: *hay que llamarla siempre "señora"*. Los veteranos de la empresa saben que la supervivencia depende en buena medida de no olvidar ese detalle, y, en otra gran medida, de tener la paciencia suficiente como para soportar la presión del jefe.

Eduardo Campeani, por ejemplo, la llamaba señora, pero no tuvo la paciencia suficiente como para soportarla. Ocupó la presidencia de Loma Negra menos de un año, después de haberle dedicado 23 años de su vida a la compañía *Xerox*. Se fue de la cementera irritado por lo que según sus amigos fue el maltrato de la viuda. De cualquier manera se llevó cerca de medio millón de dólares como indemnización por no haber culminado el contrato.

Eugenio Aramburu, en cambio, además de llamarla señora, le aguanta desde los berretines más minúsculos hasta las ocurrencias más peligosas. Y por eso obtiene sus buenas recompensas: fuentes capciosas dicen que la dueña de LN le regaló un Peugeot 505 para uno de sus cumpleaños.

Aramburu no es la excepción. También se debe destacar, en el ránking de pacientes y aguantadores, al cuerpo de secretarias directas de la Fortabat. Ellas inician la rutina del pánico tres días a la semana, a las 6 de la tarde. Generalmente son los lunes, miércoles y viernes. Es la hora en que aterriza en la empresa la señora, y todo el mundo se da cuenta porque se empiezan a oír los walkie tockie de la custodia. Ella entra como una tromba. Algunas chicas murmuran en voz baja, en una especie de ruego laico para que su jefa, ese día, se haya levantado de buen humor. Empieza a llamar a todas, sin importarle lo que estén haciendo. *La oficina es decididamente otra cosa cuando Amalita aparece en vivo y en directo.*

Una tarde, una de las secretarias, a la que se consideraba ineficiente, fue invitada a abandonar el empleo. De inmediato se llamó a una agencia de colocaciones para reemplazarla. No era un puesto más. Se trataba de una secretaria ejecutiva cuyo sueldo equivale ahora a entre 4 mil y 5 mil dólares. La selección fue rigurosa. Resultaron finalistas dos. Ambas tenían trabajo en otras firmas. El presidente de Loma Negra le planteó entonces el problema a la señora. Amalia lo resolvió de la siguiente manera.

—*No hay ningún inconveniente: tome a las dos y después decida de quién se desprende.*

Pero una cosa son los caprichos cotidianos, que se olvidan de inmediato, y otra muy distinta son los caprichos que duran años y por los que se hace trabajar a jueces de la Nación.

Uno de los últimos, que jamás salió en los diarios y las revistas, es una causa que la protagonista de la historia le inició a Boitano, S.A., una empresa que arma toldos y estructuras metálicas y de hierro. Una firma con 70 años de antigüedad y un prestigio considerable.

El juicio que hizo hacer Amalita fue por daño moral. Exactamente: por haberla encontrado a Boitano responsable de la caída de la estructura de la pista de baile que se levantó para el casamiento de su nieta Bárbara Bengolea, el 9 de diciembre de 1988, en la residencia de Diego Palma y Lynch, en las Lomas de San Isidro.

A esa celebración se la denominó la fiesta del año, pero bien se le pudo haber llamado la Fiesta de la Década y hasta del Siglo.

Para la ocasión, la señora ordenó:

* construir un salón de un cuarto de manzana sobre el parque.

* que se contratara a una usina de Segba para iluminar el salón con una decena de auténticas arañas Osler.

* que se ocuparan de la atención 35 maitres, 350 mozos y 80 sommeliers.

* la compra de 1.500 botellas de champagne Don Perignon, mil del mejor vino blanco, 80 de whisky importado y más de 2 mil litros de gaseosas y jugos.

* la contratación del fotógrafo oficial de la familia real de Gran Bretaña, Norman Parkinson, un hombre que solía cobrar 30 mil dólares por la breve sesión fotográfica.

* que la Unidad Regional de Vicente López enviara 300 hombres para la seguridad exterior.

* que una decena de policías de la Federal se preocuparan por la seguridad en el interior del salón.

* que se alquilara el Jockey Club de San Isidro para el estacionamiento de los más de mil autos que transportaron a los 2 mil invitados.

* la construcción de 20 baños junto con una escultura de Julio César en la entrada.

* el traslado desde su casa de las pinturas de Antonio Berni y de Petorutti, y también los retratos que el famoso Andy Warhol hizo de ella misma.

Se comieron langostinos, centollas, palmitos, pavita caliente con salsa de almendras. Fue devorada una torta de 7 pisos. Se bailó y se tomó hasta el cansancio.

Pero exactamente a la 1.30 de la mañana, mientras por lo menos 400 personas saltaban como si fuera la última vez, la pista de baile, que había sido montada a 50 centímetros del piso... se hundió, en lo que constituyó un papelón soberano.

Cuando Amalita se enteró, se irritó más de lo habitual. Y para hacerle pagar al constructor de la pista, la empresa Boitano, su supuesta culpa, no sólo adujo daño moral, sino también la aparición de una seria crisis nerviosa, de la cual alguien tendría que hacerse cargo.

Fue un juicio extraño, porque la señora Fortabat nunca le puso precio a su dolor.

Y fue además un juicio terrible, en el que los abogados de Boitano se vieron obligados a demostrar los siguientes hechos:

* Que Amalita no estaba ahí cuando la pista cedió. Que ya se había retirado para su casa, muy feliz, contenta y... afectada, en compañía de Enrique Bolke, un ingeniero agrónomo de unos 40 años que supo ocupar durante un tiempo el lugar que en su corazón ocupó el coronel retirado Luis Prémoli, desde los 80 por lo menos hasta el '87.

* Que la pista de madera y hierro fue levantada al lado de la pileta, *por pedido expreso de la señora.* Que esa pileta había sido desagotada por lo menos tres veces. Que el agua del desagote había ido a parar al terreno donde se levantó la pista.

* Que, finalmente, Boitano S.A. no era culpable de nada, porque la compañía no había ordenado en qué lugar se debía levantar la estructura, y tampoco le habían avisado del cambio en las condiciones del suelo, que, como se podía comprobar, estaba blando y fangoso.

El juicio empezó a principios de 1989 y terminó dos años después, con un arreglo entre las partes. La prueba de que fue un capricho personalísimo está en que los abogados de la señora, pertenecientes al estudio de Eugenio Aramburu, le confesaron a la otra parte sentirse aliviados por haberse sacado de encima un asunto que era indefendible.

La otra cuestión que pasó del enojo a los tribunales tuvo que ver con el dinero y con su ex peinador particular, el conocido Miguelito Romano.

Miguelito la quería. La quería mucho.

Pero siempre le tuvo un respeto exagerado. Algo que una clienta de la peluquería definió con dos palabras inquietantes: temor reverencial.

Romano durante muchos años vivió pendiente de ella. Toda la clientela sabía que, cuando Miguel desaparecía por más de una semana, era porque había viajado con Amalita. Porque había tenido el privilegio de subir al jet privado con paredes internas tapizadas en tela turquesa y beige. Y todos sus amigos conocían de memoria que cuando Miguelito faltaba muy temprano a la mañana, era porque había salido de improviso y con urgencia a peinar a Mema: es decir, la señora Lacroze. El peluquero era más que un peluquero.

Era un incondicional. Era el hombre que podía escucharla horas y horas, y guardar los secretos más íntimos. La persona que la comprendía aunque ella a veces, en un ataque de rabia, revoleara los cepillos y los peines por los aires cuando algo no le agradaba.

La viuda más rica de la Argentina le habría iniciado un juicio porque Miguelito no le habría devuelto un dinero que algunos calculan en 200 mil dólares. Un dinero que, parcialmente, estuvo destinado a reciclar la quinta de los Saavedra Lamas que Romano adquirió en 1986. Un dinero que parecía estar a disposición del peinador en una cuenta corriente en el exterior. La plata que Miguel Romano habría tomado como pago por tantos años de atenciones que no incluyeron el abono de un sueldo regular, como se estila en las mejores familias.

El coiffeur llevaba una vida tranquila, hasta que empezó este asunto. Ahora no quiere hablar de Amalita ni siquiera con los más íntimos.

Teme que la represalia de la reina del cemento sea brutal.

Pero Amalita es tan apasionada para encapricharse como intensa para seducir y amar.

Un señor que se ocupa de juntar estrellas en eventos importantes y también superfluos, que integró durante un tiempo el círculo áulico de los invitados por la señora a Punta del Este y Grecia y que tiene la capacidad de explicar los sentimientos más complejos, dijo de Amalita:

—Ella no es una seductora más. No es una seductora histérica. Es una seductora como las de antes. Es como un pavo real: si le gusta de veras un hombre hace toda clase de monerías para conquistarlo. Es, además, una seductora plena; no se hace la distraída... se ocupa especialmente de seducir.

Hay una decena de personas, y no más, que pueden adivinar cuándo es que la viuda, de verdad, desea un hombre. Una de ellas asegura que en esas circunstancias se le nota un tic: el tic de llevarlo aparte y mostrarle algunas de sus joyas.

Otra de las cualidades que le reconocen sus amigos es la obsesión por la estética. Ellos juran que jamás se fijaría en un hombre estéticamente desagradable y empiezan a dar ejemplos, como si se tratara de un juego:

Christian Zimmerman, ex vicepresidente del Banco Central en la etapa de Martínez de Hoz, ex miembro del directorio de Loma Negra. Algunos dicen que entró a Loma Negra con un contrato millonario, y que se fue tan rápido como llegó, porque no satisfizo las expectativas de la dueña. Otros agregan que ella estuvo a punto de ejecutarle una hipoteca por no haber cumplido él con su parte en el contrato.

Enrique Bolcke, ingeniero agrónomo, joven, bien parecido. Se llegó a hablar de él como el monje negro de la empresa, porque a pesar de haber sido nombrado para ocuparse de las estancias y los campos influía en distintas áreas del imperio, gracias a su cercanía con la empresaria.

Enrique Coti Nosiglia. Ex ministro del Interior y uno de los hombres con mayor poder dentro del radicalismo hasta la estrepitosa caída de Alfonsín. Jamás nadie ha podido comprobar que los une otra cosa que no sea una gran amistad. Y el hecho de que hayan estado juntos en Italia o la aceptación de que ella lo haya utilizado de mensajero para hacerle saber a Alfonsín lo que pensaban y reclamaban determinados curas, militares y sindicalistas, no constituyen pruebas de nada.

Ramón Palito Ortega. Ex cantante y actual gobernador de Tucumán. No es un hombre estéticamente bello. Pero es el único que superó en venta de discos a Carlos Gardel y en votos al general Domingo Bussi. Una fuente muy segura declaró que Amalita le había pagado a la consultora Mora y Araujo más de 200 mil dólares para que, primero, estudiara los gustos de los tucumanos y, después, aconsejara a Ortega cómo hablar y de qué manera actuar. Otro íntimo de la dama declaró que la viuda de Fortabat contrató a las cámaras de *Chango Producciones* para que filmara la Fiesta del Siglo del casamiento de su nieta. Por otra parte fue público y notorio el ofrecimiento que ella le hizo a él para hacerse cargo de la Dirección Artística de Radio El Mundo. Pero la verdad es que ni todo eso, y ni siquiera la foto que publicó la revista *La Semana* en su número 566 y en la que se ve cómo el cantante le pone la mano en el hombro a la empresaria mientras caminan por las calles de Vía Frattini, muy cerca de Piazza Spagna, Roma, Italia, constituyen argumentos contundentes para dar por sentado que se amaron, en el sentido más carnal de la palabra.

Luis Máximo Prémoli. No es bonito, pero tiene una personalidad más o menos fuerte. Coronel retirado del Ejército. Acompañó el golpe contra Perón. Hombre de temple: se aguantó 4 años preso en el sur del país por haber participado en la asonada. El tiempo en la cárcel lo aprovechó para estudiar derecho y poco después de salir en libertad se recibió de abogado.

Fue secretario de Prensa del presidente de facto Juan Carlos Onganía. Desde ese cargo construyó relaciones duraderas con sindicalistas como el metalúrgico Lorenzo Miguel. Alcanzó el grado de teniente coronel al mismo tiempo en que le dieron el mando del Regimiento 2 de Caballería de Olavarría, en 1974. No tuvo la suerte de ascender a general pero tuvo el privilegio de conocer allí a la señora, quien pronto lo llevó a trabajar con ella, y más tarde a pasear por el mundo.

Amalita ha dicho públicamente: "No puedo vivir sin el amor de un hombre". Sin embargo, el único amor no negado, probado y duradero que se le conoce, además del que vivió con Fortabat, es el del mencionado Prémoli. Ex director de LU32, radio Coronel Olavarría, fanático del fútbol, de la aviación, de la estrategia geopolítica, convencido de que la Tercera Guerra Mundial estuvo entre nosotros a través de la subversión, aceptable compañero de Amalita para bailar el tango, le regaló a la Lacroze una medalla de oro cuadrada. Una medalla para celebrar la apertura de la Planta de Loma Negra en Catamarca, conseguida con el sudor de la frente de muchos y el subsidio de la promoción industrial. Una medalla que no pudo estar escrita sólo por un amigo, porque decía:

TU AMOR Y TU INTELIGENCIA
TRANSFORMARON LA SELVA.
Luis

El presente fue entregado el 15 de agosto de 1980. Era una época en que algunos empresarios, gracias al dólar barato, tiraban la casa por la ventana. Todavía gobernaba Videla, y el Proceso tenía el contundente apoyo de la mayoría silenciosa. Pero el amor de Amalia por Luis pareció llegar al clímax en 1982, cuando se hablaba de la apertura democrática, y a ella no se le escapó, sino que lo dijo con todas las letras:

—Prémoli merecería ser presidente de la República.

Había que ser muy distraído para no darse cuenta que estaban enamorados. Pero, si aún quedaba alguna duda, ésta se disipó en un reportaje en el que le preguntaron a la señora Lacroze:

—¿Qué virtudes debe tener un hombre para enamorarla?

—Ser inteligente, pero no intelectual: tener carácter, voluntad, independencia de criterio y ser amigo —respondió, mientras miraba al coronel, ensimismada.

Juntos viajaron a África. Juntos visitaron la aldea de los Massai. Juntos fueron a comer a los mejores restaurantes del mundo. Sin embargo, no eran pares.

Y no lo eran porque muchas veces, por apariencia o porque así debía ser, Amalia Lacroze voló en primera clase mientras él lo hizo en una de menor categoría. O porque él, quizá para ser recatado ante su propia familia, siempre iba un paso atrás de ella, como lo revelan decenas de fotografías y lo admiten empleados de Loma Negra.

En el momento de redactar esto, la señora María Amalia viuda de Fortabat carga con 70 años, un mes y 23 días. Sin embargo, todavía es tremendamente atractiva y aún ejerce un magnetismo irresistible frente a sus interlocutores. Cuando habla, brilla y... encandila. Y todos sostienen que parecería que tuviera menos de 60. Una pequeña parte de esa apariencia juvenil se la debe a Pitanguy, un cirujano plástico brasileño que convirtió en adolescentes a varios adultos ricos y famosos. Pero la mayor parte de su vitalidad tiene que ver con la fuerza interna que pone en todos sus proyectos. Y tiene su explicación, además, en la enorme sensibilidad, que la hace pintar cuadros como los que cuelgan en su casa de Punta del Este bajo el título *Fuga* y *Artificio*, o escribir poemas, en papelitos sueltos, como éste:

Corredoras de la vida fueron
las horas que pasaron a mi lado
que apenas tocaron mi mal pertrechado
me dejaron conciencia de un saber.
No jugué con fuego. Es en vano.
Fui amada.
Fui locamente amada.

Algunos ejecutivos de Loma Negra y también algunos amigos sostienen que la señora tiene una capacidad de seducción tan amplia, que no sólo la utiliza para conquistar, sino que también la emplea para conseguir cosas del poder político.

—*Por lo menos no necesita pagar para doblegar la voluntad de ningún funcionario* —la defendió una persona que todavía es miembro del directorio de la gran cementera.

Hubo una época en que se había encaprichado en influir en los miembros del equipo económico que encabezaba el ministro Juan Sourrouille.

Empezó por llamar insistentemente a Sourrouille, pero el funcionario no la atendía. Continuó con el ex secretario de Hacienda, Mario Brodersohn, a quien le pidió encarecidamente que estableciera algún mecanismo adecuado para pagar menos impuestos por sus pinturas. Y hasta llegó a regalarle un libro de poemas al secretario de Coordinación Económica, Adolfo Canitrot. El virtual viceministro de Economía primero miró el obsequio, sorprendido, después se turbó un poco, y finalmente optó por esconderlo para que su legítima esposa no pensara algo inconveniente. Irremediablemente culposo por ser uno de los pocos dirigentes que asisten a la sesión de terapia, Canitrot estaba menos preocupado por el libro que por la dedicatoria.

Otra efectiva y filosa arma de seducción para conquistar dirigentes políticos es su casa de avenida Libertador 2950.

Para entender de qué se trata, hay que reproducir lo que dijo la legendaria bailarina Margot Fontaine, después de haber pasado unas horas en el dúplex:

—*Caminar por la casa de Amalita es como estar danzando.*

Tiene 1856 metros cuadrados. En él caben 25 amplios departamentos de 3 ambientes.

No comparte la entrada ni los ascensores con el resto de los vecinos del edificio. Tiene una doble puerta de bronce que se abre misteriosamente si alguien al que quieren dejar entrar se para frente a ella.

Hay un ascensor privado que va directo al piso de la señora.

En la antesala hay un cuadro de Petorutti. Enseguida se puede ver una escalera de mármol que conduce al piso de arriba, el piso donde la señora recibe.

Lo primero que se observa son cuatro gigantescos salones de recepción, que miden, en su conjunto, 600 metros cuadrados. Lo segundo que se divisa —o se divisaba hasta hace poco— es una gigantesca alfombra de 50 metros cuadrados. Se trataría de la alfombra de una pieza más grande del mundo. Lo tercero que subyuga son esos tres toilettes con canillas enchapadas en oro, especialmente uno de ellos, que es tan grande como un departamento de un ambiente.

Después está la terraza de 22 metros cuadrados, donde antes había una pileta de natacion y ahora se construyó una especie de galería en la que se encuentra parte de la mayor fortuna de la señora: sus pinturas.

Más allá hay 8 habitaciones para el personal de servicio compuesto por las mucamas, los cocineros, los mayordomos y una peinadora.

El primer piso del dúplex es el que guarda los verdaderos secretos de la viuda. Allí están sus habitaciones, su escritorio, la cámara frigorífica para guardar las pieles, los vestidores, el salón de peinado y... la caja fuerte.

Por esa casa pasaron una media docena de presidentes y una considerable cantidad de ministros, secretarios de Estado, embajadores y militares de carrera y retirados. Ese dúplex se utilizó, más de una vez, para arreglar asuntos de Estado.

Uno de esos asuntos de Estado fue el Plan Primavera, en setiembre de 1988. Había presentes por lo menos 60 personas. Sourrouille; Brodersohn; el presidente del Banco Central, José Luis Machinea; Facundo Suárez Lastra y Enrique Nosiglia daban la cara por el gobierno. Empresarios como Francisco Macri, del grupo Macri; Carlos Bulgheroni, del grupo Bridas, y Javier Gamboa, de la empresa Alpargatas, pararon la oreja para saber en qué consistía verdaderamente el nuevo plan. Dos políticos oficialistas que asistieron a ese encuentro juraron que Amalita se puso a fumar un gigantesco habano. Y agregaron que, en el momento en que Bulgheroni trató de instalar un discurso político, la dueña de casa lo interrumpió con un:

—No seas tan aburrido.

Y Gamboa replicó, en el oído de otro dirigente radical:

—Es la última vez que vengo a una reunión a la casa de esta mujer. Siento que estoy perdiendo el tiempo. Es una frívola.

Si lo que dicen que dijo Gamboa es cierto, no será ocioso opinar que este empresario está equivocado. María Amalia Lacroze de los Reyes no es una frívola. No es ligera o pueril o superficial o anodina. En todo caso, como sostiene un amigo que la quiere y la acompaña, es un tanto naïf.

—Es un tanto naïf porque tiene mucho dinero y hace todo lo posible para mostrarle a la gente que lo tiene.

Por otra parte, tanto en esa cita política como en cualquiera de los encuentros que organiza, se revelan sus dotes de excelente anfitriona.

Acompaña a los invitados hasta los distintos ambientes.

Se pone al frente del tour exclusivo para dirigir la visita por todos los rincones de su departamento.

No se equivoca nunca el nombre de las mesas y es sencillamente una experta en mezclar a las personas que no se conocen o amigar a las que están peleadas. Uno de los encuentros secretos que organizó en su espectacular departamento fue entre *Palito* Ortega y el general Bussi. Un hombre del ex cantante aseguró que ella estaba ahí cuando el militar le ofreció a Ortega retirar su candidatura a gobernador de Tucumán a cambio de un alto puesto político en el eventual gobierno de Bussi o una importante cantidad de dinero. La fuente juró que *Palito* respondió:

—*Ya es tarde.*

En su sutil carrera por romper corazones y presionar delicadamente sobre los funcionarios ha conseguido notables resultados. Esta es una lista incompleta de algunos de ellos:

* Contrajo una deuda externa de 95.429.000 dólares y pudo transferirla al Estado, es decir, a todos los argentinos, gracias a un mecanismo llamado seguro de cambio que impuso el ex ministro de Economía Lorenzo Sigaut, aquel que dijo: *"el que apuesta al dólar pierde"*. El seguro de cambio fue en realidad una cancelación anticipada de la deuda que tenían los grandes grupos con los acreedores externos. Los grupos pagaban en pesos al Banco Central (BC) y éste se hacía cargo de la deuda. Pero el estallido del dólar provocó la licuación de esa deuda a la tercera parte. Es decir: las compañías se encontraron con el regalo de que sus obligaciones se evaporaban. De la diferencia entre lo que debían abonar al principio y lo que pagaron al final se hizo cargo el BC. Los particulares y otras pequeñas firmas no tuvieron este mismo privilegio.

* Consiguió una línea directa en casi todas las empresas del Estado que proyectaron obras públicas durante el gobierno militar. Su amigo Prémoli, compañero de promoción del ministro del Interior, Albano Harguindeguy, y de muchos otros jerarcas uniformados, pareció ser la llave mágica que abrió puertas duras de franquear.

* Le fue fácil introducirse en la burocracia de otros entes estatales donde se deciden negocios millonarios. Pero para eso no sólo utilizó su charme, sino que también nombró en su plana mayor, y en distintas épocas a: Juan Pedro Augusto Thibaud, asesor del ministro de Economía Roberto Alemann en 1961, cuando Frondizi era presidente; el mencionado Zimmerman, ex segundo hombre del BC en la era Martínez de Hoz; y José María Dagnino Pastore, ministro de Economía de la provincia de Buenos Aires entre 1966 y 1970, embajador ante la Comunidad Económica Europea bajo el gobierno del general Videla, en 1978, y ministro de Economía del presidente de facto Reynaldo Benito Bignone, en 1982.

* Bicicleteó con éxito el pago de impuestos sobre su propiedad de avenida Libertador 2387. Por ser considerada deudora morosa de la municipalidad de la ciudad de Buenos Aires se le inició un juicio en noviembre de 1988, ante el juzgado civil del magistrado Miguel Villar. A la señora se le reclamaba el anticipo del impuesto inmobiliario del año 1985, que, originalmente, ascendía a 683 australes

con 16 centavos. Al iniciar la causa, la deuda ascendía a 21.119 australes con 67 centavos. El 18 de mayo de 1989, el abogado de la municipalidad manifestó al juez su sorpresa al enterarse que la viuda de Fortabat se había acogido a un plan de financiación para pagar la deuda reclamada. Se trataba de un sistema cuyo objetivo era facilitar a la gente menos pudiente el pago de los impuestos adeudados.

* Obtuvo de Ferrocarriles Argentinos (FA) tarifas reducidas para el transporte de cemento desde una zona a otra del país. Este hallazgo fue del ex presidente del Banco Central, Enrique Folcini. Folcini se encontró con ese subsidio cuando estudiaba por qué FA perdía tanto dinero.

* Además de la promoción industrial para Loma Negra Catamarca, logró la utilización para que promocionaran el proyecto de ampliación de la planta de Zapala, en la provincia de Neuquén. Fue en marzo de 1987. La inversión era por un total de 16 millones y medio de dólares. Entre los beneficios promocionales otorgados figuraron:

La desgravación del impuesto a los capitales hasta 1995.

El no pago del impuesto a las ganancias para unas no pocas inversiones.

El no pago de derechos de importación por un monto equivalente a un poco más de 2 millones y medio de dólares. Esto significa un ahorro de casi 700 mil dólares.

El no pago del IVA (Impuesto al Valor Agregado) para ciertas operaciones.

Un anticipo de dinero efectivo que abona el Estado, por el 20 por ciento del cemento que se exporte desde la planta de Zapala, y hasta el año 2002.

Un diferimiento del pago de impuestos que deben hacer los inversores hasta 9.200.000 dólares, a devolver en 5 cuotas, sin interés, a partir de 1993.

* Obtuvo un superbeneficio de más de 30 millones de dólares durante 1981 y 1982, en concepto de reembolsos para la exportación para su planta de Yacyretá, con el siguiente mecanismo:

Loma Negra Yacyretá nunca exportó, pero ganó una licitación internacional para producir cemento destinado a una obra con financiamiento del Banco Interamericano de Desarrollo (BID). Y hay una regla que dice que el Estado, es decir, todos los argentinos, tienen que pagar los impuestos internos para este tipo de ventas. 30 millones de dólares es el equivalente a más del doble de la utilidad que consiguió Loma Negra en 1990.

* Logró que el gobierno provincial de Ramón Saadi, poco antes de su caída, exactamente en marzo de 1991, le firmara, igual que a otras empresas, un decreto de promoción industrial retroactivo que la eximiría de pagar nuevos impuestos por la instalación y el funcionamiento de la planta en Catamarca.

* Pudo evitar que se debatiera un espinoso asunto que la involucraba. Fue a raíz de un pedido de informes presentado por el vicepresidente de la Comisión de Comunicaciones, diputado

nacional Ricardo Felgueras. El legislador tenía urgencia en saber si la señora era una de las propietarias de *Radio El Mundo*, como había reconocido ante un periodista de la revista *Noticias*. Y recordó que existía una ley que prohíbe a cualquier funcionario —incluso a una embajadora itinerante como ella— ser propietario de un medio de comunicación.

* Fue amiga de Nosiglia cuando el poder de la Junta Coordinadora Radical estaba en su apogeo y logró un contacto fluido y hasta amistoso con los carapintadas durante la etapa en que estos militares eran un factor de poder.

Sobre este último asunto hay diferentes interpretaciones.

Una es que ella jamás apoyó a los carapintadas. Y que el verdadero simpatizante fue su amigo, el coronel Prémoli. Este último fue a visitar a Mohamed Seineldín en su celda de Villa Martelli. Dicen que el motivo era *asegurarse de que si Seineldín se convertía en un líder carismático y salía a cortar cabezas para purgar el país de corruptos, no cortara precisamente la cabeza de Amalita.*

La segunda interpretación es que Prémoli es admirado por los hombres del carapintada democrático Aldo Rico, pero no forma parte de su proyecto. Los que defienden esta hipótesis recuerdan que los riquistas le pidieron asesoramiento legal cuando los metieron presos por la rebelión de Semana Santa. Y agregan que Guillermo Cherasny, un periodista carapintada confeso, lo invitaba a su programa de canal 2 *La trama y el revés*, cada vez que podía.

La tercera hipótesis es que hay una coincidencia ideológica entre la Lacroze y los hombres del denominado Ejército Nacional. Esta se basa en que la señora, al levantar su copa por los 60 años de Loma Negra, en 1986, en el Hotel Plaza, brindó por la Patria y no por la República. Y que además estuvo en la misa por el cumpleaños de Arturo Frondizi, otro entusiasta adherente de los carapintadas.

Y la cuarta lectura es que no sólo existe una empatía en las ideas, sino que además la embajadora itinerante apoyó financiera y logísticamente a muchos seguidores de Rico y Seineldín.

Los que alientan esta teoría aseguran que estos militares, o cuadros cercanos a ellos, utilizaron más de una vez algunos de los aviones de Loma Negra. Y afirman que la empresaria ayudó a sostener una fundación vinculada al capitán Obraied, un incondicional de Seineldín.

Mientras preparaba el alegato contra los revoltosos del 3 de diciembre de 1990, al ex fiscal Luis Moreno Ocampo le llegaron versiones de que Amalita había utilizado sus excelentes contactos en los Estados Unidos para vincular al riquista Ernesto *Nabo* Barreiro con el Council of America.

El Consejo de las Américas es un influyente instrumento que preside David Rockefeller y que agrupa a empresas tan poderosas como *Coca-Cola, Exxon, Shell, Good-Year, Esso, Dupont y Reader's Digest.* Y Barreiro es un mayor retirado de Inteligencia al que se le imputó haber torturado varios detenidos en el campo de concentración La Perla.

Un íntimo amigo de Barreiro desmintió rotundamente cualquier tipo de vínculo con Amalita y exhibió como prueba que durante la última campaña electoral del 8 de setiembre de 1991, Loma Negra no aportó ni un austral para apoyar la candidatura de Aldo Rico a gobernador de la provincia de Buenos Aires. La pura verdad es que el mayor (RE) viajó a Estados Unidos más de una decena de veces. Y que en marzo de 1990 lo hizo no por indicación de Amalita, sino porque su mujer, Ana Maggi, exporta muebles a ese país.

El matrimonio paró en casa de un amigo, en el departamento de un ex capitán argentino, en la localidad de Farfast. El desayuno con los periodistas en el Consejo de las Américas no se lo organizó Amalita sino una vieja amiga de Barreiro llamada Susan Kaufman, ex corresponsal de la TV española en Argentina. Y en ese desayuno no sólo consiguió contactos sino también que le permitieran escribir un artículo en el *Wall Street Journal.* Pero la nota no fue pagada por la señora Fortabat, como se dijo, sino pedida por David Asman, uno de los jefes del diario.

—Si hubiese sido pagada por Amalita no me habrían publicado, al lado, un editorial en el que me hicieron mierda —dicen que dijo Barreiro.

La columna de Barreiro hablaba de los peligros que amenazaban a la Argentina. Y el editorial calificaba al mayor de torturador.

Entre los políticos seducidos por la señora Lacroze no se debe incluir al senador por Catamarca Julio Amoedo.

Amoedo, antes que un político, fue, hasta 1989, el yerno de la magnate del cemento. Él se casó con Inés de la Fuente, la única hija de Amalita, y le dio otra hija, muy parecida a Inés pero más gordita, que ahora tiene 14 años.

A veces los hijos repiten las historias de los padres.

Amalita, como se sabe, primero se casó con un joven como ella, Hernán de la Fuente, aparentemente inestable y en todo caso poco compañero. Y después contrajo enlace con un hombre 30 años mayor que ella, Alfredo Fortabat. Su hija, María Inés, hizo prácticamente lo mismo. Es decir: primero se casó con el señor Bengolea, y luego de parir dos hijos se arrojó a los brazos de Amoedo, alguien que tenía edad como para ser su padre.

La única diferencia es que María Amalia, cuando era chica, fue mimada y consentida como ninguna. En cambio María Inés, según declaró dejando su nombre en reserva una compañerita de colegio que compartió juegos en el Colegio Cinco Esquinas, siempre llevó como un estigma la supuesta ausencia de la madre.

—Nosotros no queríamos ir a la casa de Inés. Nos resultaba muy aburrido porque cada vez que queríamos saltar, correr o jugar, teníamos un mayordomo atrás que nos impedía hacerlo. Por otra parte, Amalita nunca estaba. Si no se iba a un safari andaba por Europa. Si no viajaba a Europa, estaba en Punta del Este.

Esta ex compañerita que hoy tiene 48 años, recuerda perfectamente que siempre María Inés decía:

—Tengo una casa grande. Tengo dos autos bárbaros. Pero a veces me siento un poquitito sola.

Esa adolescente un día se convirtió en mujer, se casó con Amoedo y compartió, entre otras cosas, eternos brindis en una embajada del Caribe y la emoción de ver cómo su esposo se convertía en subdirector de un matutino de la noche a la mañana.

El matutino se llamaba *La Voz* (de los que no tienen voz) y durante mucho tiempo también se dijo que lo financiaba Amalia Lacroze. El propio Amoedo lo desmintió para la presente investigación pero no aclaró si el principal accionista, que era el viejo Vicente Saadi, mantenía la publicación gracias a un vuelto que le había quedado a *Los Montoneros* de sus secuestros extorsivos.

Lo que jamás se va a poder desmentir es que un día, por culpa de Amalita, casi no sale el diario.

Sucedió una noche en la que "el cierre" de las páginas venía muy atrasado. De pronto, un jefe se dio cuenta que faltaba una "plancha". Las planchas son una especie de matriz original sobre las que luego se imprimen los ejemplares de los diarios. Sin ese pedazo de metal, *La Voz* no podía ser editada.

El personal tardó una hora y media en confirmar que el subdirector Amoedo había tomado una plancha prestada para mostrarle a Amalita cómo se hacía un diario, sin la más mínima sospecha del desastre que estaba provocando. El gerente de personal del diario *La Voz* era el famoso Gordo Ángel Luque, el primer diputado nacional que fue expulsado por sus colegas del parlamento en toda la historia del país. El mismo hombre que fue acusado por el diputado provincial de Catamarca, Miguel Marcolli, de instigar el asesinato de unos albañiles para después "hacer desaparecer sus cuerpos" mezclando las partes con cemento portland. Cemento que sirvió para levantar las columnas de la casa de Luque.

Cemento de Loma Negra, la única marca que se utiliza en la provincia de Catamarca.

El penúltimo adjetivo que le corresponde a la señora de Fortabat es el de generosa.

En este caso no vale argumentar que para quien tiene mucho dinero donar una parte no significa nada.

Un solo pero impresionante dato sirve para demoler ese prejuicio.

Durante la mayor parte del tiempo que duró la guerra de Malvinas, Amalia Lacroze concurrió de 6 de la mañana a 12 del mediodía al hospital Militar de Campo de Mayo, para curar con sus propias manos a chicos que venían sin una pierna, sin una mano, o con el último suspiro.

En esos días, sus principales colaboradores la vieron llegar retorcida, deshecha por haber limpiado tanta sangre y haber escuchado tantos gritos de dolor.

La guerra de las Malvinas la volvió hipersensible. Y todavía hoy sigue sintiendo a muchos veteranos como si fueran sus hijos postizos.

A más de 1000 invitó a Olavarría. A 700 les consiguió trabajo en sus plantas o en empresas de sus amigos. Una tarde, ella mandó a llamar a su director ejecutivo, Juan Pedro Tibahud, para escuchar el parte diario de actividades. Entonces entró la conductora de la Fundación Fortabat, Clara Miretzky de Lamas, y le comentó a Amalita.

—*Uno de los muchachos (de Malvinas), el que se casó hace muy poquito... acaba de descubrir que tiene cáncer. Se va a morir en cuestión de semanas. Ella está embarazada y ni siquiera tienen una casita para vivir decentemente.*

Y la dueña de la empresa se transfiguró y empezó a repetir.

—*No. De ninguna manera. Esto no puede ser. Yo no puedo ir esta noche al Colón, vestida como una reina, cubierta de alhajas, mientras esta pobre familia se queda en la calle.*

Tibahud, para tratar de apaciguarla, solo atinó a murmurar:

—*Es la vida.*

—*Ma qué la vida ni la vida* —parece que gritó Amalita, fuera de sí—. *¡Clara!* —agregó enseguida— *...Andá ahora mismo, o mañana a primera hora, a comprar una casa para ellos.*

Pero Amalia Lacroze entregó mucho más que una casa a una familia que la necesitaba. Ella gastó, en ayuda social, más de 30 millones de dólares entre 1980 y 1988. Y además, donó:

* Parte de la construcción del Instituto de Investigaciones Bioquímicas que dirigía Luis Federico Leloir.
* La organización y financiación del XII Congreso Mundial del Cáncer, en que participaron más de 7 mil especialistas de 73 países.
* Un laboratorio de avanzada para la Fundación Argentina que estudia la toxoplasmosis.
* La reconstrucción total de la Escuela Nacional de Bellas Artes de Azul, que tiene una superficie cubierta de 800 metros cuadrados.
* La restauración completa de las Pinturas Murales de las galerías Pacífico que dirigió el maestro Antonio Berni.
* Parte de la ampliación, remodelación y amoblamiento del pabellón anexo del Museo Nacional de Bellas Artes. Se trata de un lugar que tiene mil metros cuadrados.
* Equipos y medicamentos para el tratamiento de chicos con leucemia internados en el Hospital Niño Jesús, de San Miguel de Tucumán.
* Equipo para injertos al Hospital Militar Buenos Aires.
* Otro equipo similar para la facultad de Medicina de Buenos Aires.
* Dinero y materiales para más de 30 escuelas primarias y colegios secundarios.
* El alimento diario, y durante todo el año, para 2 mil chicos pobres que viven en La Matanza.
* El dinero para fundar el Centro Nacional de Formación Profesional de Olavarría, a los que concurren 1500 personas, entre operarios, supervisores y jefes de Loma Negra, pero también de otras empresas de la zona.

* El pabellón *Bonanza* del Hospital Moyano, que tiene una superficie cubierta de 340 metros cuadrados.

Generosa / Sensible / Lobbista de primera / Seductora / Enamoradiza / Autoritaria / Caprichosa.

Todas estas cosas son esta mujer, que, como es evidente, parece humana. Sin embargo, a veces ella cree que no lo es. O por lo menos, que no lo es tanto.

Empezó a pensar que era una extraterrestre y/o que había vivido otra vida cuando tuvo una virosis que se le repetía y ella sintió que estaba perdiendo la memoria, porque no se acordaba de algunos nombres. Viajó enseguida a los Estados Unidos, se hizo una tomografía computada y se sometió al cuidado de un especialista en cerebros. El experto primero le hizo repetir los nombres de los últimos 8 presidentes de EE.UU. y ella se los recitó de corrido, en su perfecto inglés. Luego el médico le dijo:

—A partir de los 28 años el cerebro se empieza a achicar, pero usted tiene un cerebro de 24 años.

No fue sólo esto lo que la hizo considerarse extrahumana.

Su hermano, Alberto *Bebe* Lacroze, fue contratado por Amalita como inspector de estancias apenas murió Alfredo Fortabat. Él debía trasladarse desde un campo hacia el otro. Amalita, tres días antes, le suplicó que no lo hiciera. Presentía que algo malo sucedería.

Pero *Bebe* viajó igual y se encontró con la muerte de una manera violenta, incrustado junto a su automóvil en el tronco de un árbol.

Los primeros días de 1989, unas horas antes de la despedida de la vida del ministro de Economía de Bunge & Born y la Argentina, Miguel Roig, *Mema* le comentó a sus nietos Alejandro y Barbarita Bengolea que no lo veía para nada bien.

—Los cuellos de la camisa le quedan grandes. Se le notan todos los músculos y tendones del cuello. Se va a enfermar.

Y Roig se enfermó definitivamente.

En 1982 le confesó a un periodista que a veces se asustaba de sus intuiciones. Y también le reveló que tenía telepatía.

La telepatía es la sensación que tiene una persona de vivir o sentir un hecho que se produce en el mismo momento, pero a una distancia considerable. Es lo que comúnmente se denomina *transmisión de pensamiento.* La señora Fortabat le demostró a un periodista que tenía telepatía cuando su mayordomo se presentó sin que ella lo reclamara. El mucamo insistió durante un tiempo en que había sentido su llamado. Pero la verdad es que nadie lo había hecho.

La multifacética mujer aprovechó entonces para jurar que ella oye el ring del teléfono antes de que suene efectivamente. Y para dejar sentado que, obviamente, ella sabe de antemano quién es el que está del otro lado de la línea, o cuál es el mensaje que le quieren dejar.

Ella no le teme a ese poder: lo que le da fastidio es no poder cultivarlo. Esa carencia es una de las razones por las que recurre tantas veces a las cosas de la tierra. Para evitar o prevenir, por ejemplo, el secuestro de algún miembro de la familia.

Un día de 1985 amenazaron de muerte a su nieto, Alejandro Bengolea.

Los extorsionadores no equivocaron el blanco.

Alejandro, el hijo mayor de Inés Lafuente, es el preferido de la abuela. Y es, además, el único de la familia que conoce cada uno de los laberintos de la cementera Loma Negra y de las estancias y cabañas que posee Amalita. Alejandro es el seguro heredero del imperio Fortabat Lacroze de los Reyes Oribe.

Por eso Amalita fue personalmente a comprar las armas para equipar a sus custodias. Por eso ordenó ponerle vigilancia hasta para jugar al fútbol en los bosques de Palermo, por si a algún profesional se le ocurría raptarlo. Su propia seguridad personal es algo que impresiona.

Tiene a tres hombres que la siguen a sol y a sombra, pero además hay un cuerpo de por lo menos 20 personas que corren alrededor de ella cuando se debe trasladar por tierra a localidades lejanas como La Matanza.

La señora a veces piensa que es algo exagerado, ya que de todos modos, si la llegan a secuestrar, ella ha dado la orden que negocien sin la presión del eventual asesinato. Ha instruido a su equipo para que pelee el precio del rescate y no se entregue fácilmente.

Desde que María Amalia Lacroze fue designada embajadora itinerante aparece poco y nada en los medios de difusión. Es obvio que ha elegido el bajo perfil y que sólo permite a algunos pocos amigos que saquen fotografías para su fiesta de cumpleaños.

Pero no sería raro que en 1994 aparezca en la tapa de todos los diarios, todas las revistas y que además sea filmada por las cámaras de todos los canales de televisión argentinos y también extranjeros:

Es que una pitonisa, la que atiende a su hija Inés, vaticinó que Amalita se volverá a casar con un afortunado señor, después de cumplir los 73 años.

4. *No sabe, no contesta*

La entrevista con la señora Amalia Lacroze de Fortabat, presidente de Loma Negra C.I.A.S.A., fue solicitada a través de 36 llamadas telefónicas. Todas ellas fueron respondidas muy amablemente por distintas secretarias. Los motivos que comunicaron sus colaboradores para no conceder el reportaje fueron varios, pero el más repetido es que estaba ocupadísima, trabajando por el país.

Para anticiparse a los malentendidos, es útil transcribir a continuación el cuestionario que fue solicitado por una de sus empleadas.

1) ¿Por qué dice que usted fue hija del amor?
2) ¿Es cierto que pinta y escribe? ¿Podría reproducir algunas de las anotaciones de su diario?
3) ¿Es cierto que quiere hacer una película de su vida?
4) ¿Es cierto que supo lo que iba a ser a los 14 años, cuando unas "brujas" le vaticinaron que se iba a casar con un maharajá?
5) ¿Por qué se le ocurrió la idea de ser monja?
6) ¿Por qué abandonó el colegio en segundo año? ¿No le pesa eso?
7) ¿Podría reproducir alguna de las canciones que escribió?
8) ¿Es verdad que llora cada dos por tres?
9) ¿De dónde sacó la facultad de anticiparse a las cosas que sucederán? ¿Es cierto que presiente situaciones y que tiene telepatía?
10) ¿Tiene algún sueño o pesadilla recurrente?
11) Una adivina le dijo a su hija, que usted, a los 73 años, iba a vivir una gran pasión, y que posiblemente se casaría. ¿Considera que puede suceder?
12) ¿Cuántas veces amó desde que enviudó? ¿Es cierto que tuvo entre sus amigos más íntimos a Palito Ortega, Enrique Nosiglia, Luis Prémoli y el administrador de sus campos, ingeniero Enrique Bolcke?
13) Alguna vez reconoció que hizo cantidad de testamentos, que los ha leído en voz alta y que en ellos da consejos de vida. ¿Podría reproducir alguno?
14) ¿Cómo quisiera recibir a la muerte?

15) ¿Por qué inició juicio al peluquero Miguel Romano?
16) ¿Es supersticiosa?
17) ¿Podría confirmar si Alfredo Fortabat testaba todos los años y por qué razón no se encontró el testamento del año en que murió?
18) ¿Puede citar las principales obras de ayuda de la Fundación y cuánto gasta por año en ellas?
19) ¿Es cierto que, a veces, toma whisky durante las comidas?
20) ¿Podría detallar su custodia permanente?
21) ¿Es usted, como aseguró la revista *Vanity Fair*, una de las 10 mujeres más ricas del mundo?
22) ¿A qué edad se piensa retirar?
23) ¿No cree que los hombres le temen? ¿Qué hombre no le temió en toda su vida?
24) ¿Es cierto que se separó de su esposo poco antes de su muerte, que se llevó sus joyas, que voló a Europa en su jet y que regresó cuando Alfredo Fortabat le informó, por radio, que eran falsas?
25) ¿Podría relatar su experiencia como voluntaria en el Hospital Militar, durante la guerra de Malvinas? Algunos dicen que su personalidad cambió después de esa experiencia.
26) ¿Por qué pone tantos filtros para acceder a usted?
27) Dicen que usted levanta el teléfono y del otro lado la atienden, sin demoras, desde el presidente Menem hasta Rockefeller. ¿Podría dar más ejemplos y precisar circunstancias?
28) ¿Podría contar cómo es su día?
29) ¿Es cierto que tuvo con Alfredo Fortabat discusiones tremendas?
30) ¿Podría contar exactamente qué pasó hace varios años, en la embajada de España, cuando su marido se enojó porque usted bailaba con el embajador de España?
31) ¿Dio instrucciones en caso de que la secuestren?
32) Usted sentenció: "no puedo vivir sin el amor de un hombre, no puedo vivir sin que nadie me ame". ¿Cuál es su amor actual?
33) Varias veces dijo que triplicó la fortuna de Alfredo Fortabat. Pero ¿por qué cuando él murió la empresa estaba entre las 10 primeras del ránking y hoy está en el 60º lugar? ¿Por qué no se diversificó y multiplicó su facturación como el grupo Macri o el grupo Techint?
34) Algunos consideran que fue un error que usted le vendiera el 36 por ciento de las acciones que poseía Loma Negra de Calera Avellaneda al grupo español Fadera, porque desde entonces se convirtió en una competencia considerable. ¿Qué opina de esto?
35) ¿En qué se diferencia su estilo de conducción con el de su marido?
36) ¿Por qué considera que perdió el Canal 2?
37) ¿Qué relación tuvo con el diario *La Voz*?

38) ¿Es cierto que durante el gobierno radical Loma Negra dejó de pagar el gas por dos años?
39) El 20 de mayo de 1985 usted se comprometió a terminar un hospital de Niños para 1989. ¿Cumplió su sueño?
40) ¿Por qué Loma Negra vende la bolsa de cemento a 4,5 dólares y en Bolivia y Paraguay cuesta 3 dólares?
41) ¿A cuánto asciende su patrimonio hoy?
42) ¿Por qué fue a visitar a Seineldín a Villa Martelli?
43) ¿Le gustaría ser presidente de los argentinos?
44) ¿Podría explicar cómo es vivir con la sensación de que se puede comprar todo, se puede conseguir todo, que nada está fuera de su alcance?
45) Si volviese a nacer, ¿qué le gustaría ser o hacer?
46) ¿Fue alguna vez al psicoanalista, psiquiatra, vidente o bruja?
47) Algunos conocidos suyos dicen que usted es muy irritable y se enoja seguido. ¿Es verdad?
48) ¿Tiene miedo de que la maten?
49) Dicen que todos los archimillonarios recuerdan el momento en el que consiguieron su primer millón. ¿Podría relatarlo?
50) ¿Piensa en la muerte?
51) ¿Cuáles fueron sus principales actuaciones como embajadora itinerante? ¿Podría relatar alguna misión secreta o poco conocida que le haya encomendado Menem o algún otro miembro del gobierno?
52) Varias veces reconoció que en su casa "juntó" y reconcilió a gente que estaba distanciada. ¿Podría relatar alguna de esas mediaciones?
53) ¿Intercedió por algún desaparecido durante el llamado Proceso de Reorganización Nacional?
54) ¿Podría reproducir algún diálogo interesante que haya tenido con los presidentes de este país, empezando por el segundo gobierno de Perón?
55) ¿Por qué más de una vez se negó a pagar impuestos en la provincia de Buenos Aires?
56) ¿Cuánto dinero le deja usted al Estado por mes o por año?
57) ¿Cuántas cirugías se hizo para conservarse tan joven y bella?
58) ¿Cuánto factura el grupo Loma Negra —todas sus empresas— actualmente, en Argentina?
59) ¿Cuánto factura cada una de las empresas por separado?
60) ¿Cuánto facturaba en 1976, cuánto en 1983 y cuánto en 1989?
61) ¿A cuánta gente le da trabajo directamente? ¿A cuánta en forma indirecta?
62) ¿Podría dar los nombres, apellidos y funciones de cada uno de los directivos de las empresas?
63) ¿A cuántas licitaciones se presentaron en los últimos años?
64) ¿A cuántos y cuáles negocios accedieron por contratación directa?

65) Si Loma Negra desapareciera ya, ¿qué sucedería con la economía y el país en general?
66) ¿Qué porcentaje de su facturación paga el grupo de impuestos?
67) ¿Podría dar detalles del management como el código de ética, el manejo de imagen y cómo se toman las principales decisiones?
68) ¿Cuánto le debe el Estado al grupo? ¿Cuánto el grupo al Estado?
69) ¿Cuáles son las perspectivas y las metas de Loma Negra? ¿Cómo influirá en la empresa el Mercosur?
70) ¿Qué es lo que todavía no hizo y le gustaría hacer?
71) ¿Qué le gustaría que dijera su epitafio?
73) ¿Podría aclarar la versión que dice que en sus campos se encontraron pistas clandestinas para narcotraficantes?
74) Loma Negra se benefició con la transferencia al sector público de 95 millones de dólares de su deuda privada y con la promoción industrial para una inversión de 102 millones de dólares. ¿No considera injusta esta transferencia de dinero desde el Estado hacia su empresa?
75) ¿Qué fue lo que más le impactó en toda su vida?

12 de agosto de 1991.

La señora Fortabat muy pocas veces concedió reportajes cuyo contenido no estuviera arreglado de antemano.

Éste no iba a ser uno de ellos.

Segunda parte

Bulgheroni, el gran acusado

1. *"El Principito"*
2. *Cómo la hizo*
3. *Gallo de riña*
4. *Bulgheroni: "Somos cortesanos del poder de turno"*

1. "El Principito"

—*Si Bulgheroni va a Economía, nosotros vamos presos.*

Estas 8 palabras fueron pronunciadas por el entonces ministro del Interior, Eduardo Bauzá, al oído atento del sindicalista gastronómico Luis Barrionuevo, cerca de la medianoche, durante una reunión de gabinete, el 14 de julio de 1989.

Hacía 7 horas que el ministro de Economía por Bunge & Born, Miguel Roig, había muerto, "asesinado" por el infarto que le habían causado, entre otras cosas, las presiones de sus empresarios amigos. El presidente Carlos Menem debía designar un reemplazante, ya.

Estaban presentes el vicepresidente Eduardo Duhalde, el titular de la Cámara de Diputados, Alberto Pierri; el jefe del bloque de diputados justicialistas, José Manzano; el hermano del presidente, Eduardo Menem, y, por supuesto, Bauzá y Barrionuevo. El jefe de Estado escuchó distintas "ofertas".

La primera: canciller Domingo Cavallo a Economía, diputado Manzano a Relaciones Exteriores.

La segunda: Livio Kühl —capitán de la Industria y ex ministro de la ídem durante el gobierno de facto de Eduardo Viola— ministro de Economía, para mantener la línea del *empresario exitoso.*

La tercera: Néstor Rapanelli, otro hombre de B & B, a Economía, como una consecuencia natural de la alianza entre el gobierno y el grupo.

Como todo el mundo sabe, fue aprobada la última propuesta. Pero antes de esto, irrumpió Kühl en la tensa reunión y aclaró:

—*El candidato* (de los capitanes) *no soy yo. El candidato es Carlos Bulgheroni.*

Lo que le hizo comentar a Bauzá, no tan despacio como debiera:

—*Si Bulgheroni va a Economía, nosotros vamos presos.*

El funcionario no tuvo necesidad de explicar seguidamente esa frase del diablo. Todos los presentes recordaban que el banco del susodicho, el Banco del Interior y Buenos Aires *(BIBA)* tenía gravísimos problemas financieros y legales. Tampoco desconocían que la Dirección General Impositiva (DGI) había calculado que Papel de Tucumán, otra de las empresas de Bulgheroni, había defraudado impositivamente al Estado, aunque no había sentencia firme.

No se trataba de cualquier hombre de negocios.

Se trataba, nada más y nada menos, que de Carlos Alberto Bulgheroni, cédula de identidad 5.585.582; 44 años, 4 meses y 7 días; Piscis en el oráculo occidental y Gallo de madera en el chino; empresario petrolero, pesquero, electrónico, ganadero, financiero y papelero; miembro de la Bolsa de Comercio y socio titular de la Fundación Mediterránea, amigo íntimo o muy conocido de los presidentes Arturo Frondizi, Juan Carlos Onganía, Marcelo Levingston, Jorge Videla, Viola, Reynaldo Bignone, Raúl Alfonsín y Carlos Menem; multilitigante contra el Estado; socio del Jockey Club, del Club Náutico San Isidro, del Buenos Aires Lawn Tennis Club y del Club Americano de Buenos Aires and Médanos Tennis Club de Punta del Este; deshauciado por sus amigos debido a un cáncer de garganta pero vuelto de la muerte para sorpresa de todos; potencial agresor de su primo hermano de haberlo tenido a tiro cuando éste secuestró a su padre en 1974; copropietario de un imperio que factura más de 400 millones de dólares y que tanto podría seguir creciendo como sucumbir; enojón, sensible, amante de su familia, hiperracional y hombre de lucha constante para alcanzar la gloria o... el cadalso, para matar o morir.

La historia de Bulgheroni, Bridas, sus negocios y sus escándalos es una novela apasionante cuyos capítulos se pueden contar de atrás para adelante, del derecho o del revés, porque siempre tendrán el mismo eje y el mismo responsable. Porque siempre estarán fatalmente relacionados. El primer capítulo de la primera parte de la novela comienza el 18 de agosto de 1989, cuando el concejal Maslatón jura haber recibido una oferta de 300 mil dólares de Alberto Close, lobbista del grupo Bridas, a cambio de no denunciar públicamente supuestas irregularidades cometidas por el Banco Central y el BIBA. Irregularidades que, según el concejal, habrían costado a todos los argentinos más de 43 millones de dólares y reportado un beneficio al banco privado por el mismo monto.

La acusación de Maslatón a Close está contenida en una casette cuya cinta está en poder del autor y la editorial Sudamericana. Esta es la reconstrucción sintética del nervioso relato cuyo único responsable es el joven dirigente de la UceDé. La minuciosidad de la narración tiene por objeto evitar confusiones.

El 15 de agosto de 1989 Maslatón recibió tres llamados al directo de su oficina en el Concejo Deliberante, el 30-7172. Uno de ellos lo atendió su asesor, Oscar Giménez Peña. Los otros, alguna de sus dos secretarias, Marina Allerand y Mónica Coupé.

El que llamaba era Alberto Jorge Close, quien no se presentó como un miembro del grupo, sino como un analista particular, interesado en aclarar al concejal algunos puntos del caso BIBA. Poco después, Maslatón se enteraría que se trataba del Director de Desarrollo Corporativo de Bridas. El nombre del cargo no podía ser más gráfico.

Se citaron en un bar ubicado al lado de una de las sedes del banco, en Plaza San Martín. Se encontraron tres días después. Close hablaba en un español impuro:

—*Estás mal informado sobre el BIBA. ¿Por qué no venís a la planta de Papel de Tucumán y lo conversamos a fondo?* —invitó Close.

—*Estoy bien informado sobre el BIBA. Y también sé que tienen problemas impositivos en Papel de Tucumán* —lo cortó Maslatón.

—*Te equivocás. El BIBA no le debe nada al Central. Es al revés. Es un juego contable que se compensa con la venta de acciones de Papel de Tucumán. Todavía nos queda plata a favor* —aseguró el Director de Desarrollo Corporativo de Bridas.

—*Mis cuentas me dan otra cosa* —sostuvo el político.

—*Bueno, bueno. Tenés que parar con esta denuncia. Nosotros* (Bridas) *siempre colaboramos con el partido* (la UceDé). *Nuestros competidores* (las papeleras Ledesma y Massuh) *te están utilizando. Vamos... nosotros sabemos que esta denuncia no la armaste vos, sino Otero Monsegur.*

—*No conozco a ningún Otero Monsegur.*

Carlos Otero Monsegur es el abogado que piloteó las acciones judiciales de Ledesma y Massuh contra Papel de Tucumán. Ledesma y Massuh vienen sosteniendo desde 1983 que Papel de Tucumán no puede fabricar otro papel que no sea para diario. Las primeras pusieron el grito en el cielo cuando la papelera de Bulgheroni empezó a vender papel para computadoras, boletas electorales y formularios a un precio más barato que su competidora. Hace 10 años que la lucha es a muerte. Su intimidad será relatada a su debido tiempo.

—*...Tenés que ser más contemplativo. Nosotros podemos ayudar al partido, también podemos ayudarte a vos en tu campaña política... no digamos de inmediato, sino con miras a la elección general... podemos hablar de unos 300 mil dólares,* dijo Maslatón que le ofreció Close.

Y agregó que, por supuesto, rechazó la oferta.

Al otro día, recibió el llamado de Luis Remaggi, vicepresidente del BIBA, Remaggi fue, también, presidente del Banco Ciudad, por decisión de otro amigo de Bulgheroni, Enrique *Coti* Nosiglia. Remaggi habría prestado mucho dinero del banco público al BIBA. Él y Maslatón se reunieron una mañana en el *Café de los Reyes,* Santa Fe. Maslatón dice que el tono de Remaggi fue amenazante:

—*Vos presentá todos los papeles que se te ocurra* —advirtió el vice del BIBA—. *Andá a la Fiscalía* (Nacional de Investigaciones Administrativas). *Hacé lo que quieras. Pero no lo publiqués en los medios. Si abrís la boca, te vamos a salir a contestar duro.*

—*Esto no es personal, es una cuestión ética y de principios.*

—*¿Ah, sí? Nosotros pusimos mucha plata para la Alianza de Centro. Vamos a ver cómo le cae esto a tu partido.*

A los pocos días, el economista David Expósito, presunto asesor del BIBA, le pidió a Maslatón una cita. Se juntaron en la esquina de la sede de la UceDé, en el café de Cerrito y Rivadavia.

—*Yo sé que trabajás para Massuh* —arrancó, poco diplomático, Expósito. El encuentro duró poco. Maslatón lo interrumpió enseguida.

Sin embargo el economista tuvo tiempo para invitarlo a la sede del BIBA. Le dio fecha y hora.

Maslatón consultó a su compañera Adelina Dalesio de Viola sobre los pasos a seguir. Y ella le aconsejó que no fuera al banco.

—*Ni se te ocurra pisar ese lugar* —ordenó la dama—. *Te van a grabar, te van a filmar. No te metás con esa gente. Te van a hacer pasar por un coimero.*

Inmediatamente después recibió otro llamado de Alberto Albamonte. El diputado rubio no lo invitaba a abandonar la denuncia sino a participar en el Acto Contra la Corrupción, que se debía realizar el 30 de octubre de 1989, en el teatro Coliseo.

Maslatón aceptó inmediatamente. Era una buena oportunidad para agitar el escándalo del BIBA. Pero meses más tarde, y cuando ya se habían impreso los carteles y las boletas que anunciaban la presencia del concejal, Albamonte le pidió que le adelantara sobre el tema que iba a hablar.

—*Sobre el BIBA* —dijo Maslatón, y a Albamonte se le atragantó el aliento. Después aclaró:

—*Sobre eso no podés hablar. (Los de Bridas) son amigos. Si los denunciás, me comprometés a mí. Olvidate. Además, ellos nos pueden conseguir una compensación para nuestra futura acción política. Pensalo y me llamás.* Ambos se encontraron varias veces para discutir el asunto. Tomaron café juntos en lugares como *La Biela*, de Recoleta, y el *Petit Paris*, de Plaza San Martín. En ese último lugar Albamonte se jugó la última carta:

—*Mirá, Carlitos: todos los grupos económicos son ladrones y cometeros; a ninguno le interesa el capitalismo de competencia. Todos son iguales. Todos buscan el monopolio y el privilegio... no podés jugar a favor de uno y en contra del otro.*

Y Maslatón jura que le respondió, asqueado:

—*Mirá macho: para que te quede bien claro... para probarte que no trabajo para Massuh, estoy dispuesto a suscribir con vos cualquier denuncia que incrimine a Ledesma, a Massuh, o a cualquier otro.*

Cuarenta y ocho horas antes del acto, Maslatón anunció a Albamonte que su opinión no había cambiado. Y lo volvió a poner en claro:

—*Si hablás del BIBA no vas.*

El concejal Maslatón jura que se despidió así:

—*Entonces no voy, me siento coaccionado moralmente.*

En el monólogo de Carlos Bulgheroni que sirve como broche de toda esta historia, el empresario dijo sobre este presunto intento de soborno:

—*Close me dijo que Maslatón dice que lo sobornaron porque es empleado a sueldo de Ledesma.*

Enseguida pidió al autor que ejerciera la libertad de prensa con objetividad y dialogara con Close.

Alberto Jorge Close, 49 años, casado, tres hijas, argentino criado en los Estados Unidos, negó haberle ofrecido dinero a Maslatón, reveló que lo había querellado por calumnias e injurias y daños y perjuicios y atribuyó la denuncia del concejal a una campaña orquestada por las empresas Ledesma y Massuh.

Close aseguró además que los periodistas integrantes del programa televisivo *La trama y el revés* —de Guillermo Cherasny, Carlos Burone y Eugenio Méndez— formaban parte de esa conspiración y que atacaron al grupo Bridas y a la familia Bulgheroni porque éstos se habían negado a pagar 2 mil dólares por semana en concepto de auspicio para ese programa.

—En vez de darles el auspicio, Carlos los querelló. Ese auspicio es una especie de coima encubierta —agregó Close. Después aclaró:

—Una coima a cambio (de que los periodistas) *hablaran bien* (de Bulgheroni) *o directamente no hablaran.*

La trama y el revés se emitió por el canal 2 durante parte de 1990. En el programa del 2 de abril de ese año, Cherasny llamó a Bulgheroni *El Principito.* E informó:

—Le dicen así porque anda revoloteando atrás de todos los gobiernos.

A la semana siguiente, el propio Cherasny insinuó que *El Principito* podría ser uno de los grandes evasores de impuestos a los que el director de la DGI quería ver presos.

El 16 de abril, en el mismo programa, Eugenio Méndez explicó que Bulgheroni no había declarado ante el juez Martín Irurzun en una causa del BIBA que lo involucraba. Opinó que no lo había hecho porque el juez es ahijado de Alfonsín y, Alfonsín, amigo de Bulgheroni.

El 23 de abril, siempre en *La trama y el revés,* Cherasny denunció que su mujer había sido amenazada de muerte por alguien que llamó de parte de Bulgheroni. También balbuceó que el empresario había intentado comprarlo. Enseguida le cedió la palabra al diputado nacional tucumano y ex bussista, Exequiel Ávila Gallo.

Gallo dio por sentado que lo dicho por Cherasny era cierto. E hizo una dramática convocatoria al presidente Menem y vicepresidente Duhalde para:

—...que me ayuden a investigar a (Bulgheroni) *este corrupto porque está corrompiendo a los partidos políticos... está corrompiendo a la conciencia nacional.*

Por todas estas cosas, Bulgheroni promovió múltiples juicios. El empresario ofendido acusó a Cherasny de calumnias e injurias y pidió para él tres años de prisión efectiva. Querelló a Burone y solicitó para él dos años y medio a la sombra. Lo mismo exigió para Méndez.

Pero Close, al margen de los tribunales, dijo:

* que Maslatón agitó el tema del BIBA porque es amigo de Hugo Bunge, uno de los abogados de la papelera Ledesma.
* que los abogados de Maslatón le propusieron un acuerdo para que desistiera de continuar con la querella. Y que la oferta era de 50 mil dólares por parar todo.
* que no sabe si Maslatón recibió dinero, pero que a él le dijeron que tenía un nivel de vida superior al que debería.

* que detrás de la denuncia del concejal de la UCeDé había un afán de notoriedad.

Como sea, Maslatón siempre consideró al caso BIBA como el escándalo financiero más importante de la Argentina. Es hora de explicar por qué hizo semejante valoración:

El 23 de junio de 1989, es decir, dos semanas antes de que Alfonsín abandonara el poder, el Banco Central (BC) dictó una resolución extraña, que lleva el número 387/89. La resolución tenía tres vicios de forma. Uno: fue rubricada solamente por el presidente del BC, Enrique García Vázquez, y refrendada por un solo gerente y no por todo el directorio, como se estila en esos caso. Dos: fue aprobada en aquellos días terribles de hiperinflación y contra reloj, como muchos de los decretos que en Argentina implican negocios por millones de dólares. Tres: se invocó una razón de emergencia, pero en este caso no había ninguna urgencia institucional que la justificara.

No sólo para Maslatón sino también para los entonces diputados nacionales Domingo Cavallo y Héctor Siracusano esta resolución constituía un liso y llano regalo del BC al BIBA de 43 millones, 875 mil dólares. Se consideraba un regalo por las siguientes razones:

* El BC le otorgó al BIBA un redescuento por 1185 millones de australes, pèro retroactivo al 11 de noviembre de 1988. Se denomina redescuento a los préstamos en efectivo que da el BC a las entidades cuando éstas se encuentran en dificultades. La tasa de interés que le cargó el Central al préstamo BIBA fue bajísima: un índice combinado de precios mayorista y minorista.

* Al mismo tiempo el BC tomó en depósito el mismo dinero que le acababa de dar al BIBA. Los 1185 millones de dólares. Sólo que en este caso, el banco privado le cargó una tasa de interés altísima.

* En ese doble trámite el BIBA hizo una diferencia a su favor de más de 43 millones de dólares.

Pero esto no es todo.

Porque en la ya legendaria resolución 387 el BC también autorizó la fusión de los bancos del Interior, Palmares y Denario, todos del grupo Bridas, bajo el nombre de BIBA. Tanto Maslatón, como Cavallo y Siracusano sostuvieron que esa fusión era una irresponsabilidad, ya que los tres atravesaban una situación patrimonialmente delicada.

Veamos por qué lo dijeron.

Poco después del golpe militar de 1976, Alejandro Ángel Bulgheroni, entonces 59 años, padre de Carlos Bulgheroni y jefe absoluto del grupo Bridas, decidió zambullirse en el negocio de la bicicleta fundando una pequeña financiera llamada Palmafin. En 1979, la diminuta Palmafin se convirtió en el gran Banco Palmares. En ese entonces, el Bulgheroni mayor se empezó a entusiasmar con los números y, a pesar de los reproches de sus hijos, quienes le reclamaban más atención en los negocios petroleros, se lanzó a la aventura de fusionar el Palmares nada menos que con *American Express*. La segunda compañía no quiso saber nada.

Todos estos enjuagues necesitaban la batuta de un maestro de las finanzas. Fue entonces cuando Bulgheroni padre recurrió a Carlos Norberto Correa, quien hasta el momento era el número uno del Citbank y que durante muchos años enseñó a los alumnos de la facultad de Ciencias Económicas que el dinero no hace la felicidad, pero quita los nervios. Entre los alumnos más reputados de Correa se encontraban el ex presidente del Banco Central, Javier González Fraga, quien luego se convertiría en su socio.

Correa deslumbró a Don Alejandro y éste lo designó vicepresidente ejecutivo y gerente general de Banco Palmares. Correa consiguió, entre otras cosas, mantener alejados a Carlos Alberto Bulgheroni y a su hermano Alejandro de la conducción de la entidad. Correa soportó con estoicismo el rechazo de American Express pero sacó un conejo de la galera al proponerle a su patrón la compra de un banco más grande: el Banco de Interior y Buenos Aires (BIBA).

Al principio no consiguió un acuerdo con sus dueños, la familia Cordeu. Ellos estaban quebrados pero suponían que esa no era razón suficiente para regalarlo. La transferencia no se hizo y entonces el Central lo intervino, lo manejó durante más de un año y finalmente llamó a licitación. A esa licitación la ganó el Banco Urquijo. Nadie sabe todavía por qué no se lo adjudicaron y cuáles fueron los motivos por los que se llamó a una nueva licitación. A esta última, como no podía ser de otra manera, la ganó Bulgheroni. Las condiciones de la transferencia fueron más que ventajosas:

* El Central se hizo cargo de los morosos del BIBA, y de propiedades casi imposibles de vender rápidamente como el Hotel Provincial de La Plata y las Sastrerías González y Cervantes.

* Se le permitió al Palmares pagar en cómodas cuotas semestrales. Sin embargo, apenas abonó la primera en mayo de 1983 y tomó posesión. Cuando llegó la hora de saldar la segunda cuota, en noviembre del mismo año, pidió una prórroga que todavía sigue bicicleteando.

* Al mismo tiempo, el Banco Central le otorgó a Bulgheroni grande, similares facilidades para comprar otro banco: el Denario.

Bridas se hizo cargo del Denario rápidamente. Pero al ser conminado a pagar por lo que compró solicitó y obtuvo una refinanciación, en una de las bicicletas oficiales-financieras más impresionantes de la historia. Pases de manos como éste son difíciles de concretar sin la complicidad de funcionarios públicos que ocupan lugares claves. El hombre que manejaba el ministerio de Economía cuando todo esto sucedió era Jorge Whebe. El militar que hacía de presidente de la Nación era Reynaldo Bignone. Por otra parte, a la autorización para fusionar los tres bancos entre gallos y medianoche, en junio de 1989, la consiguió con Alfonsín como jefe de Estado y García Vázquez como titular del BC.

Whebe fue uno de los asesores estelares de Bridas antes de ser ministro. Después se convirtió, directamente, en el presidente de los bancos Denario, Palmares y del Interior, en reemplazo de Correa.

Bignone atendía sus contactos políticos en las viejas oficinas de Carlos Bulgheroni de Corrientes 465, tercer piso.

Alfonsín es un viejo amigo de Carlos Bulgheroni. El hombre que los presentó es el mayor retirado Antonio Pedro Schilling, ex presidente de Papel de Tucumán, quien pronto reaparecerá. En la casa que Schilling posee en la calle Gelly Obes el ex presidente radical y el conductor de Bridas se encontraron muchas veces. Carlos Bulgheroni siguió reivindicando su amistad con el abogado de Chascomús y lo mezcló entre sus huéspedes peronistas, en una fiesta realizada en su propio domicilio de Palermo Chico, aun cuando decir Alfonsín era mala palabra.

García Vázquez es otro de los que visitaba asiduamente al mayor Schilling en sus oficinas de Papel de Tucumán. Como se puede apreciar, esta es una historia circular y apasionante.

No fue apasionante sino aleccionador, para Carlos Bulgheroni, acompañar a su padre hasta California, Estados Unidos, en calidad de testigo de su operación del corazón y su posterior fallecimiento.

Terminaba el año 1985. Ellos estaban peleados. El hijo aprovechó la circunstancia para unirse en el último abrazo. Hablaron mucho. Tuvieron oportunidad de decirse casi todo. Y uno de los temas que tocaron, por supuesto, era el motivo de su distanciamiento. Es decir: el manejo del BIBA.

Mientras lo tuvo el Central, el BIBA ocupaba el lugar número 21 en el ránking de captación de depósitos. Se trataba de una de las entidades en las que más confiaba la gente para poner su dinero. Al tomarlo Bulgheroni padre & Correa, la desconfianza o algún otro motivo lo colocó en el puesto número 45 de la misma lista. El periodista Horacio Verbitsky se preguntó cómo podía ser que un banco que perdía día a día clientes y dinero, ocupara el primer lugar entre los que ofertaban efectivo en el mercado interempresario, en el que participaban financieras y algunas grandes compañías. La respuesta es que existía una mesa de dinero paralela que tomaba plata a incautos clientes y les prometía una ganancia de más del 20 por ciento anual en dólares.

Fue la misma respuesta que ofreció el propio Carlos Bulgheroni, al denunciar al intrépido financista Carlos Correa por defraudación contra sus tres bancos y también contra el Banco Central, el Estado, los consumidores, o como se le quiera llamar.

Sucedió a principios de 1988.

Bulgheroni tenía como abogado a León Carlos Arslanián, actual ministro de justicia de Menem y titular de uno de los estudios más grandes y caros del país. Arslanián había sido, también, uno de los jueces que condenó a la primera junta militar por el delito de terrorismo de Estado. Uno de sus compañeros era Andrés D'Alesio. Y este último, como Procurador General de la Nación, le recomendó a Bulgheroni que hiciera su denuncia ante el fiscal general de la Nación, Luis Moreno Ocampo.

El jefe del grupo Bridas se sentó frente al fiscal junto a uno de sus gerentes, Carlos María Regúnaga, y empezó a cantar.

Entre las irregularidades que le achacó a Correa, se encuentran:

* *Fraude al Banco Central por prefinanciación de exportaciones:* Las prefinanciaciones son, en realidad, dinero anticipado que el Central les otorgaba a las empresas para incentivar las ventas al exterior. La picardía aquí es que el BC cedía la facultad de instrumentar y hacer el seguimiento de estos créditos a las entidades privadas como el BIBA, el Denario o el Palmares. Según Bulgheroni, Correa autorizaba esos anticipos en forma irregular. Uno de estos anticipos se los cedió a la empresa CRYBSA, de Eduardo Figueroa, quien además era propietario de otro banco que quebró: el Iguazú. ¿En qué consistía la maniobra? Correa le anticipó los dólares, pero Figueroa no hizo la exportación. Lo que sí hizo fue devolverle el dinero a Correa para que lo manejara desde la mesa de dinero clandestina que se encontraba en un rincón trucho del BIBA. Como se puede apreciar, el defraudado es el Central y Correa el intermediario recompensado.

Figueroa, por otra parte, tenía la captura recomendada por varios jueces del Interior. El motivo: girar los fondos que captaba su banco a "cuevas" que no pagaban ni impuestos. Por una extraña mueca del destino o un suculento puñado de dólares, todas las causas contra Figueroa fueron a parar al juzgado de Remigio González Moreno, quien le concedió la eximición de prisión sospechosamente rápido. González Moreno, para más datos, purga desde hace más de un año una condena por haber extorsionado a una persona, y está en Villa Devoto.

* *Autopréstamos a través de empresas fantasmas:* Ricardo Gotelli, el del Banco de Italia —cuyo directorio integró, en su momento, el empresario Francisco Macri— habría comprado, junto a Correa, máquinas en Estados Unidos por menos de 2 millones de dólares. Luego la habrían revendido a 7 millones de dólares, a la compañía Sebastián Badaracco, que era, en realidad, una firma fantasma "inventada" por Gotelli. Con los 7 millones de dólares que recibieron del BIBA pagaron 2 por la maquinaria, devolvieron 3 de la deuda con el banco y se quedaron con un millón de dólares para cada uno.

* *Préstamos sin garantías:* Correa le prestó a los hermanos Hugo Jorge y Ramón Jorge, los dueños del ingenio La Esperanza, nada menos que 8 millones de dólares. Ramón Jorge amó a la vedette Susana Traverso, pero, además de eso, incorporó al directorio de su empresa al hermano de Carlos Correa, Roberto Correa. Por ese favor, el Ingenio La Esperanza le envió un cheque al financista Correa de casi 400 mil dólares.

Bulgheroni terminó de "cantar" el 18 de mayo de 1988 y de inmediato, en la madrugada del 19, los fiscales Moreno Ocampo, Oscar Ciruzzi, Aníbal Ibarra y José Luis Mandalunis, además del juez Martín Irurzun y 13 brigadas de la División Defraudaciones y Estafas de la Policía Federal, allanaron 3 oficinas, 5 viviendas particulares y arrestaron a 10 financistas.

A Norberto Correa lo fue a buscar a su coqueto departamento de Avenida Libertador al 3100 el propio Moreno Ocampo. El mago de las finanzas no quería abrir. Hay dos versiones de cómo se sucedieron los hechos. Correa dijo que Moreno Ocampo entró a punta de pistola y profiriendo gritos amenazantes. Los abogados que al principio lo defendieron estuvieron por presentar una querella por malos tratos. Por su parte, la Fiscalía sostuvo que no sólo lo trató con guantes de seda, sino que el fiscal auxiliar, Ciruzzi, requisó la propiedad en silencio, para no despertar a los hijos del presunto delincuente. Y agregó que, además, contó los 49.900 dólares que el banquero tenía en ese momento con sumo uidado, para evitar que se acusara a algún miembro del tribunal o la policía de robarle al supuesto ladrón de guante blanco.

Correa fue a parar a Devoto sin escalas y durante cuatro meses debió compartir la celda con otras tres personas. Esa convivencia forzada lo enfureció y una de las primeras cosas que hizo ante la Fiscalía fue denunciar trato discriminatorio. Correa y sus compañeros de desventuras no podían soportar que, a pocos metros, Carmelo Stancato y Jorge Ducchini, presidente y vice del Banco Alas, durmieran en una celda especial, con TV color y una heladera. Stancato y Ducchini habían sido encerrados en 1986 por estafar al Central con créditos de prefinanciación de exportaciones por una suma de 110 millones de dólares. En ese momento, ambos estaban negociando su libertad con la justicia, a cambio de devolverle al Central 5 millones de dólares en efectivo, propiedades, la red de cajeros automáticos y otras menudencias que sumaban nada menos que 50 millones de dólares. Los liberaron.

A Correa y sus compañeros de celda les resultaba incómodo escuchar cómo todos los días Stancato y Pucchini se echaban la culpa de su encierro mutuamente. Pero les parecía directamente odioso que cuando los responsables del Alas prendían la televisión, pusieran toallas para que Correa no pudiera verla. Correa es un hombre amable, culto, fino, seductor y con un coeficiente intelectual altísimo. Esto úlfimo fue lo que al principio hizo que se negara a testimoniar. Pero la cárcel le hizo perder la paciencia, y fue entonces cuando advirtio, ante los auxiliares del fiscal, en los siguientes términos:

—No voy a parar hasta ver en la cárcel a Bulgheroni. No voy a estar tranquilo hasta hacerle llenar con su declaración todas las fojas que yo estoy llenando. Voy a hacerle perder tanto tiempo como el que me hizo perder a mí.

La advertencia no consta en la declaración oficial del procesado. Además de fraude al BC por prefinanciación de exportaciones, préstamos irregulares a empresas truchas y sin garantías, Bulgheroni acusó a Correa de captar fondos a través de un maquiavélico mecanismo paralelo. No se trata de un detalle menor: aquí da comienzo otro capítulo de la novela del BIBA.

Todo indica que Alejandro Bulgheroni padre y su subordinado Correa montaron una mesa de dinero en uno de los pisos de la sede del BIBA.

Cuando aterrizaban los clientes, los empleados del banco, en vez de tomarle los depósitos a nombre del BIBA, le proponían invertir en el Grupo Bridas. Está probado que a muchos incautos los invitaron al microcine de la entidad y le mostraron a través de la pantalla a un señor que hablaba de lo útil que es invertir en el grupo Bridas, mientras aparecían pozos de petróleo, barcos pesqueros, vacas, computadoras y hasta la planta de Papel de Tucumán.

Está acreditado que a los ahorristas no les dieron, a cambio de su dinero, un certificado de depósito con el sello de BIBA, Sociedad Anónima, sino papeles con el sello de empresas supuestamente administradas por el grupo Bridas. Algunos de los nombres de las empresas eran Inversora General y BIBA of Shore. Algunos certificados estaban fechados en Montevideo. Otros en Panamá.

Es indiscutible que esos depósitos alcanzaron la suma de entre 80 y 100 millones de dólares, y que no fueron devueltos a los pequeños y medianos inversores, quienes hasta el día de hoy hacen ingentes esfuerzos para recuperarlos.

Lo que todavía no está claro es quién se quedó con esa plata.

Carlos Bulgheroni afirmó que se enteró de la existencia de esas empresas fantasmas administradas recién después del 31 de octubre de 1986, el día en que Correa abandonó sus cargos en el BIBA, el Palmares y el Denario. Agregó que se percató del fraude cuando mandó a pedir un balance consolidado del banco y muchas de las compañías del grupo. Y consideró que Correa se llevó ese dinero y a cambio le dejó a las administradas un pasivo o deuda, por el mismo monto: entre 80 y 100 millones de dólares.

Norberto Correa jura que las administradas, es decir, las sociedades que captaban fondos a través de la mesa de dinero, eran propiedad de Alejandro Bulgheroni padre, quien falleció en 1985 y no puede aclarar nada. Añadió que el dinero que tomaban de los clientes era girado a sociedades que tiene Bridas, es decir, Carlos Bulgheroni, en el exterior. Adujo que ese dinero se depositaba primero en bancos extranjeros. Explicó que esos bancos extranjeros le terminaban prestando a Bulgheroni efectivo por la misma cifra depositada por Bridas.

Este trámite se llama préstamo back to back. Lo suelen utilizar firmas de un mismo grupo. Una compañía deposita en el Banco de New York 100 y otra retira del mismo banco exactamente 100.

Los abogados de Correa le dijeron a los jueces que es muy fácil probar lo que aseguró su cliente revisando los balances de las empresas del grupo Bridas donde consta la entrada y salida del vil metal. Lo que Correa insinuó es claro: Carlos Bulgheroni no sólo sabía que esas empresas existían, sino que con la plata que captaron esas compañías financió a todas las sociedades del grupo de Bridas.

En las primeras etapas de la declaración testimonial de Bulgheroni ante Moreno Ocampo para involucrar a Correa, el empresario y la Fiscalía se trataron con respeto y cordialidad. Incluso el acusador llegó a donar una computadora de su empresa IDAT S.A. para las oficinas del alto tribunal. Los enemigos del fiscal de la República interpretaron ese obsequio como un arreglo poco claro. Y cuando estaba a punto de terminar la acusación, tanto Bulgheroni como Moreno parecían coincidir en que era una barbaridad que las firmas administradas le hubieran generado a Bridas una deuda de entre 80 y 100 millones de dólares.

Pero todo se empezó a complicar cuando un día, en su despacho, el fiscal aclaró al empresario:

—Mientras usted pague esa deuda, mientras que le devuelva la plata a los depositantes, nadie lo va a poder acusar de tener alguna responsabilidad en los hechos que denuncia.

—No, momentito —habría replicado Bulgheroni—. *Esta plata no la puedo pagar yo. Esta plata hay que incorporarla como pasivo al BIBA.*

El hombre de negocios y el de leyes se miraron durante unos segundos. Entonces Bulgheroni, quien mide menos de un metro setenta y no pesa más de 65 kilogramos, desvió sus ojos hacia el señor Alberto Close, buscando su aprobación. Moreno Ocampo retomó la iniciativa:

—Señor: si usted incorpora su deuda al BIBA lo que está haciendo, en realidad, es transferirla al Banco Central. Y si usted le gira ese pasivo al Central, yo lo voy a denunciar por intentar defraudar al Estado.

La verdad es que Bulgheroni suponía que con su denuncia iba a tener el apoyo del Banco Central y que iba a conseguir, como muchos otros bancos, oxígeno para afrontar ese brutal desequilibrio y vía libre para su liquidación, todo lo cual no le costaría ni un solo peso. La lógica del fiscal lo sorprendió, y entonces dijo:

—En ese caso... defenderemos a nuestros gerentes hasta las últimas consecuencias.

Lo que equivalía a anticipar que no sólo le tiraría "el muerto" al BC, sino que eludiría cualquier responsabilidad individual, ya que no figura como ejecutivo del BIBA, sino como un simple accionista. Dicen que cuando Close terminó de escuchar la frase de Bulgheroni se puso pálido.

El 8 de julio de 1989 asumió Menem como presidente de la Nación. Ese hecho llenó de felicidad a Bulgheroni y sus hombres. Cuando terminaba el mismo mes Javier González Fraga pasó a conducir el Banco Central. Y el 22 de agosto del mismo año Maslatón fue a verlo para pedirle que liquidara el BIBA.

—Ese banco está quebrado —adujo Maslatón—. *Además, el redescuento que le firmó García Vázquez es un regalo y la resolución es trucha. Tiene que anularla.*

—Si yo anulo la resolución el BIBA va a alegar derecho adquirido y eso implicará juicios administrativos y civiles millonarios contra el Central. Maslatón se despidió con la sensación de que González quería actuar, pero que estaba atado de pies y manos por sugerencia de "muy arriba". Su hipótesis se fortaleció cuando creyó comprobar que a Bulgheroni y el presidente

los unía una gran amistad, a partir de los siguientes hechos:

* Bulgheroni acompañó al hijo del presidente Carlos Menem a los Estados Unidos. El chico había tenido un serio accidente en su moto. Muchos creyeron que perdería una pierna para siempre. El petrolero se ocupó de encontrar los médicos para que lo operara el mejor. El jefe de Estado y su esposa Zulema estaban angustiados. Cuando Bulgheroni trajo al chico sano y salvo se sintieron profundamente agradecidos... y en deuda.

* Casi simultáneamente, salió a la venta el libro *Yo, Carlos Menem*, compilado por el historiador peronista Enrique Pavón Pereyra. En la primera página, antes de la introducción se puede leer que la obra se realizó con el auspicio de *Papel de Tucumán*, la papelera de Bridas.

González Fraga intentó en octubre de 1989 negociar con Bulgheroni la venta del BIBA. Había tres presuntos compradores: el Citibank, la Banca Morgan y el Arabian Banking Corporation. La hiperinflación no sólo le impidió esa negociación sino que lo hizo volar del Banco Central. En su reemplazo asumió Rodolfo Rossi, quien fue desplazado cuando se terminaba de acomodar. En enero de 1990 le ofrecieron el cargo a Enrique Folcini. El técnico, antes de aceptar, mantuvo una jugosa conversación con el ministro de Economía, Antonio Erman González, en el quinto piso del Palacio de Hacienda, y en los siguientes términos:

—Tengo la obligación de decirle que mi nombramiento le puede traer problemas al gobierno.

—¿Por qué? —preguntó Erman.

—Porque mi padre fue ministro de la Revolución Libertadora.

—Ese no es ningún problema. ¿Algún otro inconveniente?

—Sí: el señor que acaba de salir de su despacho es dueño de un banco que desde hace varios años está completamente fundido.

El señor que acababa de salir del despacho de Erman era nada menos que Carlos Alberto Bulgheroni.

González asintió y prometió a Folcini que le dejaría las manos libres para ocuparse del caso.

Había terminado de caer el Plan de Bunge & Born. Por otra parte, el plan Bonex, que consistió en sacarle la plata del bolsillo a muchos depositantes de plazo fijo, había resultado otro fracaso total. Apenas se sentó, Folcini abrió los ojos desmesuradamente al ver el papelito con la lista de 44 bancos que estaban en rojo. La mayoría de los argentinos nunca supieron esto, pero entre las entidades de la lista figuraban 2 bancos extranjeros de primera línea y los provinciales de La Rioja, Río Negro, Santa Fe y Catamarca. El monto del déficit no era espectacular. El problema era que si Folcini rechazaba un cheque al descubierto de cualquiera de estos bancos y la plaza se enteraba, se corría el peligro de provocar una caída de entidades en cadena. Una especie de crack del 29 de los Estados Unidos. Y lo peor de todo era que, si el Central pagaba esos cheques, la Argentina iba rumbo a la hiper en cuestión de horas.

Al tercer día rechazó cheques de dos bancos extranjeros de primerísima línea.

Al quinto mandó a cerrar un pequeño banco de Tres Arroyos.

Pronto la plaza bancaria se dio cuenta de que Folcini no jugaba. El ministro del Interior, Julio Mera Figueroa, también se percató de lo mismo. Por eso lo llamó y le pidió:

—*Ni se le ocurra cerrar el Banco de Río Negro. Allí el gobernador* (Horacio Masaccesi) *es radical, y se nos puede armar un conflicto político del carajo.*

—*No se preocupe* —lo paró en seco Folcini, un tanto agrandado—. *Cuando decida cerrarlo se lo voy a avisar con anticipación.*

La dureza del presidente del BC rindió sus frutos. Al cabo de 12 días, la lista negra de 44 se transformó en una lista gris de 10. Siete de ellos eran privados, y el más grande y deficitario resultaba nada menos que... el viejo y conocido BIBA. Fue entonces cuando Folcini pidió el expediente completo del banco y pasó en limpio todos los antecedentes, a saber:

* Que tanto el ministro Sourrouille como el presidente del Banco Central, José Machinea, autorizaron el anteúltimo día de diciembre de 1987 la fusión del Denario, el Palmares y el BIBA, bajo el nombre del último.

* Que el permiso sólo tendría validez si el BIBA pagaba antes las deudas que tenía con el Central.

* Que el 11 de noviembre de 1988 no cumplió con el pago de la deuda y en cambio solicitó nuevas facilidades. Entre las facilidades figuraba un pedido para incorporar al banco la deuda de 90 millones de dólares contraída por sus empresas fantasmas junto a la mayoría de las acciones de Papel de Tucumán, lo que supuestamente equilibraría las cuentas del BIBA.

* Que el 9 de mayo de 1989 en una decisión inhabitual, un solo síndico del Central dictó una resolución autorizando la fusión de las tres entidades.

* Que efectivamente, el 23 de junio García Vázquez no sólo confirmó el permiso para esa fusión sino que le "regaló" los famosos 43 millones de dólares por los que tanto protesta Maslatón.

* Que en octubre de 1989 el BIBA presentó una propuesta para vender el banco al Arabian Banking Corporation. Al cabo de 20 días, Folcini formó una Comisión Investigadora que dictaminó:

    * Que *desde 1985* el BIBA no había cumplido con el plan de saneamiento exigido por el Banco Central.

    * Que tampoco cumplió con el plan de saneamiento decidido por la misma resolución 387 de García Vázquez. En ese plan, el BIBA se comprometía a vender las acciones de Papel de Tucumán en 90 días. El plazo había vencido en diciembre de 1989.

    * Que no pudo vender las acciones de Papel de Tucumán porque la plaza bancaria consideraba que esa empresa no valía nada, ya que estaba en discusión si había defraudado o no a la DGI por más de 280 millones de dólares.

* Que en el momento de cerrar el dictamen, el 21 de febrero de 1990, el BIBA tenía un descubierto de 41.592 millones de australes, el equivalente a 80 millones de dólares.

* Que además, había en su caja una diferencia de casi 100 millones de dólares, entre lo que debía pagar inmediatamente y lo que debía ingresar en cualquier momento.

* Que el síndico Alfredo Spilzinger, uno de los que aprobó la propuesta del Arabian Banking Corporation, *estaba inhabilitado por 22 años para firmar cualquier papel.* La inhibición se la aplicaron por haber participado de la defraudación de *Credibono y Dar S.A.* al Banco Central.

* Que la propuesta de venta en la que participaba el Arabian Banking no era seria.

La propuesta consistía en que el BIBA le vendía al Arabian el banco por 395 millones de dólares en papeles de la deuda. Eso implicaba, en realidad, que el banco de Bulgheroni daba al árabe 20 millones de dólares en efectivo, pero que a su vez el Central le debía entregar al BIBA 25 millones de dólares, para financiar toda la operación. El resultado era que el Banco Central, además de perdonar la deuda de Papel de Tucumán, debía poner de su bolsillo —los bolsillos del Estado— 25 millones de dólares.

La Comisión Folcini aconsejó entonces dos alternativas:

Una: liquidar el BIBA por incumplimiento del plan de saneamiento aprobado por Sourrouille & Machinea en 1987. Se calculó que esa liquidación podía costar entre 40 y 75 millones de dólares, y que debía ser pagada por las autoridades del banco privado.

Dos: no intervenir el BIBA porque esto implicaría que el Central se hiciera cargo de toda la deuda.

Tres: exigir al banco otro proyecto de venta más racional, con límite de tiempo para presentarlo.

El consejo de la Comisión fue a parar al Directorio del Banco. Pero cuando este último organismo se debía expedir, apareció el juez de Santa Fe, Raúl Dalla Fontana, e hizo lugar a una queja del BIBA: la que pretendía que el expediente Folcini pasara del Central al ministerio de Economía.

El primer sábado de marzo de 1990 se puso en marcha el Erman III. Se anunció una baja de 100 mil empleados públicos y la liquidación del Banco Hipotecario Nacional (BHN) y el Banco Nacional de Desarrollo (BANADE). En la reunión de gabinete que precedió esas decisiones, alguien le alcanzó a un ministro un papelito con una denuncia. La denuncia decía que tanto Folcini como un colaborador suyo, de apellido Stamanti, habían participado en una maniobra contra el Banco Central, mientras fueron directivos del Banco Galicia.

Folcini presentó su dimisión rápidamente. En el texto de la renuncia, reveló que se iba porque el gabinete de ministros se había hecho eco de acusaciones infundadas y se preguntó si valía la pena luchar contra ciertos intereses creados.

Folcini le dijo a sus amigos que no incluyó entre los interesados a Carlos Bulgheroni solo porque no quiso que apareciera ese apellido en un documento oficial que el día de mañana podría figurar en un manual de Historia Argentina.

El reemplazante de Folcini fue, de nuevo, Javier González Fraga. Pero éste, antes de asumir, pidió una reunión urgente con el presidente Menem. El jefe de Estado se la concedió sin demora. González fue sutil:

—Carlos... Vos y yo, ¿somos amigos?

—Sí, Javier, por supuesto.

—¿No tendrás por ahí algún amigo que sea más amigo que yo?

—No te entiendo.

—Te estoy hablando de Bulgheroni y el BIBA. Para mí va a ser inevitable tomar una decisión rápida.

—Hacé lo que tengas que hacer —dicen los amigos de González Fraga que dijo Menem.

El 24 de mayo de 1990, el BC, por orden expresa de González Fraga, excluyó al BIBA de la Cámara Compensadora. Es decir, le quitó al banco toda posibilidad de seguir operando.

El 25 de mayo, el juez federal de Catamarca, Efraín Alberto Rosales, consideró que la exclusión del BIBA de la caja compensadora era un acto de desobediencia ante una medida de no innovar que había dispuesto en marzo, cuando Bulgheroni pensó que el dictamen de Folcini iba a provocar la liquidación de la entidad. El magistrado ordenó al Central que lo volviera a incorporar a esa caja. El juez Rosales es primo hermano del gobernador destituido de Catamarca, Ramón Saadi. Tiene un pedido de juicio político por varias causas. Una es la de haber dictaminado que el Estado de Catamarca indemnizara con 300 mil dólares a una persona cuyo abogado era socio del propio juez.

De inmediato el BIBA volvió a recurrir al juez Dalla Fontana. Éste de nuevo exigió al banco oficial que lo incluyera en la caja compensadora. Dalla Fontana es otro de los jueces con pedido de juicio político.

El 19 de junio el BC dispuso la liquidación del BIBA.

El 20 de junio Dalla Fontana ordenó al Central que no lo liquidara. Lo notificó a las 12.30. Sin embargo, a las 16.42 el liquidador del BC, Carlos Busser, ocupó la casa central del BIBA, y procedió.

El 27 de junio Dalla Fontana convocó a una audiencia de conciliación. Concurrieron el vicepresidente del BC, Alfredo Jorge Di Iorio, y el presidente del BIBA. No conciliaron.

El 3 de julio González Fraga apeló a la medida de Dalla Fontana ante la Cámara Federal de Rosario, y ésta le dio la razón.

El 4 de julio Dalla Fontana dictó otra medida de no innovar, con la que impidió al BC que liquidara al BIBA.

El 6 de julio las autoridades del Central se presentaron ante la Corte Suprema invocando un conflicto de poderes entre el banco oficial y Dalla Fontana.

La Corte entró en acción, pero el BIBA consiguió sacar del medio a dos de sus miembros, Julio Oyhanarte y Rodolfo Barra. Ambos habían representado antes a Massuh en la causa contra Papel de Tucumán.

El 27 de agosto la Corte Suprema exhortó a las partes a ponerse de acuerdo. El 7 de setiembre, en una de las paradojas más interesantes de las finanzas de este país, Moreno Ocampo acusó a Bulgheroni, Remaggi Regúnaga, Bueres y Spilzinger de administración fraudulenta contra el Banco Central por el delito de trasladar las deudas de las empresas administradas de Bridas al Banco Central, es decir, a todos los argentinos. Spilzinger es el mismo que no puede firmar ningún papel durante 22 años por el asunto Credibono. Se lo denunció en este caso por refrendar el papel de traspaso de deudas al BC. El último día hábil de 1990 el juez Néstor Blondi procesó a Bulgheroni y sus colaboradores.

El 4 de octubre de 1991 la Cámara Federal de Rosario desdijo a Dalla Fontana y consiguió así que el BC se dispusiera a liquidar nuevamente al BIBA.

El 3 de octubre el BC retomó el proceso de liquidación.

Blondi consideró que por defraudar al Banco Central a Bulgheroni y sus empleados le podían corresponder hasta 6 meses de prisión. Pero antes, agregó, hay que probar que son culpables.

Moreno Ocampo consideró un milagro que se haya conseguido el procesamiento del empresario. Y opinó que ni Bulgheroni ni sus gerentes irán a la cárcel por nada del mundo.

Desde que Bridas se metió en el negocio financiero con la pequeña financiera Palmafin en 1979 hasta el momento de cerrar esta investigación, en noviembre de 1991, pasaron por la Argentina más de 12 años, 6 presidentes de la Nación, 12 ministros de Economía y 14 presidentes del Banco Central. El caso del Banco de Interior y Buenos Aires mereció 7 pedidos de informes que firmaron más de 30 diputados y senadores del Congreso de la Nación.

Los directivos del BIBA sostienen que todo este escándalo es verdaderamente una injusticia y que su banco tendrá saldo a favor el día que el Central le pague la deuda que tiene con la empresa Alfacrucis. Esta deuda fue reconocida por la conocida resolución 387 de junio de 1989 que dictó García Vázquez, subordinado de Alfonsín.

Los depositantes del BIBA siguen sin cobrar sus 80 millones de dólares. El señor Bulgheroni sigue peleando como un gallo, con la esperanza de cobrar mucho dinero por daños y perjuicios.

Enseguida se verá cómo la lucha contra cualquiera, las vinculaciones con el poder político y el olfato para ver el gran negocio en el instante preciso son las claves de la construcción del Imperio Bridas.

2. *Cómo la hizo*

Mendoza. 1979. Fiesta de la Vendimia. El empresario Luis Menotti Pescarmona despacha un chárter desde Buenos Aires y sube de una sola vez a importantísimos contratistas del Estado como él, entre los que se encuentran Alejandro Bulgheroni padre y el todavía mediano empresario Francisco Macri, acompañados de un selecto staff de colaboradores directos del superministro de Economía, Hacienda y Desindustrialización, José Alfredo Martínez de Hoz. Alejandro Bulgheroni, entonces 61 años y ya legendario, auténtico hacedor del Imperio Bridas, está por almorzar, solo, en el comedor del Hotel Plaza. Uno de los funcionarios se le acerca para saludarlo. Y Bulgheroni padre, lo invita a comer, sin dudarlo un instante.

El funcionario recuerda ese encuentro como si hubiese sido hoy. Tiene fija en su mente esa cara de italiano astuto, rápido y convincente. Esos ojos que miraban rápidamente de un lado al otro, para que nada de lo que sucediera a su alrededor le fuese ajeno. El funcionario todavía no entiende cómo se atrevió a hacer, en el medio de la comida, esa pregunta tan corta y directa que involucra tanto. Aún no sabe cómo se le escapó de sus labios ese:

—*¿Y usted, a la plata, cómo la hizo?*

Estos son los retazos de la respuesta que quedaron en la memoria del hombre del staff del gobierno de Videla:

—*Fue más o menos por 1940. Apenas había pasado los 20 años cuando le propuse a mi padre cerrar el almacén de ramos generales que teníamos en Santa Fe para hacer más dinero desde Buenos Aires. Él me dio una lección fenomenal: me respondió que estaba dispuesto pero a condición de que yo me hiciera cargo de las 10 familias que vivían del almacén. "Ellos dependen de nosotros y no nos podemos desentender así nomás", me explicó. Entendí enseguida: me impulsaba a largarme solo.*

El hombre público cree recordar que pidieron otra vuelta de café. Y que Bulgheroni continuó así:

—*Llegué a Buenos Aires aterrado. Lo primero que hice fue alquilar una oficina en el centro. Era una oficina de tres por cuatro, sin secretaria, ni cadete, ni nada. Mis únicas armas eran el teléfono y el Boletín Oficial. Me pasé varias semanas estudiando el boletín. Pronto descubrí que había muchos llamados a licitación de YPF. Y empecé a conocer, primero por teléfono, y después en persona, a toda la línea de gerentes de la empresa, incluidas sus secretarias.*

Alejandro Bulgheroni pasó largo tiempo piropeando y enviando bombones a las secretarias clave. Y un buen día leyó que YPF necesitaba bridas para la perforación de pozos petroleros. La brida es un anillo que une a dos tubos, en este caso, de petróleo. Entonces él, con el mismo teléfono de siempre, llamó a un amigo que tenía un pequeño taller metalúrgico en Rosario y le preguntó si podía hacer esas bridas. El aprendiz de empresario recibió una respuesta positiva. Al cabo de unos días, se aprendió todas las especificaciones técnicas. Pronto hizo su oferta al Estado. Pasó lo que tenía que pasar:

—Ganamos la licitación, por supuesto, porque ofrecimos un precio que convenía a YPF, a sus funcionarios y también a nosotros.

Ese día, en Mendoza, Bulgheroni padre también habló de cómo iba dejando a sus hijos el manejo del grupo. Aclaró, no sin orgullo, que todavía mantenía su poder de veto. Confesó, además, que sólo muerto permitiría el remate del almacén de ramos generales o el campo de Santa Fe. Sin embargo, lo que más le impresionó al funcionario fue el relato de su demoledora capacidad para convencer a los directivos de YPF. Y, por el otro, el empeño que puso para aprender qué tipo de bridas necesitaba exactamente la petrolera estatal. A la primera cualidad se la denomina lobby. Pronto se sabrá cómo su hijo Carlos Alberto no solo la heredó sino que la multiplicó con creces. A la segunda se le llama desarrollo técnico. Enseguida se contará cómo su otro hijo, el mayor, Alejandro, la ingeniería industrial se le metió en la sangre. La anécdota del comedor del Hotel Plaza muestra nada más y nada menos que el espíritu con el que se construyó el imperio. Pero la verdadera historia empieza más atrás y fue contada en exclusiva, por el propio Carlos Bulgheroni. Esta es la síntesis:

El bisabuelo paterno de los actuales Bulgheroni era jornalero, y lo primero trascendente que hizo en su vida fue viajar desde el lugar donde nació, cerca del Lago Di Cuomo, a Génova. Como era pobre y no tenía amigos "arriba", necesitó cuatro permisos de peaje para pasar de un lado al otro. Llegó a la Argentina después de 1870. Compró un campito. Hoy ese campito es la Sociedad Rural de Santa Fe. Lo vendió enseguida y se puso a trabajar como capataz del primer ferrocarril que pasó por la zona: el Ferrocarril al Pacífico. Al sueldo de capataz se lo guardó durante mucho tiempo. Después, visionario, empezó a adquirir lotes en los pueblitos por donde transitaba el ferrocarril, bajo la suposición de que se transformarían en grandes ciudades, y por lo tanto en pingües negocios. El bisabuelo siempre fue recordado como un buen funcionario de una compañía inglesa de ferrocarriles.

El abuelo paterno, Ángel Bulgheroni, fue uno de los 12 hijos de aquel bisabuelo y se inició, desde una posición precaria y humilde, con un pequeño almacén. Lo fundó en 1891 en Rufino, Santa Fe, con el nombre de *Casa Bulgheroni.* Casi todos los hermanos trabajaban allí. Don Ángel ocupaba un puesto clave; nada menos que el de cajero. Carlos Bulgheroni aseguró que todos se movían mucho y que lo hacían durante la mañana, la tarde y la noche. Y consideró que por eso lo convirtieron en un almacén de ramos generales al tiempo que se diversificaban geográficamente para venderle a los colonos sus mercaderías. Don Ángel juntó más plata y compró lotes en Rufino y Jesús María. De la última localidad se mudó pero pronto debió trasladarse a Colonia Carela, porque su mujer enfermó. Carela era una colonia de 10 mil hectáreas. Estaba dividida en mil lotes de 10 hectáreas cada uno. A Carlos Bulgheroni todavía le cuesta comprender cómo esa gente producía tanta riqueza en esos pequeños cuadraditos de tierra. La verdad es que su abuelo Don Ángel Bulgheroni era un fiel exponente del típico inmigrante italiano que salió de su país desde 1890 en adelante: se iban a la Argentina o a los Estados Unidos; llegaban dispuestos a trabajar y trabajar, con una gran vocación de progreso y desarrollo. Don Ángel quizá fuera un poco bruto, pero era verdaderamente un emprendedor. En cambio el abuelo materno de Carlos y Alejandro Bulgheroni, Celestino Bonomiro, no sólo era culto y bastante refinado, sino que también era médico y director del Colegio Nacional de Santa Fe, cuando eso significaba algo.

En el año 1931, Celestino visitaba los barrios pobres para curar enfermos no pudientes. Al mismo tiempo Ángel se convertía en intendente de Rufino, y le pasaba la posta de los negocios a Alejandro Ángel Bulgheroni, el mismo del Hotel Plaza de Mendoza, quien nació el 20 de enero de 1918 bajo el signo de Capricornio, un astro que se caracteriza por su obstinación. Lo que sigue es la historia menos conocida del padre de Carlos y Alejandro Bulgheroni:

Más allá de la confesión que le hizo al funcionario de Martínez de Hoz, se sabe que Don Alejandro ganó dinero en Santa Fe construyendo viviendas para ferroviarios y que, una vez instalado en Buenos Aires, montó una organización mayorista para abastecer a los peones rurales de la provincia donde nació. También se sospecha que el primer gran salto de este hombre fue al cumplir los 30 años, cuando debutó como importador de maquinaria rural y casi inmediatamente pasó a ocupar la presidencia de otra importadora de artículos de ferretería gruesa para compañías de capital inglés. La empresa se llama Thomas Drysdale y entre las compañías que abastecía se encontraba la Shell.

Don Alejandro Ángel Bulgheroni fue un hombre que cumplió siempre con la palabra empeñada. Y también aprovechó, igual que lo hace hoy Carlos Alberto, todas las oportunidades que se le presentaron para acumular más riqueza.

La primera ganga la consiguió en 1953. Fue cuando compró a un precio irrisorio junto a sus socios Julio Juncosa Seré y Juan Taboada, el frigorífico Wilson. Los ingleses decidieron abandonarlo ante las presiones de los sindicalistas de Perón.

El segundo "golpe de suerte" se le dio en 1955, el día en que la llamada Revolución Libertadora consideró que la operación del

Wilson era irregular e hizo abandonar el país a sus socios, pero no dijo ni mu del comportamiento de Don Alejandro, quien se quedó con todo.

El tercer momento mágico fue cuando el presidente radical Arturo Illia anuló los contratos petroleros. La anulación hizo que la Pan American Oil Company (AMOCO), antes de irse de Argentina, le vendiera 6 equipos de perforación petroleros y 6 de terminación... a menos del 20 por ciento de su valor real.

El Alejandro Ángel Bulgheroni maduro y exitoso tuvo como primera residencia en Buenos Aires a la casa de Amado Nervo 3450, en San Fernando, Victoria. Mucho más tarde llegaría su departamento de Libertador 3640, piso 13, y las oficinas que hoy ocupa Bridas en Leandro N. Alem 1180, frente al Hotel Sheraton. Por esa época tenía un Mercedes Benz, hecho que, entonces, significaba que el dueño podía vivir sin trabajar mucho tiempo. Memoriosos que trabajaron en los servicios de Inteligencia todavía guardan su ficha de antecedentes en la que Bulgheroni padre figura como vicepresidente del Banco Nacional de Desarrollo (BANADE) en 1970. Estos espías mensuran el dato como algo paradójico: es público y notorio que el grupo Bridas le debería ahora al mismo banco más de 180 millones de dólares.

El padre de los hermanos Bulgheroni manejó Bridas con mano dura, talento y dedicaciòn hasta el 24 de abril de 1974, día en que fue secuestrado por su sobrino Héctor Mario, al que quería como a un hijo. Así como Jorge Born II, el padre de Juan y Jorge Born III, se negaba terminantemente a pagar rescate a cambio de que le dieran a sus hijos con vida, Carlos Alberto Bulgheroni, hijo de Alejandro, discutió con su padre en cautiverio, telefónicamente, porque no quería aceptar semejante chantaje. Héctor Mario era guerrillero y Carlos Alberto le habría pegado un tiro de haber estado presente en el momento que raptaron a su progenitor a punta de pistola. Desde ese momento hasta su muerte, en diciembre de 1985, el verdadero hacedor de Bridas no dejó de tener la última palabra, pero le fue pasando la posta a su hijo menor. Es decir: al protagonista de esta investigación. Para diferenciar una etapa de otra, él mismo, es decir, Carlos, confesó, de manera cruda, una tarde de junio de 1991:

—*Si tuviera que definir a mi abuelo y a mi padre por una* (sola) *característica, debería admitir que fueron hombres mucho, pero mucho más buenos de lo que soy yo. Sin embargo, puedo justificarlo: ellos vivieron en una sociedad y con unas reglas de juego que les permitía ser más buenos que yo. Hoy, si usted es bondadoso, le pasan* (por encima) *una topadora.*

Carlos Alberto Bulgheroni nació en 1945, el mismo año en que se fundó el peronismo. Tuvo una infancia feliz. A los 17 años, exactamente en el momento que destituyeron a Arturo Frondizi, supo que debía meterse en la génesis de los golpes militares, para saber exactamente de qué se trataba. Fue toda la vida a un colegio de sacerdotes maristas y eso repercutió mucho en su carácter. La de los maristas es la más aristocrática de todas las órdenes religiosas. Rindió cuarto y quinto año libres en el Colegio Nacional de San Isidro. Recibió una lección monumental el día que le entregaron el diploma de egresado. Lo recuerda así:

—*Cada autoridad daba el diploma a un alumno distinto. Cuando llegó mi turno, me lo entregó... el portero. La verdad es que en ese momento me sentí el pobrecito de la película. Muchos años después comprendí que no era así, que los porteros son tipos muy importantes en una escuela... especialmente cuando aman su trabajo. Hoy me siento orgulloso de que mi padrino de estudios haya sido el portero.*

Días después Bulgheroni Carlos rindió su examen de ingreso para la Facultad de Derecho. El concejal Roberto Azzareto rememora que cuando lo vieron bajar del Mercedes del padre, se dieron cuenta que no era uno más, a pesar del asunto del diploma.

A los 24 años se recibió de abogado. A los 28 ya era:

* vicepresidente de Bridas SAPIC, compañía petrolera.
* vicepresidente de Tomás Drysdale, la compañía que su padre finalmente compró a los socios.
* miembro del directorio de Bridas Cactus Perforaciones.

Y hasta había pedido una autorización para pescar algas marinas cerca de Río Gallegos.

A los 31 estaba autorizado para cosas más importantes, como el envío de 650 mil dólares al exterior, a nombre del empresario Jorge Balilea.

A los 33 años, exactamente en 1979, fue designado vicepresidente de *Papel de Tucumán S.A.* Alrededor de esta empresa se tejieron mil historias negras, blancas, grises y rojas que merecen ser contadas y puestas en claro. Las pastas de celulosa son la materia prima básica para producir cartones y papeles. Las industrias de la celulosa y el papel están indefectiblemente ligadas. Hasta 1975 la producción de celulosa no había acompañado a la fabricación de papeles y cartones. Es decir: había más producto final que materia prima. Para equilibrar este desfase se importaba celulosa. Sin embargo, las compras en el exterior no alcanzaban para balancear el mercado. Por otra parte, existían en el Gran Buenos Aires muchas plantas no integradas y de poca capacidad productiva.

Todo eso daba como resultado una gran concentración de empresas que producían y vendían celulosa y papel. Y los estudios de mercado indicaban que el proyecto para la planta de Papel Prensa no resultaba suficiente para lo que iba a demandar la sociedad.

En ese contexto surgió *Papel de Tucumán* (PT) bajo la idea de un grupo de diarios del interior que deseaba construir y explotar una planta celulósica que elaborara papel de diarios. Y que tratara de evitar, además, el monopolio de *Papel Prensa,* cuyos propietarios eran nada menos que sus competidores en el mercado. Es decir: los diarios *Clarín, La Nación* y *La Razón.*

En 1975 se llamó a licitación para la construcción de la planta. *Papel de Tucumán* la ganó. En setiembre de 1976 el decreto 2140 aprobó ese contrato. Se trataba de un contrato de condiciones especialísimas. La principal era que se diferían, postergaban o trasladaban impuestos sin indexación. Esto, en la práctica, significa que el Estado le financió a Papel de Tucumán las tres cuartas partes de la fábrica, ya que la inflación convirtió a la devolución de tributos en nada.

Entre los superbeneficios concedidos por el Estado Papá Noel a la empresa del grupo Bridas se encuentran:

* Créditos del BANADE con tasas de interés y condiciones preferenciales.

* Garantías de la secretaría de Hacienda para conseguir créditos dentro y fuera del país.

* Exención del 100 por ciento de los derechos de importación y también de los Impuestos al Valor Agregado (IVA) sobre el equipamiento importado.

* Exención por 10 años —después de construida la planta— del impuesto a los sellos.

* Diferimiento de los impuestos a las ganancias, los capitales y el patrimonio, más el IVA para los inversionistas.

* Rebaja del impuesto a las ganancias durante cinco años, a partir del tercer año posterior a la toma de posesión de la planta. Durante los dos primeros años los impuestos se reducen un 100 por ciento; el siguiente, un 75 por ciento; el cuarto, un 50 por ciento y el quinto, un 25 por ciento.

* Diferimiento del IVA durante diez años para todas las actividades del proyecto.

* Diferimiento del 75 por ciento de todos los impuestos para todos los aportes de capital realizados por los inversionistas.

En febrero de 1990, cuando Folcini se dispuso a meter la mano en el caso BIBA y también en las acciones de Papel de Tucumán, los investigadores Aspiazu y Basualdo hicieron una cuenta sorprendente. Se trata de un documento inédito. Ellos calcularon que:

* más de 5 años después de la puesta en marcha de Papel de Tucumán, ocurrida en 1984, la mayoría de las empresas del grupo Bridas continuaba postergando, sin indexación, el pago de sus impuestos al IVA, el capital y las ganancias. *Y los difería argumentando que se trataban de inversiones para Papel de Tucumán.*

Una de las empresas es *Bridas SAPIC*. Los diferimientos impositivos acumulados por esta compañía entre 1986 y 1988 ascendían, en marzo de 1990, a 11 millones de dólares. Sin embargo, la deuda de Bridas con la DGI por esos tributos apenas superaba los 10 mil dólares.

Otra de las firmas es *Perforaciones Río Colorado S.A.* Los diferimientos acumulados por Río Colorado en los años 1987 y 1988 que en su momento representaron el no pago de impuestos por 7,5 millones de dólares en marzo de 1990 podrían haber sido saldados por menos de 9.600 dólares.

Y una tercera es la empresa *Polibutenos Argentinos S.A.* Esta había diferido, hasta el 30 de junio de 1987, pagos por impuestos que valían un millón y medio de dólares, y que gracias a los beneficios de la promoción industrial en marzo de 1990 no representaban ni 600 dólares.

Pero lo más sorprendente que detectaron Basualdo y Aspiazu es durante 1986, 1987 y 1988, es decir, dentro del período en que se efectivizaron los diferimientos impositivos más arriba detallados, las inversiones de Bridas en Papel de Tucumán no llegaron a los 5 millones de dólares.

Para que se entienda bien: tres empresas de Bridas aprovecharon un diferimiento de impuestos por 20 millones de dólares, mientras que sus inversiones apenas alcanzaron la cuarta parte de ese monto.

El otro gran escandalete que envuelve a Papel de Tucumán es la acusación de apropiación de fondos que debieron ingresar al Tesoro Nacional, *por haber aprovechado la promoción industrial no sólo para hacer papel de diario,* como indicaba la ley, *sino para hacer otro tipo de papel, como el continuo para las computadoras.*

Con esta trifulca vienen de regalo algunos antecedentes sabrosos:

Oligopolio es un mercado donde hay muchos compradores y pocos vendedores que no tienen ningún límite para imponer las condiciones de comercialización. En un mercado así, el que vende puede colocar el precio y la calidad que se le antojen.

Ese fue el caso de las papeleras Massuh y Ledesma, hasta que Papel de Tucumán empezó a fabricar un producto que competía con el suyo en precio y calidad. Massuh, hasta 1984, era la papelera más dinámica y estaba segunda en ventas. Pero en 1987, Papel de Tucumán le arrebató el segundo puesto, vendiendo más barato su papel, y así rompió el oligopolio. Pero esto es sólo una parte de la verdad.

En noviembre de 1983, Massuh y Ledesma (M y L), pero también Celulosa Argentina y San Jorge, demandaron a PT por violar la ley de promoción al comercializar productos como papel para computadoras y de impresión de boletas electorales.

El 6 de diciembre, la secretaría de Industria del gobierno de facto del general Bignone —que culminaba su mandato en cuatro días más— desestimó la demanda de M y L y declaró que PT no había violado la ley. No es necesario recordar la relación que une a Bignone con Bulgheroni.

En 1984 Massuh empezó a bajar en el ránking de ventas de las compañías papeleras. En 1987 perdió el segundo puesto a manos de PT.

El 24 de marzo del mismo año la Fiscalía Nacional de Investigaciones Administrativas dictaminó que PT, al fabricar papel que no es de diario, se había apartado de la letra de la promoción industrial y que por eso había defraudado a la Dirección General Impositiva (DGI), en 150 millones de dólares.

Poco después, el ministro de Economía Juan Sourrouille prohibió a PT, a través de la resolución 965, fabricar otro papel que no sea el de diario standard.

El 9 de noviembre de 1987, un juez federal interrumpió la prohibición de Sourrouille.

El 8 de junio de 1988 la DGI no había obtenido respuesta sobre los informes que pidió con urgencia a la secretaría de Industria y Comercio Exterior para determinar si PT había cometido o no fraude.

Poco después el diputado Domingo Cavallo formuló una denuncia penal en contra de PT por los mismos motivos.

En 1988 otra resolución, la 977, dictada de nuevo por Sourrouille, dejó sin efecto todos los actos de PT de los que se valió para "consumar el fraude fiscal".

El 11 de agosto de 1989, un senador nacional intentó incorporar a la ley de emergencia económica un extraño artículo que tenía por objeto borrar todos los juicios por evasión fiscal como el de Papel de Tucumán. El senador nacional se llama Juan Aguirre Lanari y es el padre de Teresa Aguirre. Teresa Aguirre es la legítima esposa de Carlos Bulgheroni.

En 1990, el procurador del Tesoro de la Nación, aconsejó la revocación de la última resolución de Sourrouille sin considerar si hubo o no defraudación fiscal.

Igual que en el caso del BIBA, Bulgheroni peleó contra funcionarios, legisladores y otros hombres de negocios para evitar que le cobren de su bolsillo varios millones de dólares. La diferencia es que, en el conflicto PT, sus razones son más atendibles. Todas figuran en un libro blanco e interno sobriamente titulado Papel de Tucumán S.A. Éstas son las más importantes:

* Que PT no consiguió del Estado beneficios que favorezcan su competitividad, como Papel Prensa y Ledesma. Papel Prensa logró que le cobren una tarifa eléctrica reducida. Massuh obtuvo lo mismo, pero con el gas.

* Que si bien es cierto que la inversión original para PT era de 165 millones de dólares y terminó siendo de 330, y se usufructuaron beneficios de la promoción por el último monto, hubo un entorno macroeconómico que rompió el equilibrio de la ecuación financiera.

* Que PT no hace otra cosa que no sea papel de diario. Que no es culpa de PT si el concepto "papel de diario" se fue modificando en el mercado internacional hacia calidades diversas desarrolladas a la medida de las necesidades del cliente.

* Que PT no está preparada para hacer papel obra, como sostiene la competencia, sino que hace papel de diario mejorado y satinado. Y que, para desgracia de sus rivales, el mejorado y satinado se pueden usar, como el obra, para imprimir diarios, revistas, libros, formularios continuos, cuadernos y rollos.

* Que mientras el papel para diario mejorado de PT vale 700 dólares la tonelada el papel obra de M y L cuesta 1.100 dólares.

* Que PT se diversificó hacia la producción de otros tipos de papel de diario porque el mercado para el estándar no daba para más.

* Que PT emplea una fuerza de trabajo directa de 1.500 personas y le da de comer a 6 mil individuos.

En el libro blanco se escribió que los diputados nacionales Miguel Nacul (PJ-Tucumán), Humberto Roggero (PJ-Córdoba) y Roberto Domínguez (PJ) Jujuy, quienes presentaron pedidos de informes acusando a PT de fraude impositivo, son instrumentos de la competencia. Asimismo, Close dijo al autor que Nacul es primo de Massuh. Un empleado de Bridas se preguntó cómo Domingo Cavallo, quien llevó a la justicia los casos del BIBA y de PT, había podido comprar su cómodo departamento con el escaso sueldo oficial. E insinuó que la amistad de Cavallo con Massuh podía servir para responder el interrogante. El ministro de Economía vive en el piso 23 de la avenida Libertador 2201. La propiedad tiene 400 metros cuadrados y su precio no baja de 650 mil dólares. Al cierre de esta investigación, el sueldo de un ministro no superaba los 2 mil dólares. No existen pruebas que acrediten lo que sugirió el empleado de Bridas. Como tampoco hay pruebas de las insistentes versiones que afirman que Bulgheroni pagaba el alquiler de un departamento del secretario privado del presidente, Miguel Ángel Vico, en la calle Gelly Obes.

Hasta 1976, Bulgheroni tenía 7 empresas. A partir del golpe de Estado y hasta 1983, es decir, durante el tiempo que se prolongó el gobierno militar, creó 34 más. Y entre el 84 y el 89 le sumó una decena. Eso, para Bulgheroni, y para la mayoría de los economistas, no significa mucho. Hay firmas que se constituyen sólo para presentarse en una licitación y, cuando la pierden, desaparecen. Sin embargo, en este caso vale la pena detenerse en las razones que explican estos números.

En 1981, Bridas, como la mayoría de los grandes grupos económicos, contrajo una deuda externa privada que luego fue transferida al Estado a través de los seguros de cambio. Ese mecanismo licuó las deudas de las importantes compañías y la trasladó a toda la sociedad a través del Banco Central. La deuda externa grupo Bridas trepó hasta los 619 millones de dólares. Bulgheroni se ubicó así en el cuarto lugar entre los deudores privados. Otros de los mecanismos de traspaso de dinero contante y sonante desde la comunidad a unos pocos grandes grupos como Bridas son los créditos del Banco Nacional de Desarrollo (BANADE).

El BANADE fue creado en 1944 con el nombre de Banco de Crédito Industrial Argentino para financiar el reequipamiento industrial del país. Sin embargo, terminó funcionando como proveedor de subsidios al sector privado. La deuda vencida de las empresas con el BANADE superaría los 600 millones de dólares. La no vencida, los mil. Entre los mayores beneficiarios del subsidio se encuentra Papel de Tucumán, con más de 180 millones de dólares. El divertido diputado nacional Exequiel Ávila Gallo, quien pertenecía a la Fuerza Republicana de Domingo Bussi hasta que lo despidieron sin pena ni gloria, aseguró en un pedido de informes que sólo la deuda de Bridas con el BANADE generó casi su extinción, y propuso que se la privatice. Es decir: que se contrate a empresas privadas para que se lo cobren sin demora.

El grupo Bridas y sus dueños son motivos de denuncias, investigaciones y juicios, pero también de chistes poco conocidos.

En una época, los influyentes radicales de la Junta Coordinadora Nacional hicieron un llamado irónico a los funcionarios del gobierno para que dentro de los despachos se hablara en voz baja sobre el BIBA y Papel de Tucumán: se decía que temían que detrás de cualquier puerta de cualquier repartición oficial, apareciera Carlos Bulgheroni. Y el virtual viceministro de Economía de Sourrouille, Adolfo Canitrot, sabía que el empresario petrolero papelero financiero estaba en el palacio de Hacienda porque desde su ventana de su oficina del quinto piso se veía claramente el impecable Volvo azul que lo transportaba rápidamente de un lado hacia otro.

Pero el mejor termómetro para medir la influencia del hombre de negocios sobre el poder político es la constancia de la trama de múltiples relaciones que tejió primero durante el llamado Proceso, después con el radicalismo de Alfonsín y de Angeloz, y finalmente con el gobierno de Menem. En el monólogo que cierra la primera parte, Carlos Bulgheroni repitió que jamás utilizó las amistades políticas para hacer negocios. Pero también dijo: "Somos cortesanos del poder de turno". Esta es la larga lista de sus vínculos con el poder. El lector puede sacar sus propias conclusiones:

* Jorge Rafael Videla: lo habría conocido a través de Ricardo Yofre, el hermano de Juan Bautista Yofre y ahora hombre de confianza del gobernador de Córdoba, César Angeloz. Yofre fue, durante muchos años, asesor del directorio de Bridas y mano derecha del general José Rogelio Villarreal, secretario de la presidencia de Videla. El secretario de la presidencia de la Nación es el hombre que debe llevar los decretos para la firma al jefe de Estado. Si a él se le ocurre, puede "cajonearlos" o acelerarlos, como hacía Raúl Granillo Ocampo, el ex monje negro de Menem. Y si el secretario de la presidencia es como era Villarreal, sirve para abrir las puertas a los empresarios de los despachos del presidente y cualquiera de los ministros.

Por si quedara alguna duda de su amistad con Videla, Bulgheroni la reconoce y la reivindica.

* José Villarreal: pasó fugazmente por el directorio de Bridas. Además de ser nexo de Bulgheroni con Videla, este militar fue compañero de promoción de Bignone y testigos presenciales juran que él le ayudó al ex presidente de facto a organizar su gabinete de ministros en la Escuela de Guerra. Algunos de los miembros del gabinete de Bignone también pasaron por Bridas o tuvieron una estrecha relación con Bulgheroni. Una lista incompleta incluye a Jorge Whebe, ministro de Economía, y Ramón Aguirre Lanari, suegro del empresario, como canciller. Villarreal es el mismo hombre que hizo más de dos viajes de ida y de vuelta junto con Bulgheroni, desde la Casa Rosada hasta la Escuela de Guerra donde resistía Aldo Rico en Semana Santa, para tratar de evitar un derramamiento de sangre. En esa tarea, a Bulgheroni no le fue del todo bien. Villarreal quería conversar con su hijo, un capitán que

apoyaba a Rico. Pero los carapintadas no lo dejaron entrar, porque consideraban al general un militar corrupto del Proceso, y al empresario un integrante más de esa cofradía. Villarreal tuvo que verse con su hijo a metros de los sucesos, en la Escuela de Ingeniería. El chico se casó con una hija de otro general, Luciano Benjamín Menéndez. En esa inmensa familia que es el Ejército Argentino nada se pierde y todo se aprovecha.

* Domingo Bussi: nuestro hombre alimentó esa relación al hacerse cargo de la planta de PT, mientras el general gobernaba Tucumán. Compartieron algunos veranos en Punta del Este. En *El enigma del general*, un libro aparecido en 1991 que escribió Hernán López Echagüe y editó *Sudamericana*, se afirma que el vínculo entre ambos motivó dos pedidos de investigación. Uno fue presentado por el diputado provincial Ramón Barrera, de la legislatura tucumana, y cita reuniones en el balneario uruguayo. Otro pedido de informes fue redactado de puño y letra por el diputado nacional Ávila Gallo. En ese documento sugiere no sólo que Bulgheroni financió la campaña del bussismo sino que ejerció su influencia ante el ex ministro del Interior Enrique *Coti* Nosiglia para que a Bussi no se lo involucrara en los juicios por violación de los derechos humanos. Bulgheroni negó esto último frente al autor de la presente investigación. Lo que jamás desmintió fue su eterno rol de componedor. Él quiso amigar a Bussi y Villarreal, creyendo que su distanciamiento era por diferencias personales. Tiempo después supo que peleaban para ser comandantes en jefe del Ejército, y desistió de inmediato.

* Eduardo Massera y Roberto Viola: se ignora quién presentó a Bulgheroni con ambos. Se sabe que también intercedió para amigarlos. Y que tampoco le fue demasiado bien. Una revista italiana habría publicado, hace algunos años, que tanto Massera como Bulgheroni eran integrantes de la logia masónica P2. No hay ningún indicio que pueda probar la participación del petrolero en esa logia. En cambio, durante el gobierno de Viola, Bulgheroni tuvo un compinche casi excluyente llamado Guillermo *pajarito* Suárez Mason, el único militar al que no defendieron sus pares porque antes de dar la cara en los juicios prefirió huir a los Estados Unidos.

* Suárez Mason: se retiró en diciembre de 1979 para integrar el directorio de Bridas. Regresó al gobierno en marzo de 1981 de la mano de Viola y nada menos que como interventor de YPF, la empresa que más factura en el país. Se lo acusó, entre otras cosas, de haber estafado a la petrolera estatal. YPF es la firma a la que el grupo Bridas vendía y vende más servicios. Para dar sólo un ejemplo, la compañía de Perforaciones Río Colorado, cuyo presidente es Alejandro Bulgheroni, produce el 50 por ciento de los servicios que le encarga Yacimientos Petrolíferos Fiscales. Por otra parte, todo el mundo sabe que tener un amigo en una empresa pública permite apurar decretos que pueden tardar años. O que en tiempos de alta inflación, cobrar un pago antes de que se desvalorice la moneda significan muchos miles y a veces millones de dólares. Suárez

Mason no trabaja más para Bulgheroni, pero anda todavía por las calles de Buenos Aires libre gracias al indulto. Hasta agosto de 1991, el general retirado manejaba muy despacio un Renault 18 rojo con patente de Capital, con gesto inexpresivo.

* Bignone: ya se dijo que atendió en las oficinas de Bulgheroni ubicadas en Corrientes 465, tercer piso, cuando se fue del gobierno por la puerta chica. También se aclaró que designó a dos hombres vinculados comercial y afectivamente al empresario, como titulares de Economía y de Relaciones Exteriores. En su momento se recordó que cuatro días antes de entregarle la banda presidencial a Alfonsín, firmó un papel que decretó que PT no había violado ningún contrato de promoción industrial. Lo que todavía no se dijo es que además prorrogó, por el decreto 189 de 1982, el contrato petrolero que Bridas y Pérez Companc todavía tienen en la zona de Tres Lomas y que fuera cuestionado por los excesivos beneficios que daban a las privadas. Ese contrato había sido rubricado en 1966 por el presidente Juan Carlos Onganía y varios ministros entre los que se hallaba uno de apellido Gotelli. Onganía fue una de las relaciones estables de Alejandro Bulgheroni padre con el poder. Gotelli es pariente directo de aquel que estafó al Banco Central, junto con el mago de las finanzas Carlos Correa, en la compra de unas maquinarias a los Estados Unidos.

* Jorge Whebe: reemplazó a Dagnino Pastore en 1983. No impidió que continuara el proceso de fusión de los bancos Denario, Palmares y del Interior y Buenos Aires. En 1986 se hizo cargo de ellos, al reemplazar a Correa.

* Mayor retirado Alberto Pedro Schilling: director ejecutivo de PT en 1989, es uno de los hombres que sirvió a Bulgheroni de llave maestra para abrir la puerta de los cuarteles militares, pero especialmente de las oficinas públicas que comandaban los uniformados. Nació el 6 de junio de 1926 en Buenos Aires. Compartió los estudios secundarios en el Liceo Militar con el ministro del Interior de Videla y compañero de caza de Martínez de Hoz, general Albano Harguindeguy, y con el ex presidente Raúl Alfonsín. Al primero consiguió sumarlo al directorio de Bridas. Al segundo lo incorporó a prolongadas reuniones de su casa de Gelly Obes 2264 de las que participaron también Caputo y, por supuesto, Carlos Bulgheroni. Egresó como subteniente del Colegio Militar en 1945. Participó en la asonada contra Perón, junto a Luis Máximo Prémoli. Se retiró del ejército con el grado de mayor en 1957 pero en menos de un año el Poder Ejecutivo lo designó vocal permanente del Consejo de Guerra número uno. Durante dos años fue secretario general del Ministerio de Economía de la provincia de Buenos Aires, cuando el ministro era José María Dagnino Pastore, y el gobernador, un teniente coronel de apellido Imaz. Las empresas y los cuarteles nunca fueron un secreto para él. Integró un equipo técnico del Polo de Desarrollo para Bahía Blanca, cuando todavía no se llamaba Petroquímica. Fue también subsecretario coordinador general del Ministerio de Economía y Trabajo que condujo el capitán ingeniero

Alvaro Alsogaray. Conoció como pocos al Arguindegui sin hache e influyó para que Alfonsín lo designara como jefe de Estado Mayor. Ahora integra el directorio de Saab Scania, cuyo presidente es otro íntimo de Bulgheroni, Livio Kühl. El mayor Schilling no se presenta como un militar dentro del protocolo de los negocios. A partir de 1989, Bulgheroni decidió prescindir de sus servicios. Es comprensible: entre sus compinches, no había nadie que tuviera que ver con el gobierno de Menem.

* Teniente Coronel retirado Rolando *Negro* Obregón: es otro de los porteros calificados que entregaron el llavero a Bridas para que abriera la puerta de los cuarteles. Se le atribuye, para tal fin, un mecanismo exquisito. El *Negro* tenía una lista completa de las promociones del Ejército, la Marina y la Fuerza Aérea, con los correspondientes destinos, ascensos, perspectivas, pero además día de cumpleaños no sólo de los militares sino también de sus esposas. Dicen que desde su oficina salían los correspondientes regalos para el día de cada arma y también para fin de año. Se le atribuye a este método de lobby más calidad que al practicado durante un tiempo por el contador José María Menéndez, el hombre que acercó a los carapintadas con su jefe, Jorge Born III. Menéndez organizaba campeonatos de truco para los uniformados y entre un envido y un quiero vale cuatro, intentaba escudriñar cuándo darían el próximo golpe.

* Livio Kühl: socio de Bulgheroni en Celulosa Jujuy a quien en 1983, junto con Carlos Lacerca, el primer ministro de Industria de Alfonsín, le vendió a Bulgheroni el 33 por ciento de las acciones de esa empresa. Un mes después de 1976 Kühl se convirtió en asesor del Ministerio de Justicia. Un poco más tarde asesoró, también, al superministro Martínez de Hoz. Apenas asumió Eduardo Viola, fue designado subsecretario Técnico de la Secretaría de Desarrollo Industrial. De inmediato reemplazó a Oxenford como ministro de Industria. Socio del ex asesor jurídico de la fuerza aérea Juan Carlos Cassagne. Este último no es un dato superfluo: Casagne fue también director general de Asuntos Jurídicos de la Secretaría de Industria desde 1973 hasta el 24 de setiembre de 1976, fecha en que Videla firmó el decreto favoreciendo a PT con la promoción industrial que le sirvió para ahorrarse más de 150 millones de dólares en impuestos que debían haber ingresado al Tesoro. Fuentes muy seguras confirmaron que Kühl, entre otras cosas, estuvo por ser nombrado secretario de Industria en reemplazo de Lacerca. Y agregaron que no fue así porque Sourrouille, el mismo que prohibió a PT fabricar otro papel que no sea el estándar de diario, amenazó con renunciar al Ministerio de Economía. Kühl, finalmente, es el mismo que propuso a Bulgheroni para la cartera de Economía el mismo día que velaban a Roig, y poco después que designaran a Néstor Rapanelli, quien, para completar este cambalache de relaciones subterráneas, pasó a revistar en otra de las compañías de Bridas después de ser gentilmente despedido de Bunge & Born, cuando despuntaba 1990.

* Antonio Estraney Gendre: miembro de Bridas SAPIC. Ex director de Relaciones Institucionales del grupo. Fue director de Política Económica del Ministerio de Economía en la última etapa del Proceso. Enseguida pasó a revistar como subdirector de Relaciones Institucionales de la Cancillería.

* Carlos María Fava: ex director de Relaciones Internacionales del grupo. Subsecretario Técnico y de Coordinación Administrativa del Ministerio de Trabajo.

* Enrique *Coti* Nosiglia: se contactaron con Bulgheroni a través de Luis Cetrá, el operador financiero del dirigente de la Coordinadora, para hablar del negocio del diario *Tiempo Argentino*. Ese matutino nació a principios de 1982 y fue organizado para sostener el proyecto de apertura democrática que impulsó Viola. La incursión de Leopoldo Galtieri en Malvinas hizo cambiar el objeto de la creación y también el nombre de la empresa, a la que se le puso Dos de Abril S.A. Los accionistas principales eran Carlos Bulgheroni y Federico Guillermo Tomás Leonhardt. Ambos son a su vez socios en Harengus, la pesquera argentino-alemana que en 1990 exportó peces por 32 millones de dólares. Cada uno aportaba lo suyo: Bulgheroni su papel barato de Papel de Tucumán; Leohnardt, la presidencia ejecutiva. En junio el gobierno perdió la guerra de Malvinas. El 17 de noviembre de 1982 *Dos de Abril* se convirtió en *Tiempo Argentino*. El presidente ejecutivo, un católico practicante, puso a otro religioso al mando de la redacción, el profesor Raúl Burzaco, ahora secretario de Medios del gobierno de Menem. *Tiempo* tuvo su época dorada al principio de su debut y fue uno de los detonantes que hizo a *Clarín* apurar la salida del Suplemento *Sí*, porque la empresa de la Noble había detectado que el nuevo matutino le estaba sacando unos cuantos lectores jóvenes a su diario. Pero *Tiempo* empezó a languidecer debido al irracional manejo administrativo y financiero y a pesar de que a sus empleados se les pagaba el 50 por ciento del sueldo en negro.

No se sabe si fue en ese momento o un poco antes cuando ingresó al diario como "comisario político de Bulgheroni" el señor Víctor García Laredo, quien desde 1974 era el encargado de relaciones públicas del grupo Bridas. Puertas adentro de la propia Bridas, dicen que Bulgheroni lo colocó allí para darle una especie de seguro de retiro. Y agregan que ni bien tomó posesión de la mayor parte de la empresa Luis Cetrá, el hombre de Nosiglia, García pasó a convertirse en el comisario político del radicalismo. Hay mucha confusión respecto al punto. Porque a raíz de su paso por *Tiempo*. Laredo fue considerado también un hombre de la Coordinadora dentro del Grupo Macri. Este señor integra el directorio de muchas de las compañías del empresario italiano y fue uno de los que negoció el rescate de Mauricio Macri, en setiembre de 1991.

De todas maneras, Cetrá inició el salvataje de *Tiempo Argentino* en 1984 y lo terminó con un rotundo fracaso en 1986. La mayoría de los redactores fueron indemnizados con la mitad del dinero que les correspondía por ley. Una selecta minoría que obedecía ciegamente a los cuadros políticos de Nosiglia, se llevó entre el 70 y el 100 por ciento de la misma indemnización, junto con todos los gerentes.

Cuando a Bulgheroni le ofrecen un negocio financiero se acuerda del BIBA y lo rechaza. Pero cuando le proponen participar en un negocio periodístico rememora todo el papel de diario que no le pagó *Tiempo Argentino* y despide de su oficina a su interlocutor.

* Alfonsín: se informó que conoció a Bulgheroni gracias a Schilling. Se explicó que quince días antes de su retirada el Banco Central autorizó la fusión de los bancos y concedió al BIBA un redescuento muy parecido a un regalo. Lo que no se dijo es que Jorge Cermasoni fue durante mucho tiempo abogado de Bulgheroni y socio en el estudio jurídico que alguna vez integró Alfonsín. Uno de los hijos de Alfonsín seguiría trabajando allí. No se trata de un estudio más. Se trata de uno de los que tiene más juicios contra el Estado.

* Francisco Mezzadri: el economista en quien más confía Angeloz fue compañero de Bulgheroni en su primera aventura política, el *Ateneo Idea y Acción*. También colaboró, junto con Yofre, en la Secretaría General de la Presidencia, mientras la ocupaba Villarreal. Otro discípulo de Angeloz que integró el directorio de Bridas es el señor Oscar Fernández Suárez, uno de los coordinadores de prensa del gobernador.

* León Arslanián: el ministro de Justicia del presidente Menem todavía le sigue manejando algunos asuntos a Bridas por medio de sus socios del estudio jurídico. Arslanián aconsejó a Bulgheroni denunciar a Correa por el asunto del BIBA. Es imposible comprobar si ahora influye en alguna de las causas en la que está procesado el empresario petrolero.

* Rapanelli: el ex ministro de Bunge & Born es ahora uno de los hombres clave del grupo Bridas. Maneja la Compañía de Administraciones y Mandatos S.A. (CAM). Se trata de la firma que controla, audita, sube y baja el pulgar a todas las demás firmas del grupo. La traumática experiencia de Rapanelli en el Estado le pudo haber servido, por lo menos, para saber qué timbre hay que tocar cuando un negocio lo necesita.

* Carlos Menem: no tienen solamente una buena relación. Son amigos. Se conocieron gracias al legendario Vicente Saadi. Los hizo inseparables la ayuda que Bulgheroni le dio a su hijo Carlitos en los Estados Unidos al meterlo en un avión de línea y arreglar todos los papeles para una delicada operación en la pierna. El hombre de negocios abrazó y besó al presidente cuando éste festejó su primer cumpleaños como tal en su pueblito de Anillaco, La Rioja, el 1º de junio de 1990.

En el monólogo que viene Carlos Bulgheroni dice que la lista de amigos militares y civiles que manejaron algo de poder podría llegar a ocupar las páginas de otro largo libro. Este hecho, más el de haber sido mencionado como el candidato a los ministerios de Economía y Defensa en varias oportunidades; haber regresado de la muerte cuando nadie daba un peso por su vida y haberse mantenido incólume desde 1983 bajo el fuego cruzado de querellas y procesos, contribuyó a dar a su personalidad un halo de misterio y leyenda.

En los círculos empresarios se habla de este Bulgheroni como un mito. En las páginas que siguen se demostrará que apenas y por suerte se trata de un ser humano.

3. *Gallo de riña*

Carlos Alberto Bulgheroni tiene dos ojos, una nariz, ambas orejas, una boca, un par de pies y manos y un solo corazón, como todo el mundo.

Carlos Bulgheroni no es un fantasma que recorre por las madrugadas los despachos oficiales en busca de papeles comprometedores sino un hombre que trabaja de 15 a 17 horas por día y, a veces, incluso los sábados y domingos.

Bulgheroni comienza su día a las 8 de la mañana y suele irse de su despacho de la calle Alem 1180 entre las 9 y las 10 de la noche.

Muchos de los que lo consideran un mito se sorprenderían si escucharan cómo su bella mujer, Teresa Aguirre, lo reprende por teléfono para que llegue a tiempo a cenar con toda la familia.

Carlos se levanta siempre un poco antes de las ocho de su cama matrimonial de 1.50 metros de ancho y se prepara para ejercer su primer caprichito o manía del día: revisar de arriba abajo la vajilla del desayuno para ver si está limpia y ordenada.

El abogado, desde hace 5 años, vive en el primer piso de la calle Gelly y Obes, justo enfrente de la embajada británica. Antes moraba en Belgrano, en la calle Olleros 2011, donde se hicieron las primeras reuniones entre los empresarios denominados Capitanes de la Industria y los muchachos de Alfonsín.

El de ahora es un departamento de entre 400 y 450 metros cuadrados cuya valuación aproximada es de 700 mil dólares y que no presenta ninguna característica ostentosa. Parece más el departamento de un intelectual acomodado que el de un hombre de negocios.

Sus amigos dicen que Bulgheroni es un tipo al que le gusta el confort, pero no el lujo. Explican que es prolijo y detallista en la decoración de su casa, y que detesta el estilo hollywoodense que presenta a veces, por ejemplo, algunas de las mansiones de la señora Amalia Lacroze de Fortabat. Las paredes del hall de entrada están pintadas de rosa viejo. La recepción consiste en el living, el comedor y el escritorio, donde a veces se sienta a mirar televisión con Marcos, su único hijo, de 19 años, y los amigos de Marcos también. Pegado a eso, hay otro cuarto de estar con otra TV y un toilette.

Un poco más hacia el interior se encuentra el dormitorio principal que, como corresponde a cualquier departamento cómodo, tiene un baño en suite. El Bulgheroni de entrecasa es irritable y enojón con el personal doméstico. No soporta que lo contradigan o que malinterpreten lo que dice. Pero tiene la educación suficiente como para pedir disculpas luego de su terremoto nervioso. El matrimonio que trabaja en su casa hace años que está con él, lo quiere como si fuera un hijo.

Carlos Bulgheroni no come mucho de nada, porque se lo impide su enfermedad, el síndrome de Hodkin, un cáncer de ganglios que casi se lo lleva a la tumba a los 24 años. Hay noches que se las tiene que arreglar con un pedazo de queso y una manzana, y cuando puede se las desquita con algún helado bien grande y si es posible de crema.

El doctor toma buen vino pero muy de vez en cuando. Tiene una bodega bastante completa aunque no rebosante. Es un aceptable anfitrión, y sin embargo no está todo el tiempo persiguiendo a las visitas para ver si necesitan algo. En una de las reuniones a las que había invitado a Alfonsín les aclaró a los que habían llegado antes y pusieron cara de mufa que jamás abandonaría a un amigo, y menos en la adversidad.

Una señora que lo ve por lo menos una vez cada quince días opinó:

—*Tiene un sentido... italiano de la amistad. Es un amigo de fierro.*

Ella contó que en una oportunidad abandonó un negocio que debía cerrar en los Estados Unidos sólo para permanecer junto a un compinche que padecía una enfermedad seria y preocupante. Y también recordó que le parecía extraño que se ocupara personalmente de la salud de alguno de los directivos de su empresa.

—*¿Y usted cómo sabe eso?* —se le preguntó.

—*Porque un día se apareció en la casa con las radiografías de Gaspari y las empezó a mirar como si se tratara de su propio cuerpo.*

Ernesto Gaspari es nada menos que el director de Economía y Finanzas del conglomerado.

Lo mismo hizo con su chofer, un hombre mayor al que Bulgheroni no sólo le subvenciona la salud, sino que también lo manda a su casa cuando lo nota cansado. En esos casos, es habitual ver al propio empresario manejar el Peugeot gris metalizado de la empresa, como antes era común verlo conducir el Volvo azul oscuro con el que visitaba el Palacio de Hacienda.

Al contrario de Amalita Fortabat y Jorge Born, Bulgheroni nunca utilizó custodia. Y ni siquiera se le pasó por la cabeza después de secuestros como el de Rodolfo Clutterbuck, directivo de Alpargatas, o el del propio Mauricio Macri. Es evidente que no tiene miedo de que lo rapten, porque hace tiempo que dejó directivas escritas para que no se pague el rescate si lo llegan a "levantar".

Sus familiares más directos y también sus íntimos suelen repartir la siguiente frase hecha:

—*Si a Carlos lo llegan a secuestrar, no sólo lo devuelven sino que le pagan encima, porque él va a estar todo el tiempo tratando de convencer a los secuestradores de que su proyecto de vida es una porquería que no lleva a ninguna parte.*

Hay fines de semanas enteros en los que Carlos Bulgheroni se la pasa discutiendo con su suegro, el ex canciller Ramón Aguirre Lanari, sobre historia argentina y política nacional. Algunos sábados y ciertos domingos convida a los que más quiere con asado en la quinta de San Miguel del Viso, una propiedad que no está a su nombre pero que parecería tener alquilada de por vida. Cuando el tiempo lo deja, lee libros de historia y revistas especializadas de divulgación científica o pone un buen concierto en su compact disc. Y si se harta de estar encerrado, se va a navegar al Club Náutico San Isidro. Sus vacaciones las pasó en Punta del Este y Brasil, y no se lo podría definir como uno de esos hombres de negocios que están pendientes del teléfono móvil.

Sin embargo, el empresario reconoce que vive permanentemente conflictuado, porque considera que su ritmo de trabajo "recontraacelerado, recontraestresante, recontraexigente" no le da tiempo para entregar el afecto que su familia y sus amigos le reclaman. Mientras reflexionaba sobre esto, su mujer acababa de demandar que regresara urgentemente al hogar.

—*Estoy seguro de que ellos* (los amigos y los parientes) *reclaman de mí una intensidad* (afectiva) *que no puedo darles* —admitió, un poco triste—. *Esto no me gusta para nada* —remató.

Para definirlo en términos prácticos, un amigo de su edad explicó:

—*Carlos es uno de esos tipos a los que no le interesa ir a ninguna reunión social. Una persona que va y prepara el café sin que se le caiga ningún anillo. Alguien que no le guiña el ojo al dueño del restaurante para que le consiga una mesa especial y rápidamente. Un individuo al que no te da vergüenza invitarlo a tu casa, porque sabés que aunque tenga millones de dólares no te va a hacer sentir incómodo.*

El doctor en leyes no lee los diarios. En realidad, recibe información previamente filtrada por su eficiente asesor de prensa, Fabián Falco, y sólo pide leer las noticias completas cuando tiene que ver con algún negocio en el que están involucradas algunas de sus empresas. En su oficina, sus berrinches se potencian hasta el infinito. La verdad es que Bulgheroni tiene el mismo defecto que poseen todos los grandes y medianos empresarios argentinos: a veces tratan a sus subordinados con el estilo típico de patrón de estancia y llegan hasta a humillarlos.

—*El primer consejo que les doy a los nuevos que vienen a trabajar a las órdenes directas del jefe es: "si te levanta el tono o te maltrata la primera vez, parale el carro, aunque te jugués el puesto... si no, puede llegar a avanzar hasta convertirte en un desecho humano".*

Es el mismo consejo que le dan a sus víctimas los centros de ayuda para mujeres golpeadas: le sugieren que abandonen a sus maridos después de la primera paliza.

Carlos Bulgheroni no tiene más de una decena de hombres en los que confía casi ciegamente. El primero, por supuesto, es su hermano Alejandro, Cédula de Identidad 5.723.620, 48 años, casado con Viviana Barccelli, un hijo, con domicilio legal en la vieja casa de su padre, Amado Nervo 3450, San Fernando, ingeniero industrial, mayor que Carlos, pero con menos responsabilidades políticas, y más aplicado a la técnica.

Los que conocen a ambos aseguran que el padre, al morir, le encargó a Carlos que se ocupara del negocio industrial y financiero que involucraba al BIBA y a Papel de Tucumán e instruyó a Alejandro para manejar todo lo que tuviera que ver con el petróleo y los servicios, como Bridas SAPIC. Ellos explican que al principio intentaron compartir las responsabilidades, pero que la práctica fue convirtiendo a Carlos en el número uno absoluto, y que eso generó decenas de fuertes discusiones por celos: los típicos debates italianos.

Un alto ex empleado de las empresas afirmó que si a Carlos no lo hubiera atacado su cáncer, hoy no sería el número uno del grupo.

—El padre, que ya estaba quebrado después del secuestro, lo empezó a mirar con lástima, porque creía que se moría, y le permitió agarrar la manija, con el guiño de su otro hijo, Alejandro.

Ahora las cosas están así: las decisiones finales siempre las toma Carlos Alberto, pero antes busca el consenso de Alejandro, para evitar peleas traumáticas.

Alejandro es el que discute con el secretario de Industria un contrato petrolero o con el interventor de YPF y Gas del Estado, la facturación de un servicio. El curso de posgrado en perforación de pozos y producción de petróleo y gas que hizo en la Universidad de Austin, Texas, lo convirtió en un verdadero especialista en el tema. La manía de calcularlo todo que tienen los ingenieros industriales lo transformó en un riguroso de las cuentas y el personal. Alejandro es el vicepresidente del Consejo de Dirección, lo que equivale a decir el número dos del grupo, Alejandro también es el responsable del área de Petróleo y Gas, y debe responder por lo que suceda en las petroleras Bridas SAPIC, Acambuco, Bridas Austral y Bepsa, la firma que instalaron en Perú para explorar un yacimiento en el desierto de Talara junto a un consorcio norteamericano, Occidental Petroleum. A pesar de todo, si alguien quiere hacer un negocio con cualquier empresa del conglomerado, no basta con ir a ver a Alejandro: tiene que hablar, sí o sí, con el amo mayor, que es el hermano menor.

El segundo hombre de confianza de Carlos Bulgheroni es el ex ministro Néstor Rapanelli, quien ostentaría el sugestivo cargo de director de Desarrollo Corporativo. Se trata del mismo puesto que tenía Alberto Close, el hombre acusado por Maslatón de haberle ofrecido 300 mil dólares para su campaña política a cambio de no seguir con la denuncia contra el BIBA. Rapanelli hoy es el que maneja el cerebro del grupo, encarnado en la Compañía de Administraciones y Mandatos (CAM) y es el que secunda al dueño de Bridas en la tarea de lobby para convencer a funcionarios y legisladores. Close, en cambio, fue despedido cordialmente, con una palmada en la espalda, en la fiesta de fin de año de 1990. Fuentes inobjetables dicen que Close dejó de pertenecer al staff no sólo por la desprolijidad con que habría tratado el asunto BIBA-Maslatón, sino también porque hizo meter al grupo en negocios que le dieron más dolores de cabeza que dólares. Uno de esos negocios es la informática, y la empresa que se creó para eso fue la TTI (Tecnología, comunicaciones e Informática). Aseguran que Close pensó que la restauración democrática que inició Alfonsín iba a servir también para venderle equipos de computación a las reparticiones públicas. El resultado fue que el Estado quebrado no consumió esos servicios. La computadora de esa compañía que se hizo más famosa fue la que donó Bulgheroni a la fiscalía de Moreno Ocampo. Y su fama devino porque con ella se escribió el comunicado en el que se informó que tanto Bulgheroni como los responsables operativos del BIBA habían sido procesados por defraudar en 80 millones de dólares al Banco Central.

Después de su hermano y de Rapanelli, el hombre en quien más confía Carlos se llama Mario López Olaciregui, quien, junto a su esposa, Marta, manejan todo el área de Agroindustria, es decir: los campos, las vacas, las ovejas y el maíz, el trigo y la soja del grupo Bridas, pero también las pesqueras como Harengus, que durante 1990 facturó casi 50 millones de dólares y se constituyó en la más importante del país.

Menos Rapanelli, todos los demás son miembros del estratégico Consejo de Dirección, junto con Manuel Baña, quien comparte el contralor de todo el grupo junto a Rapanelli y Jorge Aceiro, quien tiene a su cargo el área de Petroquímica y Servicios Petroleros. En este sector descuella *Perforaciones Río Colorado,* una empresa que no figuraba en el ránking de las líderes hasta que, gracias a la promoción industrial y otro puñado de buenas razones, se catapultó al puesto 103 en 1990, con una facturación de más de 85 millones de dólares.

Pero la percepción humana que tiene la gente que comparte los mejores momentos con Carlos Bulgheroni, no tiene nada que ver con la imagen que dé hacia afuera y en el terreno de los negocios.

Un asesor del interventor de YPF, José Estensoro, que tiene 67 años y tres hijos, y que además participó en la última etapa del gobierno de Isabel Perón y fue una pieza clave en la empresa más importante de uno de los grupos económicos que se investigan aquí, ve a Carlos Bulgheroni de la siguiente manera:

—*El que hizo todo fue su padre, quien se enganchó en el negocio petrolero y construyó Bridas, una empresa relativamente mediana y sana. El hijo multiplicó al grupo por 25, pero en base a un endeudamiento permanente. Es un hombre que apuesta muy fuerte, siempre. Macri, por ejemplo, también apuesta muy fuerte, pero no siempre. Uno de los grandes problemas de Bulgheroni es el negocio petrolero, se presta para armar una buena bicicleta financiera, pero si a esa bicicleta se le cae un eslabón, se viene todo abajo.*

Es una opinión superficial, pero sirve para mostrar cómo se lo ve de lejos. Otro señor, un economista que se pasó los últimos años estudiando a los grupos económicos, hizo la siguiente composición sobre el grupo Bridas. Ésta es la reconstrucción de su análisis:

* Bridas era un grupo petrolero que a partir de la dictadura militar se diversificó hacia distintas actividades, como la pesca. Esta última es un gran ejemplo de cómo funciona el grupo: se asocia con capitales chinos, árabes y alemanes; retiene una pequeña parte de las acciones, aunque figure como mayoritaria; las empresas extranjeras ponen siempre el capital y la tecnología y Bridas pone su impresionante capacidad de lobby. En este caso, el lobby significa traerse un enorme barco al regreso de su viaje con Alfonsín en 1985 y también incluye la obtención de un permiso especial para pescar en la riquísima zona del Mar Argentino.

* La entrada de Bridas en el mercado del papel sirvió para romper el oligopolio cerrado de Ledesma, Massuh y Celulosa.

* Este último asunto es serio, porque hasta que apareció Papel de Tucumán, el otro grupo tenía capacidad no sólo para fijar precio y elegir a quiénes les vendían y a quiénes no; también tenía el poder para condicionar así a los medios de comunicación escritos y a la opinión pública.

* Bridas sufrió un golpe casi mortal cuando cayó su pata financiera, representada por el BIBA. Ese golpe hizo detener su diversificación y limitarse a los negocios que le dejen ganancia segura, como el petróleo.

* Algunos ingenuos suponen que el grupo puede desaparecer por la deuda que tiene con el Estado, un pasivo que superaría largamente los 300 millones de dólares. Lo que yo pienso es que no sería extraño que durante esta sucesión de querellas y pleitos, el Estado le termine reconociendo un paquete por daños y perjuicios. Algo así como los cientos de millones de dólares que le reconoció Alfonsín al grupo Graiver por la persecución que sufrió su dueño.

El experto tiene razón: Bulgheroni nunca se rinde.

Una prueba de esto es que a su empresa no le importó enviar a un técnico a una planta de YPF de Comodoro Rivadavia a sustraer algunos datos que en todas partes del mundo se pagan muy bien.

Sucedió el 9 de noviembre de 1989. El gobierno de Menem soportaba los sacudones de la hiperinflación que le había dejado Alfonsín. El presidente acusaba a los grandes empresarios de provocar la suba del dólar paralelo. La CGT ubaldinista amenazaba con un paro. Acababan de ser suspendidos 500 operarios de la fábrica de automóviles Renault, en Córdoba. En medio de ese tembladeral, un funcionario de Bridas entró al Departamento Geológico de Exploración Comodoro Rivadavia, de YPF, e intentó llevarse, entre otros documentos:

* Una copia de los perfiles de la zona que debía adjudicarse en poco tiempo.

* Una reproducción del plano geológico que era propiedad de YPF.

* Anotaciones geológicas de variado tipo que sirven para averiguar la eventual riqueza de los pozos petroleros.

El técnico de Bridas entró a la planta gracias a la orden verbal de un amigo, el gerente de Exploración de YPF. Se quedó mucho más allá del horario regular de trabajo... y fotocopió información vital para ganar la licitación de una cuenca cercana. Pero cuando estaba muy cerca de la puerta de salida el jefe del Departamento Técnico lo atrapó, y le exigió que destruyera las copias de los planos y de las notas técnicas.

Jorge Zavaley y Luis Osovnikar son miembros de las comisiones de Energía y Combustibles y de Minería. Ellos se enteraron del asunto una semana después. Y redactaron un pedido de informes de 8 puntos en cuyos fundamentos opinaron que la decisión del experto de Bridas constituye un abuso, y el permiso del gerente de Exploración de YPF configura un delito, tipificado en el Código Penal por el artículo 265, Capítulo VIII, que pena severamente a los funcionarios que benefician a cualquier empresa privada en detrimento de otras.

Bulgheroni tampoco se rindió al pelear lo que consideraba sus derechos legítimos alrededor del yacimiento llamado Ara.

Se trata de una breve pero apasionante historia:

Hace muchos años, YPF comenzó a explorar y explotar el yacimiento petrolero *Cañadón Alfa*, situado en tierra firme y en el distrito de Tierra del Fuego. Tiempo después, también empezó a operar en Tierra del Fuego el consorcio de las empresas Total Austral, Bridas Austral y Dalminex Argentina. Lo hizo a través de *Ara*, un yacimiento arrojado debajo del mar y adjudicado en forma directa por YPF en 1980.

Dos años después, en 1982, el consorcio reclamó a YPF una parte de gas que la estatal había conseguido por las suyas. Las petroleras privadas consideraban que ese gas no provenía del yacimiento *Cañadón Alfa*, sino de la cuenca *Ara*.

En 1987 el consorcio declaró que estaba ya en condiciones de explotar y vender el gas que había conseguido por exploración. De inmediato se inició una compleja discusión sobre el vínculo físico entre ambos yacimientos. La mitad de los expertos consideró que estaban unidos; la otra mitad, que no.

La nota de reclamo de Bridas y sus socios fechada en 1990 decía exactamente que YPF había extraído una cantidad de gas que le pertenecía al consorcio por un monto equivalente a... ¡132 millones de dólares!

Ante la primera queja, la asesoría legal de YPF dictaminó que, como la explotación de *Cañadón Alfa* era previa a la de *Ara*, lo que haya pasado con el gas es un riesgo que debe asumir la contratista. Es decir: rechazó sin más el reclamo.

Pero el 19 de octubre de 1990 sucedió algo extraño y sorprendente.

Ese día, YPF por un lado y el consorcio Total-Bridas-Deminex, por otro, firmaron la "unitización" de los yacimientos *Cañadón Alfa* y *Ara*.

Unitización es un neologismo derivado de una palabra inglesa que significa explotación unitaria de yacimientos. Consiste en un acuerdo entre los titulares de dos yacimientos unidos físicamente para hacer una explotación razonable y para distribuir las ganancias en proporción adecuada.

El contrato de unitización entre YPF y el consorcio contuvo las siguientes transacciones:

* La unitización de ambos yacimientos en uno solo, bajo el nombre de *Unitizado Cañadón Alfa-Ara.*

* La entrega a *Total-Bridas-Deminex* de todo el gas que extraiga hasta que termine su contrato, es decir, hasta el año 2010.

* El pago de 30 dólares por cada metro cúbico de petróleo que el consorcio extraiga para YPF desde el 15 de noviembre de 1990 hasta el 2010.

El diputado nacional Alberto Natale, a quien no se puede acusar de antimodernizante, suministró dos razones para considerar este acta como un liso y llano regalo de YPF al consorcio.

Primera razón: es inconcebible que se acepte tan rápidamente que el gas extraído por YPF es propiedad de *Total-Bridas-Deminex.*

Segunda razón: suponiendo que el gas fuera del grupo privado, y que no sólo se lo quiera compensar cediéndole toda la explotación de ese combustible hasta el 2010 sino también otorgándole equipos de YPF para extraer petróleo, resulta de todos modos exagerado pagarle al consorcio 30 dólares por cada metro cúbico de "oro negro" que se extraiga, ya que YPF hacía exactamente lo mismo por 10 dólares.

Natale explicó que hay infinidades de acuerdos en los que YPF les paga a petroleras privadas no para que descubran, sino para que exploten el petróleo descubierto, y se lo entreguen a la petrolera estatal. Y agregó que el costo operativo depende del yacimiento. Aseguró que, por ejemplo, en Salta, el costo operativo por extraer petróleo supera los 30 dólares, porque el mineral allí no abunda. Pero que en el sur, cualquier compañía bien equipada lo puede hacer por menos de 10 dólares. El diputado nacional que fue candidato a vicepresidente debajo de Álvaro Alsogaray concluyó que con esa tarifa, *Total-Bridas-Deminex* se iba a hacer una diferencia de por lo menos 20 millones de dólares.

—*¿Cómo llegó a esa conclusión?* —se le preguntó.

—*Multiplicando las reservas de petróleo del yacimiento Cañadón-Alfa-Ara, hasta el 2010, calculadas en 5 mil millones de metros cúbicos, por los 20 dólares de más que YPF les regaló por metro cúbico extraído.*

Todos los caminos conducen al encuentro de funcionarios nada proclives a defender los intereses del Estado con empresarios privados que defienden su renta como leones o gallos de riña.

Gallo, como se dijo, es el signo de Carlos Alberto Bulgheroni en el horóscopo chino. La descripción que hace la experta Ludovica Squirru para mostrar cómo son estos animales, le cae como un traje a medida al protagonista de esta historia. Se trata de un hallazgo sorprendente y ésta es la síntesis:

* El Gallo es conservador, patriarcal, amante de la familia y la tradición.

* Es un verdadero luchador (que) se estimula ante la adversidad y goza trabajando obsesivamente.

* Debido a su complicada personalidad tiene problemas para trabajar en equipo.

* A pesar de ser pacífico, cuando se siente atacado se convierte en una fiera capaz de producir escenas de gran violencia y vergüenza.

* Pone a prueba a los demás exigiéndoles infinitas demostraciones de solidaridad y compañerismo.

* No es optimista. Ve la vida negra en general y le cuesta mucho modificar esa actitud.

* Es ambicioso, le gusta el lujo, el confort y el poder; no se detendrá hasta obtenerlos y lo más probable es que los otros se los disputen.

* Conocerá gente célebre, miserables, ladrones (pero también) profetas y artistas que enriquecerán su vida.

* Jamás desatenderá a su familia.

* Somatizará con frecuencia diversas enfermedades.

* Tendrá facilidad para ganar dinero y será un gran prestamista.

* El Gallo (finalmente) será capaz de construir un imperio y de perderlo en un día.

La siguiente entrevista a Carlos Bulgheroni es la reconstrucción cruda y al natural de pedazos de su vida. Una reconstrucción que demuestra, una vez más, que es un gallo, que existe y que no es un mito inalcanzable.

4. *Bulgheroni: "Somos cortesanos del poder de turno"*

Los encuentros con Bulgheroni fueron dos, y se realizaron en la sala de reuniones pegada a su despacho del piso 11, en días de julio y agosto de 1991. Durante el último, que se inició a las 8 de la noche y terminó pasadas las 22 horas del lunes 19 de agosto, el empresario no sólo respondió a las preguntas con soltura, sino que ofreció todos los balances de las compañías del grupo para que fueran examinados con detenimiento. A Carlos Bulgheroni no le gusta que le hagan preguntas inconvenientes o que incluyan en su formulación la sospecha de que él se queda con dinero del Estado. También se inquieta cuando no se puede hacer entender de inmediato. En cuatro oportunidades consideró estar frente a un periodista equivocado. En una, ante un preguntador malintencionado. El enojo le duró unos segundos. Las entrevistas duraron casi dos horas. Su encargado de prensa se quedó con una copia de la grabación, para evitar malos entendidos. Bulgheroni tomó sólo agua y habló casi sin interrupción. Sus palabras se transcriben en forma de monólogo porque resulta más atractivo. Los párrafos que se excluyeron se utilizaron como material para los capítulos anteriores. Las palabras que figuran entre paréntesis son agregados del autor. Todo indica que el hombre es un individuo tímido, con una coraza enorme que lo hace parecer un duro de absoluta dureza.

La vida, a uno, lo va endureciendo. ¿Quiere que le cuente algo que pruebe que mi padre fue más bueno de lo que soy yo? Muy bien. Mi padre fue secuestrado, entre otros, por su sobrino. Mi padre sentía la familia no en la familia de sus hijos sino en la familia grande (los primos, los sobrinos) como era tradición y sigue siendo tradición en los Bulgheroni. En cada generación había una especie de... yo no diría jefe de familia sino de hombre al que se miraba con más respeto.

El hombre que lo secuestró fue nada menos que el hijo de la hermana de mi padre. La persona que entró a punta de pistola y sacó de mi casa a mi padre, también a punta de pistola (fue mi primo hermano). Mi padre sufrió enormemente por esto. Usted nunca podrá imaginarse cuánto. Y luego, cuando lo liberaron, al discutir el tema conmigo, me decía:

—¿Sabés lo que me preocupa a mí? Averiguar qué mal hice, o qué me faltó hacer para permitir que Héctor Mario llevara adelante una acción de secuestro.

Yo no podía comprender a mi padre. Entonces le replicaba:

—Qué tipo más... desubicado éste, que teniendo capacidad económica, una mujer bien nacida, que no le faltaba nada, se metió en una aventura tan repugnante.

Una aventura en la que no sólo agredió a mi padre sino a toda la familia. A su madre, a sus hermanos, a todos nosotros. No lo podía entender.

Mi primo pertenecía a una célula guerrillera peronista. ERP-Montoneros. Nosotros no lo sabíamos. Si lo hubiéramos sospechado no lo habría secuestrado a mi padre. En ese momento el enemigo estaba al lado. También podía ser un amigo. Yo siempre dije que era mejor conocer bien al amigo... porque los enemigos vienen solos. Pero déjeme seguir con la idea. Yo tenía una posición muy severa con el tema de mi primo. Pero severa no por venganza, sino por aquello del Evangelio: "Ojo por ojo, diente por diente". Severa porque así no se construye una sociedad. Porque si él (Héctor Mario) quería cambiar la Argentina, tenía recursos económicos para intentarlo. Podía haberlo intentado como mis ancestros, con sangre, sudor y lágrimas. Transformar (a un país) a través de la violencia, no solamente es estúpido, sino también muy cómodo y fácil. Estoy hablando de querer cambiar a través de la violencia la estratificación social.

Ellos utilizaban la violencia para ejercer el poder, y si lo hubieran (conseguido habrían) hecho una gestión autoritaria.

Yo le dije a mi padre, y se lo repito a usted ahora. Yo con ese tipo de violencia no solamente estoy en desacuerdo, sino que estoy dispuesto a dar mi vida para combatirla.

¿Qué pasó con mi primo? Murió en un enfrentamiento con el ejército. Y no lo lloré. Yo no tenía por qué llorarlo. En todo caso a la que lloro, y también a la que admiro, es a la madre (La tía de Carlos Bulgheroni). Porque la madre de mi primo es una mujer que tuvo la tragedia de ver a su hijo en esa situación, y de soportar que su hermano sea víctima y objeto de la acción repugnante de Héctor Mario. Pero yo, a mi primo, lejos de llorarlo, si es necesario, lo enfrento, y lo ataco. Y si tengo que tirar... tiro. Y ésta es la diferencia principal entre mi yo y mi padre. Mi padre se preguntaba: ¿Qué habré hecho yo para que mi sobrino termine secuestrándome?" Y yo le hubiera tirado.

La diferencia entre cómo vivió mi padre su secuestro y cómo lo pudieron haber vivido otros (secuestrados) es la terrible sensación de sentir cómo un sobrino (casi), un hijo, te saca a punta de pistola de tu propia casa. Había una dimensión familiar y espiritual, una carga que mi padre llevó durante muchos años y hasta el propio día de su muerte. Fue la gran desilusión de su vida.

Usted me pregunta cómo lo viví yo. Debo decirle que yo venía de una enfermedad terrible. Había peleado por la vida y había ganado. Me habían desahuciado. Me habían dado por muerto. Yo padecía un Hodkin. Es una especie de cáncer de ganglios que, en esa época, tenía un índice de mortandad del 50 por ciento. La mitad se moría y la mitad sobrevivía. El problema era que, según los especialistas, yo estaba dentro del 50 por ciento que se moría.

Sin embargo, como podrá apreciar, todavía estoy aquí, hablando con usted. Cuando me sucedió eso yo tenía 27 años. Pero no me mire con esa cara. Déjeme decirle que, en el fondo, la vida y la muerte son una misma cosa. En el momento que usted puede integrar la vida y la muerte, también podrá enfrentar casi todas las cosas que la vida le va planteando con mucha más serenidad y mucho menos dramatismo.

Lo peor que le puede pasar es morirse. Y morirse también, es lo más natural del mundo. Pero la pelea es parte de la vida. Y para no morirse hay que pelear todo el tiempo.

Yo venía de los Estados Unidos donde me terminaban de hacer una quimioterapia y me encontré con que habían secuestrado a mi padre. Fue exactamente un 23 de julio de 1974. Tenía bastantes razones para dejarme morir. Pero hoy estoy vivo, sencillamente porque peleé para vivir. Y porque me aguanté un tratamiento insoportable. Cualquiera que haya pasado por una radioterapia y una quimioterapia sabe de lo que estoy hablando. Los niveles de radiación son altísimos. Pero a mí todas estas cosas me forjaron el carácter. Me hicieron comprender que lo único que puede salvar al hombre es la convicción de levantarse todas las mañanas, cada una de las mañanas, para seguir peleando.

La mayoría de los que sufren esta enfermedad se sienten como leprosos, porque la sociedad los trata así. Yo recuerdo muy bien que mis amigos me miraban, no sé si con asco, pero sí con compasión.

No quiero ser muy truculento, pero debo decirle que (llegué a perder) medio kilo por semana, y que llegué a pesar apenas 40 kilos. Yo empezaba a vomitar cada mañana, y terminaba al otro día, con descansos que no pasaban de cinco minutos. Yo no sé si usted alguna vez vomitó mucho y me podrá comprender, pero sé que entenderá si le digo que la primera hora uno tiene algo para vomitar, pero después de un tiempo ya no le queda nada: vomita las tripas. Si yo lo pongo a usted a vomitar las tripas enseguida se va a dar cuenta de que no se trata de algo muy divertido.

Pero el tema era que mis amigos tenían compasión, y yo no. Yo sabía que lo que había que hacer era tratar de curarme. Poner toda la tecnología y todos los medios al servicio de la cura. (También)... comprender que si uno no se cura, se muere. Y que si uno se muere... no pasa nada. Porque nacemos para morir. Vivimos para morir. Y en la muerte encontramos la integracion de la vida. Sin la muerte no existe la vida.

Cuando uno entiende esto racionalmente, independientemente de la fe, se pone mucho más sereno. A la muerte yo no la acepté como una cosa posible, la acepté como una realidad. El 14 de abril de 1974 el médico que me atendía me dijo:

—Vaya a despedirse de sus padres.

Además me dio un papelito que decía: "indicaciones para los últimos momentos".

De manera que volé desde los Estados Unidos para Buenos Aires. En ese momento sí que estaba hecho una calavera, un esqueleto. En la cara de mis amigos se notaba que pensaban: "este está... terminado". Pero era muy gracioso, porque cada vez que me ponían esa cara, yo los miraba y les decía:

—¿Terminado? Ah, sí, tomá de acá. (Bulgheroni hace el gesto correspondiente).

Durante mucho tiempo no me querían decir lo que tenía. Y más de una vez llamé a Estados Unidos, haciéndome pasar por mi médico en Buenos Aires, para averiguarlo.

Para terminar con este asunto, quiero decirle que yo viví esta enfermedad como una de las grandes enseñanzas de la vida.

En cambio, a mi padre le sucedió todo lo contrario.

A mi padre, su enfermedad lo fue encerrando en sí mismo. Tenía un problema cardíaco, pero su verdadera enfermedad se llama cansancio moral. Lo que tenía, de verdad, eran ganas de morirse. El secuestro, más muchos otros problemas, fueron minando su espíritu. Tenía un grave problema psicológico y no fue debidamente atendido. Claro, una persona que está psicológicamente muy mal no puede ir a un psicoanalista o a un psiquiatra. Tiende a pensar que esos profesionales son subversivos o locos.

¿Si yo voy al psicoanalista? Alguna vez visité a alguno. No voy periódicamente por la sencilla razón que se deben cumplir determinados horarios fijos y a mí esto me sería imposible. Pero tengo psicólogos amigos que a veces me aconsejan. Es cuando tengo un problema concreto.

Usted me pregunta si algunos de esos problemas son el BIBA y Papel de Tucumán. Bueno... esos dos problemas necesitan una junta bien grande de psicólogos (ya) que sintetizan la realidad argentina. Porque el BIBA es un banco que no tiene nada que ver con lo que la gente dice. Un banco donde mi padre era accionista. Y nosotros (los Bulgheroni) no teníamos ninguna actividad dentro del Banco. Pero un día vamos (descubrimos) lo que pasa, y se nos ocurre la maldita idea de ir a denunciarlo, oficialmente, al Banco Central. Y luego cometemos un segundo error, que es la decisión de sanear (el BIBA) para luego venderlo. Deseábamos fervientemente venderlo. No lo queríamos tener. Porque nosotros nunca fuimos banqueros.

(Bulgheroni corta abruptamente el tema, y continúa con uno anterior). Yo acompañé a mi padre a California, donde murió. En la última semana de vida de mi padre, yo tuve la posibilidad de conversar mucho y profundamente con él, y de reconciliarme... emotivamente. De esa experiencia yo concluía que, cualquiera sean los problemas que uno puede tener en la vida, debe afrontarlos con sangre, sudor, lágrimas y mucha lucha. Tiene que seguir

luchando hasta el mismo instante en que lo ponen en el cajón.

En los últimos años mi padre se había encerrado en su mundo, en sí mismo. Y al encerrarse, se entregó. El secuestro lo mató en vida. Y nunca lo pudo superar. Se planteaba... como jefe de familia, una pregunta recurrente, insistente:

¿Qué habré hecho yo mal para que mi sobrino me secuestre / que habré hecho de mal yo para que mi sobrino me secuestre? ¿Qué habremos hecho en la Argentina para inventar a estos señores que hacen todo este tipo de cosas? Sin embargo, en la última semana, mi padre recuperó ese espíritu de lucha, esas ganas de vivir. Y por un momento pareció que volvía a ser aquel tipo; el de antes del secuestro.

Su sobrino era como un hijo. Y así como algunos psicólogos sostienen que la guerra es una forma de agresión de los padres hacia los hijos porque de alguna manera los mandan a morir, porque los que mueren en la guerra son los jóvenes, en el fondo, cuando hay una agresión de los hijos hacia los padres, los últimos se preguntan: ¿Qué hice yo para merecer esto? ¿En qué fallé? Mi padre lo pensó. Y lo pensó en el sentido cristiano. Pero ese pensamiento lo mató. La ruptura de la familia lo mató.

Fue una pena que mi padre haya muerto. Siempre es mejor para uno tener un tipo arriba. Aprender de esa sabiduría y de esa experiencia. No le voy a decir que no teníamos diferencias. Teníamos discusiones durísimas. A la italiana. Igual que con mi hermano Alejandro.

Mi padre muere y llegamos nosotros. Y a mí me toca conducir otra etapa, con características distintas. Yo no vine de Génova (como su bisabuelo). Yo soy un profesional. Pero no un administrador (de la fortuna de mi padre). Para mí, administrar lo que ya se tiene no es nada más que empezar a perder lo que se heredó. Lo que uno tiene que hacer (lo que yo hago), es reproducir para que cada vez haya más. Y yo, francamente, desde que estoy sentado acá, lo que hago es tratar de hacer crecer esto. Tomo más gente, hago más cosas. E intento crecer con el país. Hago política. Y no me parece mal hacerlo.

Para hacer política no hay que ser ministro o presidente.

Yo muchas veces pude haber sido ministro. Pero el tema de ser ministro o presidente tiene que ver más con las circunstancias que con el deseo. No le voy a decir ministro de qué gobierno. Esas son cosas que no me pertenecen totalmente, y por eso no quiero hablar. Alguna vez me arrepentí de no haber aceptado. Creo que pude haber cambiado la cosa. Yo pude haber sido (ministro del gobierno de Menem) como pudieron ser otros.

No sé lo que escribió o dijo Verbitzky (sobre su deseo de ser presidente) pero si alguien me quiere ofrecer la presidencia yo no tendría ningún problema en aceptarla (risas).

Escúcheme, en serio: nadie confiesa nada en este país. Además ¿usted piensa que todos los hombres públicos tienen que ser ministros o presidentes? Lo importante es que cada uno haga lo que tiene que hacer desde el lugar que le corresponde.

Y yo hago lo que corresponde.

Tengo varias alternativas o salidas. Una salida es Ezeiza. La otra es mandar la plata al exterior y venir de vez en cuando a Buenos Aires de paseo. La Argentina es un país simpático para hacer turismo. La otra es meterse en el país, invertir, crear empresas, crear trabajo. Eso es lo que he tratado de hacer. Y esto no quiere decir que crea que hay que estar ligado al poder.

Yo le aseguro que he tratado, en todos los sistemas políticos, en todos los regímenes que ha habido en la Argentina, de conversar con todos los presidentes y ministros que han habido y hay en la Argentina para aportar ideas constructivas y para hacer cosas positivas. Esto me llevó a tener relación con muchos gobiernos. Pero esto no quiere decir que haya hecho como el típico empresario argentino que se acerca al gobierno para aprovechar la posibilidad de hacer negocios. Ésta, entre otras, es una de las causas de la gran decadencia argentina.

¿Usted me está preguntando si yo era amigo de Bussi, de Nosiglia, de Viola, de Videla, etc.? Se lo voy a contestar. Yo empecé a entender la democracia cuando era muy pequeño, exactamente el 22 o el 23 de marzo de 1962, cuando lo derrocaron a Frondizi. En ese momento empecé a entender que había que meterse en la naturaleza de los golpes, para ver cómo se gestaban.

No tardé mucho en comprender que había muchos militares que se creían San Martín. Y que también existían muchos civiles que los utilizaban para acceder al poder, ya que no podían hacerlo legítimamente. Estos civiles, una vez que los militares caían, los repudiaban, o se desentendían. Yo no soy así.

Yo no le voy a decir que era amigo de Frondizi, porque en ese entonces era un chiquilín, pero he conocido todos los presidentes, desde un señor como Illia hasta otro como Onganía. Y podría decir que he sido amigo de ellos.

Con Videla tuve una relación muy buena, aunque yo no compartí que se hiciera la revolución de 1976. Yo quería que Isabel terminara de gobernar. Deseaba que se combatiera a la subversión desde el orden constitucional. Quería esto no porque estuviera en desacuerdo con las ideas del Proceso, sino porque creo que lo primero para la Argentina es la construcción de un sistema democrático y estable. Es-ta-ble. La sucesión compulsiva de gobiernos civiles y militares no constituyen sistemas estables. Continúo. La lucha contra la subversión no fue un invento del gobierno militar. La inició el gobierno constitucional de Isabel Perón. Se trató de una pelea donde el subversivo pretendió imponer otro orden político. No en vano se inicia el operativo Independencia en Tucumán. Ellos (los guerrilleros) pretendían convertir en zona liberada una parte del noroeste argentino. Y a mí me parece completamente razonable que el orden constitucional trate de impedir la implantación de un sistema por el cual se cercena la libertad del país.

Yo pienso que se debió pelear a la subversión desde el orden constitucional y de frente. Sin esconderse. Porque no ir a pelear de frente generó, en la Argentina, la industria del desaparecido.

Si en determinado momento, un subversivo habría sido culpable, se tendría que haber fusilado. Hubiese sido mejor, para mí, fusilar. Porque se estaba en una guerra. Y en la guerra, la pena de muerte es natural.

¿Si yo intercedí ante Nosiglia para hacer más leves las penas del general Bussi? Noooo. ¿De dónde sacó eso? ¿De un libro? Pero no. Se escriben tantas cosas. Mi papel en Semana Santa fue de "reflexión" para ambos bandos. Lo que yo hice fue muy preciso: estuve en la Casa de Gobierno a las 10 de la mañana del día de la revolución. Estuve apoyando el orden constitucional. Y tratando de hablar con mis amigos militares sobre la inconveniencia de que se rompiera el orden constitucional. Semana Santa, para Alfonsín sí es comienzo de la decadencia que lo va a llevar a un camino interminable.

Pero no sigamos con esto. Las personas con las que yo reflexioné, civiles o militares, podrían caber en un libro.

¿Por qué piensa que puedo odiar a la "aristocracia" argentina? Pero además ¿qué es la aristocracia argentina? No me diga oligarquía. La palabra oligarquía es una palabra ideologizada. Hay una palabra que debemos utilizar en este caso. Es la palabra establishment. Se puede decir que una persona forma parte del establishment cuando accede a la clase dirigente. A mi entender, su acceso no (debe darse) sólo porque tiene auto o poder económico, sino por ser lo que es. Se ingresa al establishment como premio al esfuerzo y al éxito. No importa que sea hijo del panadero o del Rey de España. Esto —el premio al esfuerzo, al trabajo y al éxito— hace que islas como la Gran Bretaña se conviertan en imperios por miles de años. Es lo mismo que hizo que los romanos, que tenían un cachito de península, se apropiaran de la mayor parte del mundo de aquella época. Son clases dirigentes con vocación de progreso. En donde la estratificación social tiene un gran dinamismo. No son sociedades en donde los ricos son ricos, los pobres son pobres, los intelectuales intelectuales... de por vida. Son sociedades abiertas que permiten que un pobre se convierta en el mejor gracias al esfuerzo, y que el hijo de un rico no sea necesariamente poderoso, sino una porquería.

Yo a los individuos que reciben los bienes y la producción y no los manejan conforme a la responsabilidad social que han recibido más que despreciarlos les tengo lástima. (Hablo de) los que reciben bienes, posición social y no la manejan con la responsabilidad que corresponde. Vuelvo al Evangelio. Al Evangelio de los dones. En un párrafo se cita a dos tipos. A uno se le da una riqueza y él la entierra para no perderla. Al otro se le da lo mismo y la trata de reproducir. Dios premia a este último, por supuesto. El que administra para mantener y conservar lo que tiene, a la larga o a la corta termina perdiendo. A lo mejor él (se había mencionado al ex presidente de la Sociedad Rural Argentina, Guillermo Alchourrón) funciona bien. Pero en términos de responsabilidad social (los dueños de las vacas), no aportan la cuota necesaria para reproducir ese bien, en función de lo que la sociedad necesita. En términos relativos, él aporta a la decadencia.

Pero cada uno tiene su propia vida. Cada uno es como es. Yo no creo tener derecho a decir este es mejor que el otro.

¿Cuándo supe que iba a ser lo que soy? ¿Usted cree que hay un día, un mes y un año para eso? Si usted cree que hay un día en que usted se convierte en importante, está muerto. Porque al día siguiente el ministro de turno le saca una resolución y lo hace moco. Yo no pienso en términos de propiedad ni de posesión. Yo sé que un día cualquiera puede venir un ministro y sacarme, con toda arbitrariedad, todo lo que tengo.

Lo único que no me puede ni me podrá sacar es mi capacidad de reproducir riqueza. Esta es la única riqueza que me dio mi educación, mi padre, mi enfermedad y todas las malarias que he tenido en la vida.

Porque básicamente yo he tenido en la vida sólo adversidades. Con algunas me sentí muy pero muy mal. Con otras le agradecí mil veces a Dios, por haberme salvado.

Yo estoy ahora como está el término medio de la población argentina. Con una gran vocación y deseo para que esto ande bien. Con una profunda decisión de trabajar y empujar. Por eso me peleo con los señores del Banco Central, para que cobren los ahorristas (del BIBA).

No se puede seguir violando sistemáticamente el derecho de la gente. Lo más importante de la Argentina no es la economía sino la política. Y lo más importante de la política es el sistema de estabilidad social y jurídica. La estabilidad jurídica es la conducción necesaria para que existan y se respeten las instituciones. Pero aquí no se respeta la independencia de poderes. Y la gente está perdiendo la confianza en las instituciones.

Mi abuelo era un médico. Y su principal orgullo era ser director del Colegio Nacional de Rufino. Pero la inseguridad jurídica e institucional ha hecho que la sociedad argentina subvalúe las cosas importantes, como la docencia. La verdad es que tiene que ser muy patriota un maestro para sentirse orgulloso por el sueldo que le pagan, o por los medios que le dan. Ni qué hablar de lo que le puede pasar a un médico que trabaja en un hospital.

Esto lo tenemos que solucionar entre nosotros. Porque a la Argentina no la va a salvar ningún funcionario. Pero la inestabilidad jurídica es el mayor cáncer de la Argentina. Por culpa de ella, nada de lo que se hizo antes del Proceso tuvo validez. Por culpa de la inestabilidad, fue creada la industria del desaparecido, el Plan Austral, el australito, el australazo, el primavera, miles de monedas. Yo le cambio cualquier cosa por la estabilidad jurídica y un orden en cierta libertad. Le aseguro que (bajo esas condiciones) la Argentina no para de crecer. El tema es que hay que hacerla crecer de día pero también de noche.

¿Cuánto vale hoy el grupo? No estoy preparado para contestar esta pregunta. Yo tengo una idea de lo que puede valer. Pero algo

muy distinto es lo que alguien pueda pagar efectivamente por el grupo. Sin embargo, si usted quiere saber cuál es mi estimación, le digo que yo, hoy, no lo vendería al grupo por 400 millones de dólares.

Su pregunta (sobre por qué multiplicó el número de empresas durante el Proceso) es incorrecta. Creo que es un error valuar a cualquier conjunto empresario por la cantidad de empresas. Usted mismo podría tener 200 empresas que no valen nada.

Lo que pasó (en Bridas) desde 1976 hasta ahora es una cosa bastante común no sólo en Argentina sino en otras partes del mundo. Sucedió que, en un determinado momento, por el año 1974 o 1975, existió en el grupo, una idea de diversificar las actividades.

(En ese tiempo) no podría decir que al grupo lo comandaba exclusivamente mi padre. Teníamos una, digamos, coparticipación activa. Entonces, todos, mi padre, mi hermano y yo, decidimos actuar en una serie de negocios, expandirnos.

La verdad es que en algunos nos fue muy bien, en otros no nos fue tan bien, y en otros nos asociamos con gente... gente en la que creímos como especialistas, pero con la que tuvimos una pésima relación societaria, como los de la Standard Electric.

Nos fue bien en lo que siempre supimos hacer: el negocio del petróleo. El negocio financiero... el negocio financiero... no tiene nada que ver con nosotros. Le diría que fue más asumido como una inversión. Fuimos apenas accionistas. No fue un negocio que nosotros gerenciamos. No-fue-un-negocio-que-nosotros-gerenciamos.

El financiero fue un negocio en el que mi padre era accionista mayoritario, y donde el amigo Correa hizo lo que hizo. Un negocio en el que nosotros, ahora, lo único que estamos haciendo es tratar de conseguir que se le pague a los ahorristas.

Pero también en otros negocios nos fue bien.

Personalmente, creo que en el negocio del papel nos fue muy bien. Desde el punto de vista económico y tecnológico es y fue un excelente negocio. Lo que pasa es que tiene tantas complicaciones de mercado y financieras que (lo) terminan (convirtiendo en) un mal negocio.

¿Hacer Papel de Tucumán fue una buena o una mala decisión? Pongámoslo así: a nosotros como industriales, como empresarios de riesgo, probamos que una tecnología nueva, única en el mundo, puede ser económicamente rentable, cuando mucha gente consideraba que no se podía hacer semejante inversión. Visto de este modo, fue una decisión buena e importante. Ahora, si usted me pregunta si yo me volvería a meter en un negocio que tiene los conflictos de Papel de Tucumán, yo le respondo que no.

No señor. Mi negocio no es estar peleando con Juan y con Pedro. Teniendo juicios contra el Estado. Mi negocio es trabajar. De manera que no me metería de nuevo.

Por eso, después de la expansión que planeamos y de los resultados, dijimos: momentito... volvamos a hacer lo que sabemos hacer. Y nos volvimos, digamos, a concentrar hacia el año 80. E iniciamos la expansión del sector petrolero hacia el mundo. Y llegamos a trabajar en 14 países. Después vino la crisis de Malvinas.

Y fundamentalmente la crisis de la deuda externa de los países latinoamericanos... Y esta crisis fue la que limitó nuestra expansión.

Enseguida vendimos la parte internacional, concentramos negocios en el sector petrolero y hoy estamos nuevamente tratando de consolidar el desarrollo internacional del sector. Quiere decir que desde el punto de vista técnico, económico y financiero, nosotros estamos pasando por momentos de una gran madurez.

Hay mucha gente que me pregunta, a propósito de las privatizaciones, por qué no entramos en un montón de negocios. Bien. No entramos porque realmente nosotros tenemos una estrategia. Y preferimos guiarnos por ella y no por determinadas oportunidades que aparentemente son muy interesantes pero que después —o porque nosotros no tenemos la tecnología o porque el mundo se ha globalizado demasiado o, incluso, porque no tenemos los recursos humanos para hacerlo— no lo resultan tanto.

Realmente preferimos participar asociados con otra gente. Preferimos concentrar nuestro esfuerzo en negocios que conocemos mejor y en aquellos valores que tenemos. Si hay otra persona u otro grupo que considera que un yacimiento vale más de lo que nosotros estimamos y quiere pagar más dinero, allá ellos. Los argentinos siempre pensamos que este negocio es el último. Y de verdad hay muchos negocios en el mundo.

Bridas factura 300 y pico de millones de dólares. Pero, en total, (el grupo factura) unos 500 millones de dólares. Le damos trabajo directamente, a cerca de 4.500 personas. E indirectamente a 18 mil.

Desde que yo formo parte de la conducción del grupo la sensación que tengo es que seguimos creciendo.

Un proceso de crecimiento no significa que siempre se vaya para arriba. Se va para arriba y para abajo, para arriba y para abajo. Y cada vez estamos más maduros en nuestro crecimiento, más sólidos en nuestro crecimiento.

Cuando yo digo que no tenemos tecnología o recursos humanos adecuados para incorporarnos a determinados negocios no estoy señalando una limitación exclusiva del grupo. También estoy señalando una seria limitación como país.

No hay que ser muy despierto para advertir que el gran problema de la Argentina son los recursos humanos. Usted me habla de Techint y su crecimiento. Pero a mí no me gusta hablar de los demás. Yo no sé hasta qué punto a ellos les va tan bien. Lo que usted está viendo es la largada de una gran carrera. Pero la verdad es que nadie sabe cómo va a terminar esto. Bridas es cada vez menos una empresa familiar, y cada vez más profesional. Yo le diría que Bridas es muy profesional. ¿Quién es el cerebro del grupo? Nadie. Ninguno. La empresa no depende de una sola persona. Y si le dicen que es así le están mintiendo. Yo creo más en los equipos que en los héroes. Lo otro forma parte de la fantasía de la gente.

Nosotros participamos en las últimas licitaciones. Hemos ofrecido un precio que consideramos conveniente. Otros ofrecieron otro mayor, pero no hemos perdido (las licitaciones).

De ninguna manera se puede interpretar que el grupo perdió el poder de lobby que tenía. Escúcheme una cosa. Si por este vaso yo ofrezco 20 pesos y otros señor ofrece 50... ¿Usted cree que yo voy a manejar mi lobby para que me lo den a mí a 20 y descoloquen al señor que ofreció 50? Usted está equivocado. Comete un error fenomenal. El lobby es apenas una herramienta de apoyo. En ningún lugar del mundo, ni siquiera en la Argentina, usted puede hacer algo en base a lobby. Y menos en una licitación. ¿Si es bueno el lobby de Bridas? Yo diría que es razonable. No voy a afirmar que es el mejor, pero, seguro, no es el peor. ¿Cómo funciona? Funciona como funcionan todos los lobbies en la Argentina.

No sé si alguna vez se lo dije: Argentina sigue siendo un país en donde los empresarios perdemos una cantidad enorme de tiempo en hacer de cortesanos. Somos cortesanos del poder de turno. En la medida que haya una Argentina menos regulada, más libreempresista, habrá menos cortesanos y más compañías con nivel y eficiencia. A estos aspectos (y no al lobby) debería estar más dirigido el alto management y la dirección.

¿Un modelo empresario? El modelo japonés no es un modelo empresario. Es el modelo de un país. El modelo japonés en la Argentina seguramente no funcionaría. Lo que funciona es el Japón. Y dentro de ese país, sus empresas. Lo mismo se podría decir de los Estados Unidos. Estoy seguro que habrá empresas en los Estados Unidos que son altamente eficientes y que seguramente aquí serían muy eficientes. Lo que mejor ayuda a funcionar a una empresa es el sistema que la rodea.

Las empresas japonesas son un modelo interesante. Son empresas coparticipadas. Tienen un sentido familiar. Los distintos funcionarios o empleados son valorados no sólo por su eficiencia, sino por su grado de pertenencia. Los empleados se ponen la camiseta, pero a la vez participan más, en comparación con las empresas norteamericanas o europeas.

El sistema americano es muy distinto. Y sus exigencias también. A los individuos exitosos los ayuda una sociedad que los deja ser. También los americanos tienen un tiempo de trabajo. No hay un señor que va a la fama y al estrellato vertiginosamente y porque sí. Algunos son estrellas fugaces. Fíjese Donald Trump. Lee Iaccoca funciona dentro de su sistema. Pero sigue un timework. Tuvo su ciclo negativo-positivo-negativo-positivo, y ahora está en una etapa de indefinición. Yo no diría que en esta empresa hay estrellas. Diría que hay un timework bastante bueno. Me inclino más por defender esto a buscar o tener superestrellas.

Pare un poquito. Usted primero me sale diciendo que Bridas recién ahora acude a licitaciones públicas y que antes sólo accedía a contratos directos. Esto demuestra una de dos cosas: error o malicia en la pregunta. Ahora me sale con esto de que Bridas transfirió su deuda al Estado. Mire, yo no sé si la deuda externa de Bridas son 500 o 600 millones como dice usted. Lo que sea.

Pero nosotros tomamos esa deuda en primer lugar, porque nos dieron crédito. Tener crédito, en la vida, es una cosa muy importante. Para recibir un préstamo, un crédito, hay que ser un tipo muy confiable. Entonces, de ninguna manera yo pienso que tenga que avergonzarme de tener crédito. Usted sigue equivocándose si cree que parte de esa deuda fue transferida al Estado. Este es otro error. Hay gente que quiere venderlo así, y lo escribe así.

El asunto fue otro.

En ese momento había un país, y uno estaba endeudado en dólares. Y de repente vino un administrador X o Y con un programa equivocado, y me llevó esa deuda 100 veces de lo que era el valor real. Entonces yo no le transferí nada a la sociedad. Se la transfirió el hombre que decidió esa política económica (Lorenzo Sigaut). Yo no usé un privilegio. Y el que inventó los seguros de cambio nunca pensó que las cosas iban a terminar así. Porque ese fenómeno (el de la deuda externa privada) vino desgraciadamente atado a la guerra de las Malvinas. Y usted ahora no me va a decir que el funcionario que otorgó los seguros de cambio en 1980 o 1981 iba a prever que se venía la guerra de Malvinas, y, con ella, una altísima inflación. Por otra parte, si usted quiere cargar a esto de ideología y me dice que es un privilegio del que nos servimos (los empresarios) debo decirle que pienso que no es así.

Sobre la promoción industrial también tengo posición tomada. En el único negocio que la usamos fue en Papel de Tucumán. Y en este negocio se recontrajustifica por miles de motivos. Y existe en todas partes del mundo. Si a mí ahora se me ocurriera levantar la misma fábrica en Alaska tendría la promoción industrial que tuve en Papel de Tucumán, pero por 10. Le digo más: las sociedades que vienen a explorar como socias nuestras en la Argentina, vienen todas subsidiadas o promocionadas explícitamente. Y las subsidian y promocionan gobiernos de Alemania o Estados Unidos. Acá el tema es muy simple: nosotros utilizamos un mecanismo de desgravación permitido por la ley y que fue sujeto de una licitación pública. Licitación que no ganó Bulgheroni, sino otro señor. Un señor al que luego nosotros le compramos la parte.

¿Y quiere que le diga una cosa? Yo nunca tuve una promoción del Estado, salvo en Papel de Tucumán. ¿Y quiere que le diga otra cosa? Nunca he necesitado del Estado. Lo que me pregunto es para qué hice esto si siendo un éxito empresarial, tecnológico, industrial, si luego se transformó en un conflicto y despelote judicial insoportable.

Tampoco tengo problema de hablar de la deuda del grupo con el BANADE. El grupo tuvo muchas deudas con el BANADE. Y las pagamos siempre en tiempo y forma. La única empresa que tiene conflicto por su deuda con el BANADE y que tampoco ahora está en el grupo es Papel de Tucumán.

Nosotros somos unos excelentes deudores. El BANADE hizo un magnífico negocio con nosotros. Porque tenía líneas de crédito que no podía colocar sobre las cuales ganó unas excelentísimas comisiones y el grupo Bridas se las ha pagado todas. Con capital, intereses y todo lo que manda la ley. ¿Si el grupo le debe al Estado? No. Yo diría que el Estado le debe al grupo. A las empresas que se han visto conflictuadas. Mucho, mucho más de lo que las empresas le deben al Estado. Será el doble o el triple de lo que el Estado dice que le reclamaría a Papel de Tucumán. Con el banco pasa igual, donde yo no estuve como administrador sino solamente como accionista. Pero lo único que yo pretendo ahí es que le paguen a los ahorristas, pero no con la plata del Banco Central (como sostiene el Estado) sino con la plata del BIBA. Esto es lo que debería investigar en la interesante tarea en la que está inmerso.

En Argentina, el 80 por ciento de todos estos litigios se dan por la falta de un sistema jurídico estable. Debería haberlo, y debería haber también responsabilidades para aquellos empresarios y funcionarios que violan la ley. Pero en Argentina, los funcionarios que violan la ley se van a su casa, y no les pasa nada de nada. González Fraga es uno de llos. Yo no quiero individualizar los problemas sobre González Fraga, pero este señor, que hasta no hace mucho se lo veía como el fiscal de la patria, hoy, sin embargo, se lo ve bastante confundido en todo este tema del lavado de dinero (del Banco BCCI). Mire usted qué sorpresa sería si los 8 mil millones de dólares que fue la balanza comercial del año pasado (1990) realmente hubieran venido de ahí.

¿Usted dice que no es para tanto? Yo no lo sé. Lo que sé es que ese señor se fue y simultáneamente se produjo el descalabro financiero que todos conocemos.

Yo no quiero personalizar, pero el dictamen de Sourrouille (contra Papel de Tucumán) fue equivocado y arbitrario e ilegal.

¿Quiere saber qué haría y qué sería si volviera a nacer? Es una pregunta que me gustaría hacer en mi propia fantasía. Seguramente, con toda la experiencia y el bagaje que yo tengo, si volviera a nacer no cometería todos los errores que cometí. Pero sería lo mismo.

Yo me siento muy contento con lo que he hecho, contentísimo con lo que estoy haciendo y tranquilo con mi conciencia. Tranquilo porque creo que hice lo mejor que pude haber hecho en las circunstancias que me tocó vivir y en el país que me tocó vivir.

Lo que hago me gusta mucho. Y lo hago por responsabilidad. Estoy convencido que lo que hago, lo hago porque tengo y porque debo hacerlo. Es decir, yo no disfruto sensualmente del poder. A mí me gusta, de veras, darle trabajo a la gente joven, tratar de que la gente viva mejor y de que crezca el país. Es todo esto, y no la sensualidad del poder, lo que me lleva a hacer el tipo de vida que hago. Una vida que, desde el punto de vista hedonista, es una vida... perturbada. ¿Por qué? Porque no tengo el suficiente tiempo para mi familia, para mis amigos y para la gente que amo verdaderamente. Ellos creen que yo le debería dedicar más tiempo. Y yo considero que me debo a mi responsabilidad.

Tengo una permanente fricción con la sociedad. Porque yo pretendo que funcione mejor, pero no lo hace. Yo estoy en una frecuencia distinta de la sociedad. Yo creo que es mejor. Pero además, es definitivamente distinta. Además, no tengo la suficiente paciencia para aceptar el timming del otro. No tengo la suficiente amplitud de espíritu para aceptar el error del otro. Las acusaciones en mi contra yo las siento como propias de mi condición de tipo que pelea por lo que quiere. No tengo ninguna duda de que si un día (el gobierno) se pone a buscar un chivo expiatorio yo sería un candidato interesante.

Pero todo individuo que pretende innovar, cambiar el rumbo de la sociedad, que trata de contemporizar, es un chivo expiatorio en potencia. Contra todo eso voy a pelear.

Ante la Corte (Suprema de Justicia, por el caso BIBA) fui y peleé. Muchos pensaron que perdería, y usted mismo me vio como candidato al Premio Chivo Expiatorio.

Para dejar de ser candidato tengo una alternativa: cerrar todas mis empresas, cerrar la cortina e irme a disfrutar de la vida. Seguramente, a partir de ese momento pasaría a ser un tipo fantástico, simpático a la sociedad. Pero sin embargo no sería yo, ni me sentiría satisfecho conmigo mismo...

Es cierto: viviría mucho más tranquilo si junto todos los mangos que tengo y me voy a disfrutarlos a cualquier lado. ¿Quiere saber cuánto tengo? Cómo no. Tengo esta camisa, esta corbata, un reloj... lo que llevo puesto. ¿Y sabe por qué? Porque lo que tengo lo vivo como posesión, no como propiedad. Es decir: soy consciente que hoy lo tengo y mañana no.

Pero lo importante es que tengo la capacidad y la seguridad que si, mañana pierdo todo, voy a volver a tener.

Espere un cachito. ¿Qué es lo que dijo (Roberto) Rocca (de Techint) sobre mí? Yo no sé si soy como dice él. Yo no apuesto todo, como pareciera que surge de su conversación con Rocca. Mejor dicho: yo apuesto todo para ganar. En esa apuesta, acepto que puedo perder y ganar. Sin embargo pienso que, desgraciadamente, en este país, la forma más fácil de ganar siempre es no apostar nunca. Es decir: poner inversiones en un banco suizo y vivir de rentas. Lástima que yo no estoy hecho para eso, porque si no lo podría hacer.

¿Usted viviría de rentas? ¿Ah, no? ¿Usted tiene menos plata que yo, no? Ahhh, no. Eso es lo que usted cree. De verdad, créame que es absolutamente relativo. Yo también, como usted, creo en la posibilidad de tener más bienes, más riquezas, de las cuales voy a coparticipar a quien corresponda. Pero no sólo tener como individuo, también como sociedad. ¿Usted dice que el concejal Maslatón dice que lo intentó sobornar (un hombre de Bridas)?

Y yo digo que, según (me informó) la gente que trabaja conmigo, Maslatón denunció a (Alberto) Close porque es pagado por Ledesma (la competencia). Close me dijo que (Maslatón) trabaja como un hombre a sueldo de Ledesma.

Punto. Además, quiero aclararle a usted que yo a Maslatón no lo conozco. Y lo que sí me hace presumir que Close tiene razón es que Maslatón se mete en cosas en las que no tiene nada que ver. ¿Por qué? Si fuera un asunto que tuviera que ver con la ciudad de Buenos Aires me parecería perfecto. ¡Pero que (un concejal) se ponga a hablar de la patria potestad de las hormigas... es algo que no tiene nada que ver!

Usted quiere que le diga a toda costa que si me gustaría ser presidente. Yo no tengo ningún problema en decir que estaría encantado. Pero la verdad es que no necesito ser presidente para sentirme realizado.

Si quiere saber cómo desearía que me encontrara la muerte se lo puedo decir: trabajando, como siempre.

Luchando hasta el final por las cosas por las que siempre luché.

Tercera parte

Macri, el aventurero

1. *Basura*

Un día de junio o agosto de 1990 tres conocidos concejales rechazaron antes de recibirla una presunta oferta de coima de directivos de Mantenga Limpia Buenos Aires (Manliba).

La presunta compensación monetaria tenía como contrapartida el votar a favor de la renovación de un contrato millonario de esa firma con la municipalidad de Buenos Aires para la recolección de basura.

Los tres ediles votaron por el sí, pero juran que no recibieron un solo dólar.

Los concejales protagonistas de esta extraña situación fueron Federico Pinedo y Roberto Azaretto, del Partido Demócrata, y Carlos Maslatón, de la UCeDé. Ninguno de los tres, aunque parezca mentira, recuerda el día y la hora exacta en que se dirigieron a la sede de la empresa para hablar del confuso episodio.

Los hombres de Manliba que recibieron en distintos momentos a los políticos en sus oficinas fueron Mauricio Macri, vicepresidente del grupo, y Víctor García Laredo, el lobbista principal del conglomerado.

Mauricio Macri, 31 años, cédula de identidad número 8.153.914, es el mismo joven que fue secuestrado en setiembre de 1991 y liberado dos semanas después. García Laredo es miembro de los directorios de más de media docena de empresas del grupo y fue uno de los hombres que negoció con los raptores el pago del rescate. Integra una organización civil llamada *Poder Ciudadano,* que defiende los derechos humanos y lucha contra la corrupción. Los tres concejales desmintieron además que su visita a la sede de Manliba tuviera como principal motivo devolver el dinero que supuestamente habrían cobrado a cambio de votar a favor del polémico contrato.

La recepción de sobres con dólares provinientes de empleados jerárquicos de Manliba es una versión que circuló en el Concejo Deliberante insistentemente y que jamás fue probada.

Sin embargo, tanto Azaretto como Maslatón reconocieron que durante el extraño encuentro sugirieron a los directivos algo muy práctico: les aconsejaron que, *en caso de contar con una partida de dinero para seducir a funcionarios y concejales, mejor la invirtieran en hacer donaciones para hospitales o instituciones que se ocupan de los chicos sin hogar.*

Maslatón, por ejemplo, conocía una institución llamada la Casa de los Niños, uno de los hogares de chicos más serios y responsables de la Argentina.

Días después de esta sugestiva cita, ese hogar de niños recibió una Renault Trafic de la fundación SOCMA (Sociedades Macri), uno de cuyos principales miembros es Víctor García Laredo.

El contrato de Manliba con la municipalidad de Buenos Aires es uno de los más polémicos de la comuna e hizo tambalear a la intendencia presidida por Carlos Grosso. Manliba es una de las empresas más importantes del Grupo Macri.

El dueño de este conglomerado es el principal protagonista de esta historia.

No se trata de un hombre intrascendente.

Estamos hablando de Francisco Macri, cédula de identidad 3.839.269, documento nacional de identidad 11.773.666, nacido en Roma, Lazio, Italia, el 15 de abril de 1930: ciudadano argentino desde 1973; Aries en el horóscopo occidental, caballo de metal en el chino; casado y separado legalmente dos veces: uno de los pocos empresarios que no es un heredero sino un *selfmade man* —hombre hecho por sí solo—; un señor que llegó a perder en un solo día nada menos que 16 millones de dólares; un individuo al que se define equivocadamente como un testaferro de la FIAT y se lo relaciona sin pruebas con la mafia de la basura en Chicago; que llegó a pelear con las constructoras gigantes de los Estados Unidos por el contrato urbano privado más grande del mundo; el mismo que desde hace 5 años tiene una compañera 38 años menor que él; un ser humano brillante; un verdadero cazador de negocios; un inmigrante que llegó al país en 1949 con una mano atrás y la otra adelante y hoy tiene compañías que facturan más de 1.500 millones de dólares y dan empleo a entre 60 mil y 80 mil personas directa e indirectamente... a pesar de no hablar correctamente el español, sino el cocoliche, y apenas inglés, que como todo el mundo sabe, es el idioma de los negocios.

Antes de seguir con los principales detalles de la novela de Manliba, urge reproducir párrafos textuales de las conversaciones con los tres ediles. La primera fue con Pinedo.

Participó activamente en todas las discusiones sobre este asunto que se plantearon en el Concejo Deliberante. Una aconteció el 1º de junio de 1990. Fue una especie de interpelación a tres altos funcionarios de la intendencia de Carlos Grosso. Pinedo intervino en dos oportunidades. En la primera sugirió que el contrato de Manliba con un ente llamado Cinturón Ecológico del Área Metropolitana (CEAMSE) que se inició en marzo de 1980 y culminó el mismo mes de 1990, *no fue demasiado caro.* En la segunda pidió a los concejales radicales que permitieran exponer a los funcionarios sin interrupciones. También estuvo presente en la polémica sesión del 14 de junio de 1990 en la que se aprobó no sólo la prórroga de ese contrato sin licitación sino el reconocimiento de una deuda de la municipalidad con Manliba de entre 37 y 68 millones de dólares. Para decirlo mejor: fue el vocero del bloque de ediles liberales durante la polémica sesión.

El diálogo con Pinedo se realizó el miércoles 21 de agosto a las 16.45 en su oficina del tercer piso de Coronel Díaz 2110. Duró menos de media hora. Los signos de puntuación y los agregados entre paréntesis corresponden al autor. No se trata de la desgrabación completa, sino de las declaraciones más importantes.

—¿Es cierto que usted, Azaretto y Maslatón visitaron a Mauricio Macri un día de agosto de 1990? Si es cierto, ¿de qué conversaron?

—Hubo acusaciones de corrupción en el tema Manliba. En algunos medios y diarios figuran. Yo, más allá de eso, estaba convencido de lo que estaba votando (a favor de la renovación del contrato entre la empresa y la comuna). Por eso defendí al convenio. Ante esas versiones (de corrupción) lo que hice —y me consta que también lo hicieron Maslatón y Azaretto— fue *comunicarme con Mauricio Macri para decirle que nosotros no íbamos a entrar en ningún tipo de cosa de corrupción... que íbamos a defender todo lo que teníamos que defender según nuestra conciencia y que, a cualquier cosa* (léase oferta de compensación monetaria) *que a alguien se le ocurriera... se la podía guardar en el bolsillito...*

—¿Fueron a verlo personalmente?

—Sí.

—¿Durante el mediodía, la tarde o la noche?

—Me acuerdo que fue en agosto, después de haber votado (a favor de la renovación del contrato).

—¿Qué les respondió Mauricio Macri?

—Que le parecía muy bien que hubiera funcionarios que actuaran de esa manera.

—¿Les ofreció algo a cambio?

—¿De qué tipo?

—Alguna ayuda material. Por ejemplo: la donación de una Trafic para un hogar de menores o la creación de una fundación para jóvenes.

—No, no... porque (Pinedo ríe nerviosamente) o no se acepta (el dinero, la ayuda o la coima) o se acepta. O se ofrece o no se ofrece. Si se hubiera ofrecido algo... Bueno. (Pero) eso sería un poco ridículo. Porque era ridículo ofrecer algo después de que la cosa ya estaba hecha (Es decir: después de haberse votado a favor de la renovación del contrato y el pago de la deuda a Manliba).

—¿Cuánto tiempo estuvieron en esa reunión?

—No sé. Cinco minutos, qué sé yo... No sé.

—Claro.

—Bueno... hubo un poco de sorpresa. Era una situación un poco rara, ¿no?

—¿Ustedes fueron para anticiparse?

—(Fuimos porque) empezó a haber acusaciones. Entonces, dije: "*Acá hay que cortar por lo sano. Se dice que hay corrupción en este tema, que hubo o que habrá. Entonces... vamos a aclarar el tema, con el supuesto..."*

—*¿Corruptor?*

—Involucrado, o corruptor. Y finalmente, todo se aclaró.

—*¿Usted cree que hubo corrupción en el tema Manliba?*

—Me parece ridículo que haya corrupción para probar una cosa que está bien. Pero... a veces pasa eso.

—*Se lo pregunto de nuevo porque no respondió. En este asunto ¿hubo o no hubo corrupción?*

—No sé. Se habló de que *hubo* corrupción. De que *iba a haber* corrupción. Yo lo único que hice fue ir a aclarar mi punto de vista. Qué es lo que hicieron los demás concejales... no lo sé.

El concejal Roberto Azaretto, del Partido Demócrata, también participó activamente del polémico debate del 14 de junio. La versión taquigráfica demuestra que para justificar su voto, destacó los siguientes puntos:

* *la calidad del servicio de Manliba.*
* *el hecho de que fue la mejor oferta presentada ante el CEAMSE en 1979, al momento de la licitación.*
* *que mientras Manliba cobró 50 dólares por tonelada de basura recogida, otros contratistas que operaron anteriormente —como Martín y Martín y Venturino— le facturaron a la municipalidad entre 140 y 150 dólares por tonelada.*
* *que cuando recogió los residuos la Dirección General de Limpieza, el costo para la municipalidad fue entre un 40 y un 50 por ciento más alto.*
* *que Manliba no es más cara que Cliba —su principal competidora y que recoge basura en otra zona de la Capital—, como afirmaban los concejales radicales, sino mucho más barata.*
* *defendió y consideró realista el hecho de que la deuda de la municipalidad con Manliba se indexara según la tasa libre no regulada del Banco Ciudad y no de acuerdo al índice de precios mayoristas.*

Entre una actualización y otra había una diferencia de más de 20 millones de dólares.

Meses antes Azaretto había presentado un pedido de informes donde criticaba a Manliba. Algunos de sus argumentos eran irrefutables. En ellos, se manifestaba en contra de prorrogar el contrato de Mantenga Limpia a Buenos Aires S.A., por las siguientes razones:

* afirmaba que era más sano y transparente llamar a una licitación nacional e internacional.
* consideraba que por ser el contrato más grande de la comuna, no debía hacerse por contratación directa.
* aseguraba que Manliba había incumplido obligaciones del contrato suscripto en 1980.
* citaba entre otros incumplimientos la no renovación de la flota de camiones.
* se preguntaba si la verdadera intención de Grosso era adjudi-

car, a través de la renovación del contrato por 5 años, 150 millones de dólares a Manliba.

A pesar de todo eso, el 14 de junio Azaretto votó a favor de la renovación del contrato.

El edil demócrata no habló de esa contradicción con Mauricio Macri y Víctor García Laredo durante esa reunión de junio o agosto de 1990 cuya fecha y hora exacta extrañamente nadie recuerda.

Este es el diálogo que mantuvo con el autor después de insistentes requerimientos. El concejal del PD fumaba un habano y estaba engripado. La conversación se realizó el 1º de octubre de 1991 a las 12 horas, en la oficina número 12 del tercer piso del Concejo Deliberante:

—*¿Qué día fueron a ver a Mauricio Macri?*

—Fue una semana antes del debate... ¿O fue después? Bué. Creo que fue unos días antes del debate. La reunión fue con García Laredo y Mauricio Macri. Estuvimos yo, Maslatón y Pinedo. La reunión la había gestionado Pinedo. Y se les dijo (les dijimos) que, ante versiones circulantes de que habría dinero en danza para conseguir votos para la renegociación del contrato de Manliba... y en el caso de que eso fuera cierto... nosotros no íbamos a votar en función de eso (de la compensación monetaria). (Les dijimos) que íbamos a votar de acuerdo a nuestra conciencia. *Y que si había dinero en danza no había ninguna necesidad de que nos lo dieran.* (Y les dijimos también) *que en caso de que lo hubiera no lo íbamos a aceptar.*

—*¿Y ellos?*

—Ellos negaron de que hubiera dinero en danza.

—*¿Ustedes no le fueron a devolver el dinero que, según versiones, ya le habían entregado?*

—No. Nosotros les planteamos que no queríamos dinero si había dinero. Y que íbamos a votar según nuestras convicciones.

—*Se lo acusa de haber incurrido en contradicción. Se afirma que primero se pronunció en contra de la renovación del contrato y que después votó a favor.*

—...Le explico. La licitación por la que se contrató a Manliba (en 1979) fue una de las pocas que pueden enorgullecer a la Argentina. Fue transparente. Fue una guerra. Se presentaron 7 u 8 consorcios. Preclasificaron 3, se le adjudicó al mejor y al más barato. Hace poco, se conoció una encuesta de Gallup. Dice que el 90 por ciento de los encuestados quiere que siga (recogiendo la basura) Manliba. *Lo que yo había planteado, y lo sostengo, es que* (para) *un contrato de esa naturaleza es conveniente llamar de nuevo a licitación, en vez de prorrogarlo.* Se debió haber licitado al final de la gestión de Suárez Lastra o la de Grosso, porque el contrato original terminó en (marzo de) 1990. Pero además de esto, había otro problema (el que le hizo modificar su postura). El problema fue que (desde 1985) la municipalidad adjudicó un desagio (descuento, a la facturación de Manliba) que no correspondía aplicar. Se fue a juicio. Y este juicio se iba a convertir en un superpleito que todos (los ciudadanos) íbamos a tener que pagar. Por otra parte en el nuevo acuerdo se logró una quita importante en el pago de la deuda que tenía la municipalidad con Manliba. Y yo ayudé a esto último con mis artículos en *La Prensa*. Mire: ¡estoy tan satisfecho con todo este tema! Creo que solamente el debate que se generó alrededor de Manliba sirve para justificar la existencia del Concejo Deliberante.

—*¿Usted no sugirió* (a Macri o García Laredo) *que* (en vez de compensarlos monetariamente) *se les entregaran becas a jóvenes o algo por el estilo?*

—No. No hubo ninguna beca. No se instrumentó nada.

—*¿Qué hay sobre la versión de que SOCMA habría donado una Trafic para un hogar de chicos y había ayudado a crear una fundación para jóvenes científicos?*

—Bueno... la versión... Ah: *lo que se dijo es: "bueno... en el caso de que ustedes* (Macri o García Laredo) *piensen destinar plata a estas cosas* (coimear concejales) *mejor dónenla a los hospitales, a la gente...*

—*¿Y ellos le hicieron caso a esa sugerencia?*

—No sé (Azaretto sonríe). Escúcheme: yo siempre me cuidé de no tener nada que ver con las empresas privadas mientras estuve en la función pública. Tampoco soy de esos que piden perdón por haber ido a un asado con Rockefeller.

—*¿Quién de los tres le sugirió a García Laredo o Mauricio Macri que si tenían una partida para comisiones* (ilegales) *a políticos mejor las utilizaran para hacer donaciones?*

—No me acuerdo si fui yo o fue Pinedo.

—*¿Qué respondieron ellos?*

—Ellos negaron haber dado el dinero (a otros concejales). Y nos dijeron que les parecía importante que hubiera políticos en la Argentina que tuvieran ese tipo de inquietudes (la de sugerir que se hicieran donaciones). Yo no sé si hubo dinero o no. *Además de la Trafic que donaron a un hogar de chicos... ¿Hubo alguna otra donación después de la reunión?*

—No lo sé. No sé nada.

Obsérvese que entre los testimonios de Pinedo y Azaretto se registran dos sutiles diferencias.

Pinedo creyó recordar que la visita a los directivos de Mantenga Limpia a Buenos Aires fue después de la votación. Y presentó ese hecho como una prueba de que ellos no recibieron dinero al considerar que era ridículo recibirlo cuando ya habían votado a favor. Sin embargo, Azaretto tuvo la sensación de que fue antes de la votación. Es decir, antes del 14 de junio de 1990.

La otra sutil diferencia es que, mientras Pinedo no aclaró que ellos sugirieron que SOCMA hiciera donaciones humanitarias con el dinero de una coima que nunca llegó, Azaretto lo reconoce abiertamente.

Pero aún queda el testimonio de Carlos Maslatón.

Es el mismo que acusó al lobbista de Bridas, Alberto Close, de haberle ofrecido 300 mil dólares a cambio de no denunciar una supuesta irregularidad del BIBA. Maslatón habló a las 19 horas del lunes 16 de setiembre de 1991, en su despacho del tercer piso del Concejo Deliberante.

—*¿Visitó junto a Pinedo y Azaretto la oficina de Mauricio Macri un día de junio o agosto de 1990?*

—Yo estuve en una oficina, pero no con Mauricio Macri, sino con otro representante del grupo.

—*¿Con* (Orlando) *Rosemberg?*

Rosemberg es el directivo del conglomerado que discutió el tema Manliba con altos funcionarios de la municipalidad. La presunción más fuerte es que se trata de Víctor García Laredo.

—*No recuerdo. No sé quién era. A mí me invitaron Azaretto y Pinedo. Ellos tuvieron una reunión con Mauricio Macri antes o después* (de la votación en el Concejo) *o antes "y" después.* Lo que yo entiendo es que en todas estas reuniones nosotros manifestamos el hecho de que *era corriente escuchar en todo el ámbito municipal —y hasta lo contaban los periodistas— que había habido un... arreglo de contraprestaciones —digámoslo así— a raíz de la votación del Concejo Deliberante por la contratación de Manliba y el tema del desagio.* Yo creo que la decisión de fondo del Concejo fue correcta. Y estoy dispuesto a discutir con cualquiera y a fondo sobre el impacto financiero que le estaría provocando a la municipalidad un juicio que, seguro, perdería. La municipalidad consiguió dos años de gracia. Recién se empezará a pagar la deuda (con Manliba) en 1992. Son documentos mensuales de un millón trescientos mil dólares. Este arreglo, para la municipalidad, fue bueno. *Yo voté a favor porque estaba de acuerdo... no porque hubiera recibido nada. Yo tengo una conducta...*

—*¿Para qué fueron a ver a Macri después de votar?*

—Para decirle que teníamos una versión. Y que no hacía falta que nos entregue nadie nada.

—*¿Cuál era exactamente la versión?*

Maslatón suspiró y respondió:

—Ufff. De que había habido *plata distribuida entre los bloques políticos a ciertas personas del ámbito municipal y la intendencia.*

—*Es decir: concurrieron para "parar" la eventual entrega de dinero.*

—Exactamente eso. Nosotros no tuvimos ni queremos tener ningún contacto con ese hipotético dinero... Pero no es que fuimos llamados por alguien (por algún directivo de Manliba) para (que nos dijera) *"bueno, aquí tienen la plata".*

—*Una versión dice que, después de su visita, la gente de Manliba habría ayudado a promover una fundación juvenil para la ciencia. Que, incluso, habría donado una Trafic para un hogar de chicos.*

—¿Ah sí?... No sé. No sé. Yo no escuché nunca hablar de la fundación. Te juro por Dios que no tengo la menor idea de esto. *Sí tengo la versión de que la empresa de la fundación Macri o no sé quién habría donado un vehículo para un hogar de chicos de la provincia de Buenos Aires. Pero no hubo una intervención directa de parte mía ¿no?... ¡Yo puedo jurar absolutamente que jamás recibí ningún tipo de contraprestación!*

—*¿Entonces?*

—El tema es muy simple, ¿no?... tanto yo, como quien haya sido quien te describió esto (las donaciones y la conversación) fotográficamente (sic) no podemos probar nada. Fue un tema muy discutido a nivel municipal. Porque los periodistas venían y te decían... los ascensoristas también... Y hasta pude haber recibido un llamado telefónico de gente del medio (algún concejal) tipo chicana, que decía:

—*Che... ¡Qué bien... lo que vas a cobrar por lo de Manliba!*

Obviamente: yo los mandaba al diablo a todos. Te vuelvo a decir: yo no puedo imputar a ninguna persona concreta. *No puedo decirte si hubo o no fondos, cuándo vinieron, cómo se distribuyeron. No los vi. No-los-vi.*

—*¿Le parece lógico y normal presentarse para aclarar que no iban a recibir dinero?*

—Era imprescindible.

—*¿Y por qué antes o después de la visita a Manliba no hicieron un comunicado o una conferencia de prensa para deslindar responsabilidades?*

—Porque podríamos con eso involucrar a otros concejales que no participaron de ninguna maniobra.

Las declaraciones de Maslatón suman más contradicciones al caso. Es el momento de tratar de aclararlas:

En 1983 Carlos Maslatón iba a la facultad de derecho y creía en la solidaridad. Por esa facultad merodeaba todo el tiempo un grupo de 7 chicos sin hogar. El menor apenas tenía 9 años. El mayor, cargaba con 17. Ese grupo de "atorrantes" conmovió a Maslatón y a una amiga, cuyo nombre no es importante mencionar.

Los pibes dormían en la Plaza Francia.

La amiga de Maslatón empezó a dedicar parte de su tiempo para encontrarles un hogar. No le resultó fácil. En todos lados los conocían. Todos sabían que se escapaban y hacían demasiado escándalo. Nadie los quería tomar. Sólo lo hizo Alberto Morlacheti, presidente de *La Fundación Avellaneda*, responsable del programa *Casa de los niños* y constructor de *Pelota de Trapo* y *Juan Salvador Gaviota*, otros dos programas para chicos de la calle. Morlacheti fue también subsecretario de Acción Social en la primera etapa de la intendencia de Grosso. La gente que lo quiere dice que se fue asqueado de burocracia y corruptela.

Morlacheti es un hombre que dedicó su vida siempre a los niños abandonados. La *Casa de los niños* de Avellaneda cuida a 150 muchachos sin hogar y los hace trabajar en una imprenta llamada *Manchita*. También está a punto de abrir una panadería industrial denominada *Panipán*.

La amiga de Maslatón hacía tiempo que venía pidiendo dinero para comprar una camioneta *Renault Trafic* y así transportar a los niños. Maslatón lo sabía.

Y días después de la extraña visita de los concejales a Víctor García Laredo y Mauricio Macri, la Fundación Avellaneda recibió de la Fundación SOCMA (Sociedades Macri) *un cheque en australes para comprar, exento de cualquier tipo de gravámenes, la Renault Trafic tan añorada.*

Pero esta es apenas una pequeña y primera parte del escándalo alrededor del contrato de Manliba.

La otra gran historia hace figurar como receptores de coimas por miles de dólares a todos los concejales que asistieron el día de la votación al recinto, menos a dos: Guillermo Francos, del Partido Federal, y Norberto Laporta, del Partido Socialista.

La razón de la exclusión de estos dos concejales es que ambos no sólo votaron en contra de la aprobación del contrato entre Manliba y la muncipalidad: *ellos también dejaron sentado que se necesitaba por lo menos 40 ediles para aprobar una transacción de esa naturaleza; que no era suficiente con la simple mayoría de los ediles.*

El 14 de junio de 1990, por la madrugada, el bloque peronista votó favorablemente.

El bloque que presidía Pinedo e involucraba a ediles del Partido Demócrata y la UCedé hizo exactamente lo mismo. Los miembros del bloque de la Unión Cívica Radical pronunciaron discursos incendiarios y votaron en contra de la renovación del contrato. *Pero estuvieron de acuerdo con los anteriores en que no se necesitaba los dos tercios de los votos para aprobar el convenio entre la comuna y la recolectora de residuos.*

Es decir: terminaron avalando con su presencia la aprobación del contrato. Gustavo Cóppola, el único integrante del bloque Izquierda Unida, hizo algo muy parecido a lo de los radicales. Él rechazó el proyecto de la mayoría oficialista con otro discurso durísimo, pero nada dijo sobre la necesidad de que la votación contara con los dos tercios de los legisladores.

Estos son los concejales que votaron a favor del contrato, de acuerdo a la versión taquigráfica:

José Pico
Eduardo Rollano
Víctor Pandolfi
Néstor Bilancieri
José Santa María
Jorge Pirra
Andrés Caamaño
Roberto Azaretto
Raúl Padró
Juan Carlos Villalba
Héctor Menéndez
Federico Pinedo
Mario Maini
Carlos Maslatón
Alberto Sersócimo

Pedro Rompín
Enrique Rojas.

Los que siguen son los concejales que votaron en contra de la renovación del contrato, y el pago de la deuda de la comuna a Manliba, pero que permitieron convalidar, con su presencia en el recinto, la aprobación de dicho convenio. Y que no se pronunciaron por la alternativa de la necesidad de contar con los dos tercios del cuerpo.

Cristina Guevara
Ricardo Marcos
Roberto Vázquez
Horacio Calzón Flores
Juan Carlos Farizano
Miguel Salvatori
Roberto Maratea
Héctor Constanzo
Tomás Bres
Héctor Fernández
Gustavo Cóppola.

La versión de la compensación monetaria no es un invento. Fue sugerida por primera vez con Norberto Laporta, y repetida y ampliada por él mismo para engrosar esta investigación, en uso de sus facultades mentales.

Laporta, 52 años, casado, tres hijos, 1.50 metros de altura, hace política desde que tiene uso de razón. Admira a los socialistas Juan B. Justo, Nicolás Repetto y Alfredo Palacios. Juró ante el periodista que vive de su sueldo de concejal, que tiene "un lindo departamento" de 70 metros cuadrados, y que posee un auto propio marca Taunus, modelo 1983, que hasta junio de 1991 todavía conservaba. Esto es parte de lo que reveló Laporta, un lunes antes del mediodía:

* *La versión de que cada uno de los concejales que asistieron al recinto recibió 50 mil dólares por hacerlo circuló en esta casa* (el Concejo Deliberante) *sin limitaciones. La conocían desde el ascensorista hasta los concejales.*
* *el nombre del* (ahora) *ex concejal a quien se le habría entregado un sobre de papel madera* (con el dinero) *no estoy en condiciones de brindarlo. Y es porque no estoy seguro de que sea el nombre que a mí se me suministró* (confidencialmente).
* *Voy a contarle algo que todavía nadie sabe: las conversaciones* (entre los concejales y directivos del Grupo Macri) *se realizaron en el City Hotel de esta ciudad.*
* *La deducción respecto de quienes cobraron y quienes no cobraron* (la coima) *se puede extraer de la versión taquigráfica de ese debate."*
* *Para ser más claro: la ley orgánica municipal establece que, para el tipo de acuerdo al que se estaba arribando, se necesitan dos tercios del cuerpo de concejales, exactamente 40 votos.*
* *Los bloques Justicialista —con sus aliados del ex Partido Intransigente y la UCeDé—, el Partido Blanco de los Jubilados y la Unión*

Cívica Radical decidieron aplicar, para deliberar, el principio de simple mayoría, contra la opinión de Guillermo Franco y de la mía también.

* *Las reuniones del City se hicieron 15 días antes del debate. Se realizaron en una suite especialmente alquilada a tal efecto. Había* (en esas reuniones) *funcionarios allegados al intendente Grosso.*

* *Por el lado de la empresa, tengo entendido, que aparecía, directamente, Francisco Macri.*

* *Se hablaba de un total* (de coima) *de aproximadamente 3 millones de dólares. No es mucho. No es mucho si usted piensa que* (al aprobarse el proyecto) *la municipalidad debe indemnizar a Manliba con 50 millones de dólares.*

La votación terminó a las 6 de la madrugada. Sin embargo, muchos ediles seguían en su despacho hasta más allá de las 9.

La sensación era que esperaban algo que no tardaría en llegar.

Por suerte o por desgracia, en el momento de aprobar el contrato, Grosso estaba en algún lugar de Europa. Y el ex intendente Facundo Suárez Lastra participaba en un seminario en Alemania Federal, organizado por la fundación.

Muchos radicales cuestionaron su ausencia del último. Suárez, al regresar, les respondió a sus compañeros de bancada que *era una barbaridad haber deliberado y aceptado el contrato por simple mayoría.*

—Más barbaridad es haberte borrado en el medio del debate —le reprocharon entonces.

Pero Facundito, ni lerdo ni perezoso, sacó del bolsillo la versión taquigráfica en donde consta que él había solicitado que antes de sesionar, los funcionarios de Grosso entregaran importante documentación. Y donde se prueba, también, que tanto Pinedo como un concejal peronista le habían dado garantías de que nada se haría precipitadamente.

—Me fui tranquilo a Alemania, invitado junto a otros 16 intendentes radicales, porque pensé que cumplirían el pacto. Pero forzaron la votación, se nota que estaban desesperados —le confesó Facundito a un amigo.

Otro amigo, pero de Macri, consideró que es injusto que se relacione tan estrechamente a Franco con *Mantenga Limpia la Ciudad S.A.* Y tiene razón. Porque Manliba no está compuesta solamente por Francisco Macri, aunque éste controle el 51 por ciento de las acciones, según una de las últimas cifras obtenidas de la Inspección General de Justicia.

Manliba también es Waste Management International Limited, la empresa de recolección de basura y tratamiento de residuos industriales más grande de todo el planeta. Una corporación que tiene:

* Una facturación anual que hasta hace cuatro años superaba los... ¡2 mil millones de dólares!
* Más de 80 subsidiarias en todo el mundo.
* Contratos para servir a 46 ciudades de los Estados Unidos en los Estados de Florida, Arizona, Chicago y Washington.
* Un contrato de 154 millones de dólares para recoger la basura

durante 5 años en Riyadh, una de las más grandes ciudades de Arabia Saudita.

* La confianza de más de 50 empresas que le adjudicaron el manejo de sus residuos. Entre éstas se encuentran *Continental, Ford, General Foods, Johnson & Johnson, General Motors, Kellogg y Xerox*.

Para dar una idea de lo poderosa que es esta compañía basta con decir que Fred Weinert, su vicepresidente hasta 1986, se retiró de la actividad cuando todavía no había cumplido 40 años. Es que Freddy se hizo multimillonario con los premios anuales por rendimiento que le dio Waste y la espectacular cotización de las acciones de su empresa en la Bolsa de New York.

Weinert vive ahora en una mansión de Chicago y disfruta de su esposa argentina, lejos de los escándalos.

Pero esto no es todo.

Waste Quimical se encarga, además, de uno de los negocios más redituables del mundo: el tratamiento de residuos industriales.

Su intervención más espectacular en la actividad fue cuando le encargaron y logró hacer desaparecer del aire el temible agente naranja. El desfoliante 245T: ese instrumento brutal e inhumano que los generales norteamericanos usaron para atrapar vietnamitas.

Los jerarcas del Pentágono estaban desesperados. Habían terminado de comprobar que muchos soldados norteamericanos, al aspirar por accidente el maldito agente naranja, parieron hijos con terribles problemas genéticos. Sabían además que el desfoliante no se podía quemar en cualquier lado, porque despedía gases tóxicos muy perjudiciales.

De manera que Waste compró dos enormes y carísimos barcos incineradores, el Vulcano I y el Vulcano II, y los quemó en alta mar. La compañía ganó muchos dólares haciendo este trabajo... y también muchos pleitos: esos dos barcos anduvieron largos meses de puerto en puerto, sin poder anclar, denunciados por los ecologistas de trasladar clandestinamente residuos industriales.

Pero lo más curioso de Waste es que tiene su domicilio legal en Hamilton, una pequeña ciudad de casi 2 mil habitantes ubicado en las Islas Bermudas. Las compañías se radican en Bermudas por dos razones exclusivas. Una: eludir impuestos. Dos: blanquear dinero proveniente de negocios ilegales. El capital social de Waste es de 12 mil dólares. Se trata del monto tope fijado por el gobierno británico para que las compañías tampoco paguen impuestos en Bermudas, excepto los que les cobran por su constitución, que no superan los 2 mil dólares.

Durante la polémica votación del 14 de junio de 1990 en la que se aprobó la renovación del contrato, el entonces concejal Miguel Herschberg dio algunos detalles sobre la personalidad jurídica de Manliba y Waste.

Herschberg es el mismo hombre que primero amenazó con un pedido de juicio político a Grosso por este espinoso asunto, y que luego no impidió que se deliberara con mayoría simple, facilitando así la aprobación del contrato. En la versión taquigráfica del debate, el presidente provisional del Concejo Deliberante, Jorge Pirra, de la UCeDé, informó a Herschberg:

—*El concejal Pandolfi le solicita una interrupción. ¿Se la concede?*

—Sí, señor presidente —respondió.

Entonces Pandolfi, en un chiste que hizo amainar por un segundo toda la tensión, mandó:

—*Solamente quería preguntar si ese villorrio* (la ciudad de Hamilton donde se radicó la Waste) *queda dentro del Triángulo de las Bermudas.*

Waste Management International Limited envió a sus directivos a la Argentina en 1979, con la pretensión de ganar la licitación para la recolección de basura en la zona más rica de la Capital Federal. Fuentes confiables dijeron que primero hablaron con el grupo Techint, después con Pérez Companc, y que finalmente aceptaron asociarse con Macri.

Los expertos de Waste son obsesivos y se toman el trabajo muy en serio. Una noche de 1979 tres de ellos fueron a parar a una comisaría, sospechados de subversivos, porque los habían encontrado pesando bolsas de basura de madrugada, y sólo para medir la verdadera rentabilidad del negocio.

Cuando se formó Manliba, Waste la dominaba con el 51 por ciento de las acciones, y Macri la controlaba de cerca con el 49 por ciento de los votos. En ese momento, Francisco Macri representaba a la mayoría de los accionistas de Impresit Sideco S.A., una constructora inmobiliaria y financiera fundada en 1969.

Pero según el último registro de la Inspección General de Justicia, que también fue citado por Herschberg, ahora los papeles se invirtieron y el pujante empresario italiano naturalizado se quedó con la mitad más uno de la recolectora de basura. Resulta casi divertido detallar cómo se compone ese 51 por ciento de Macri:

* 0,16 por ciento es del señor Francisco Macri.
* 11,20 por ciento es de SAFRAMA.
* y 39,83 por ciento pertenece a GRUMAFRA.

Cualquier incauto podría suponer que Macri es un accionista insignificante. Pero nadie más podría dudar de que detrás de SAFRAMA se esconde la sigla de Sociedades Francisco Macri, y que detrás de GRUMAFRA está el Grupo Macri Francisco.

En 1979 Manliba S.A. ganó la licitación para la recolección de basura. El que llamó a licitación fue un ente llamado *Coordinación Ecológica del Área Metropolitana Sociedad del Estado* (CEAMSE). El CEAMSE fue creado pura y exclusivamente por el gobierno militar para realizar esa licitación nacional e internacional.

Ese organismo impuso a los porteños, entre otras decisiones, abandonar los incineradores de basura que había en los edificios de departamentos. El argumento esgrimido fue el smog. Pero la verdad es que la basura quemada pesa menos, y que tanto Manliba, como las otras contratistas, facturan por tonelada de basura transportada.

Nada se pierde. Todo se aprovecha.

Manliba no desaprovechó su contrato que usufructuó desde el 22 de marzo de 1980 hasta el 23 de mayo de 1990.

En 1982, Mantenga Limpia a Buenos Aires contrajo una deuda externa de 3.902.000 dólares. Ya se explicó que una buena parte de esas deudas fueron transferidas a toda la sociedad gracias al seguro de cambio que inventó el ministro Lorenzo Sigaut y que sirvió para que el Banco Central se hiciera cargo de los pasivos de las privadas.

En 1984, después de la asunción de Alfonsín, Macri y Waste sufrieron dos reveses:

Uno: la intendencia metropolitana influyó en el CEAMSE para que se rescindiera el contrato de Wheran, la empresa encargada de controlar el peso de la basura, es decir, el corazón del negocio; la intendencia la vetó porque descubrió que era socia de la Waste en otro negocio de otra parte del mundo.

—*Era como que Manliba se controlaba a sí misma* —explicó un funcionario de entonces.

Dos: el intendente de la ciudad de Córdoba, Ramón Mestre, le anuló el contrato a ASEO S.A., una especie de Manlibita que operaba en esa provincia; se lo entregó a CLIMA, la compañía del peor enemigo de Macri, Benito Roggio.

Este hecho aceleró el stress y el cáncer galopante de Jorge Haieck, quien entonces era el vicepresidente ejecutivo de SOCMA (Sociedades Macri). Haieck fue jefe de finanzas en la campaña de Cafiero para el gobernador de Buenos Aires y ahora asesora al gobernador de Mendoza, Octavio Bordón. Recién pudo dominar su cáncer cuando abandonó su puesto junto a Francisco Macri.

El 14 de junio de 1985 Sourrouille implantó el Plan Austral y el desagio. El desagio consistía en un descuento para determinados contratos públicos y privados como los alquileres, los planes de ahorro y... el de la municipalidad con Manliba.

Había un descuento del 6 por ciento en la facturación de los llamados *contratos de obra.* Y había otro del 16 por ciento en la facturación de los considerados *contratos de servicio.*

Saneamiento y Urbanización S.A. (SYUSA) es una empresa del grupo Techint que depositaba los residuos que recogía Manliba en el llamado Cinturón Ecológico. SYUSA tenía con la comuna un contrato de obra, y por eso se le descontó sólo el 6 por ciento en sus facturas.

CLIBA S.A. es la recolectora de residuos de otra parte de la Capital que pertenece al grupo Roggio. Cliba tenía con la municipalidad un contrato de servicios pero no le fue descontado ni un peso, porque empezó a operar en 1987, dos años después del Austral.

Pero a Manliba se le descontó religiosamente el 16 por ciento. Por eso sus directivos se sintieron discriminados, pusieron el grito en el cielo y empezaron a desarrollar un lobby de presión que incluyó los siguientes incidentes, con estos protagonistas estelares:

* Un día de 1985, el agregado comercial de la embajada de los Estados Unidos, de apellido Busnell, le fue a pedir al viceministro Adolfo Canitrot que hiciera algo para que no le descontaran plata a Manliba.

—*Esto es un asunto de la municipalidad de Buenos Aires. Nosotros no tenemos nada que ver* —se atajó Canitrot.

—*Al intendente* (Suárez Lastra) *no lo eligió la gente, sino el presidente* —dijo el agregado comercial en perfecto castellano—. *Por lo tanto ustedes pueden influir en la decisión.*

—*Le digo que no hay caso* —insistió Canitrot.

—*No voy a andarle con vueltas* —lo sorprendió entonces el funcionario de la Embajada—. *Nuestro agregado comercial en Brasil tiene mucho que ver con la Waste. Y en cualquier momento lo nombran en el Departamento del Tesoro* (una especie de Banco Central de los EE.UU.). *De este asunto puede depender que influya a favor o en contra de dar créditos a la Argentina.*

Canitrot se despidió con una sonrisa, cerró la puerta y llamó con urgencia a Sourrouille. Pero el ministro, quien no solía aceptar presiones, ignoró la advertencia.

A los pocos días el mismísimo embajador Teodoro Gildred fue a visitar a Sourrouille y Canitrot, con el mismo asunto de Manliba y el desagio. El ministro de Economía no se inmutó e informó:

—*Señor embajador, usted conoce las reglas de juego: este no es un asunto nuestro, sino de la intendencia.*

—*Hagan un esfuerzo* —pidió, diplomático, Gildred.

—*No hay cómo* —agregó Canitrot.

Entonces Canitrot se sinceró:

—*La verdad es que a mí esto me importa poco. Pero mis superiores me presionan. El Departamento de Estado quiere que se termine lo que considera una discriminación para una empresa norteamericana.*

Los funcionarios se encogieron de hombros y le informaron a Suárez Lastra sobre la arremetida, sin influir en ningún sentido. El intendente recibió a Gildred horas después.

No cedió ante esas presiones.

En 1987 los directivos de Manliba, cansados de que no le reconocieran sus derechos, plantearon ante su contratante, el CEAMSE, la constitución de un Tribunal Arbitral (TA) para que resolviera el diferendo.

El CEAMSE estaba constituido por dos representantes de la Municipalidad de Buenos Aires (MBA) y dos de la provincia de Buenos Aires.

Pero en 1988 el secretario de Obras Públicas de la municipalidad, Rodolfo O'Really, y el ministro de gobierno de la provincia, Luis Brunatti hicieron el siguiente trueque:

* La comuna retiraba a un representante del CEAMSE y quedaba en minoría.

* A cambio, dejaba de pagar la mayoría de los gastos de administración del CEAMSE.

* La provincia de Buenos Aires respaldaría siempre la estrategia propuesta por el delegado de la municipalidad en el CEAMSE respecto a temas como el diferendo con Manliba.

El 8 de mayo de 1988 Manliba insistió con el pedido de constituir un TA. El intendente Suárez Lastra, por su parte, prefería no llevar al litigio a ese terreno. Lo buscaba dilatar o ponerlo a discusión de la justicia ordinaria. Manliba emplazó al CEAMSE con el tema del TA. El representante de la provincia en el CEAMSE elevó el pedido al asesor jurídico del gobierno de Antonio Cafiero, Abel Fleytas. Este último desconoció el acta de compromiso entre O'Really y Brunatti y aconsejó la composición del TA.

La municipalidad metropolitana quedó atada de pies y manos.

En junio de 1988 se empezó a negociar los temas a tratar por el Tribunal. El representante de la comuna recibió instrucciones escritas del procurador general, Bernardo Movsichoff, para que se incluyeran, entre los asuntos à decidir, los siguientes:

* *La onerosidad del servicio de Manliba.* Los funcionarios sostenían que era demasiado caro. Más caro que el de CLIBA.

* *La no aceptación del TA como última palabra en el diferendo.* Es decir, la posibilidad de apelar el fallo ante la justicia ordinaria.

* *El incumplimiento de un importante compromiso de Manliba.* En el contrato Manliba se había comprometido a renovar la mayoría de la flota de camiones en 1987. Hasta mediados de 1988 no había reemplazado ni la tercera parte. Pero el delegado porteño al CEAMSE estaba en minoría, y no pudo imponer esas sugerencias.

Suárez Lastra culminó su mandato el 8 de julio de 1989, el mismo día en que Alfonsín renunció anticipadamente a la presidencia. Suárez Lastra, por lo tanto, le dejó "el muerto" de Manliba a su sucesor, Carlos Grosso.

En este punto comienza otra pequeña e interesante historia de lealtades, compromisos, presiones y millones de dólares en discusión.

Grosso, ex gerente general de SOCMA e íntimo de Macri, hizo en apenas 33 días hábiles de gestión lo mismo que los radicales se negaron a hacer durante más de dos años. Exactamente el 23 de agosto de 1989 la municipalidad suscribió el compromiso arbitral con los siguientes condimentos:

* La promesa de que no se apelaría a la justicia, fuera cual fuese el resultado.

* La no inclusión del tema de la flota de camiones.

* La no inclusión de la presunta onerosidad del servicio de Manliba. Los miembros del TA eran tres:

* Por el CEAMSE, un hombre de Cafiero y la provincia de Buenos Aires, Héctor Masnata.

* Por Manliba, Juan Carlos Agnesse. Agnesse es un especialista en pleitos. Se trata del mismo señor que fue asesor jurídico de la Fuerza Aérea hasta 1973 y luego director de Asuntos Jurídicos de la Secretaría de Industria. Del mismo hombre que unas horas antes de que Bignone, el amigo de Bulgheroni, entregara la banda

presidencial, decretó que Papel de Tucumán no se había quedado con dinero del Estado ni violado el contrato de Promoción Industrial.

* Y el representante de la justicia en el tribunal arbitral fue Banasco. El 21 de enero de 1990 el Tribunal Arbitral falló a favor del reclamo de Manliba.

Todos sus integrantes coincidieron en que la municipalidad debía devolverle a la empresa de Macri un descuento que no correspondía haberle hecho. Sin embargo, hubo un punto en el que los miembros disintieron.

Masnata sostuvo que la intendencia debía pagar aproximadamente una indemnización de 30 millones de dólares. Y lo argumentó diciendo que se debía actualizar según el índice de precios mayoristas, como lo preveía el contrato original.

Pero los otros dos calcularon la deuda en 58 millones de dólares. Y explicaron que eso surgía de actualizar la deuda según la tasa no regulada del Banco Ciudad de Buenos Aires.

El presidente del Banco Ciudad es Saturnino Montero Ruiz. Y el Banco Ciudad era el garante del contrato entre Manliba y el CEAMSE. Cuando Montero Ruiz se enteró que tenía que pagar semejante fortuna, decidió apelar la medida ante el procurador general de la municipalidad, Rodolfo Urtubey.

Urtubey estuvo a punto de renunciar, pero Grosso le exigió que le ordenara a Montero Ruiz que cerrara la boca.

Desde el día en que el Tribunal Arbitral dio su veredicto, hasta que el Concejo Deliberante aprobó en polémica votación el pago del juicio y la prórroga del contrato con Manliba hasta 1995, la intendencia porteña fue un hervidero. Estos son algunos de los sucesos que lo demuestran:

* Grosso decidió reestructurar su gabinete, de improviso, en febrero de 1990. Una de las primeras medidas fue nombrar a su amigo de la infancia, Jorge Dartiguelongue, como subsecretario de Hacienda y Finanzas, en lugar de Roberto Taddía. Sin embargo, a los pocos días Dartiguelongue renunció, ante el estupor del intendente: uno de los motivos de la dimisión fue la negativa a firmar el proyecto del nuevo convenio con Manliba.

* Durante mucho tiempo, el subsecretario de Obras Públicas, Raúl Kalinsky, se negó a ser interpelado por los concejales. No quería poner la cara en este asunto. Grosso debió llamar a todas las líneas internas del peronismo para que cerraran filas. Tenía sobre sí el fantasma del juicio político.

* En medio de una secretísima reunión de las líneas Grosso advirtió que si no apoyaban la renovación del contrato, todo se convertiría en un escándalo y caería el gobierno municipal.

* Ni bien decidió el Tribunal Arbitral, la intendencia empezó a negociar con Manliba una quita de la deuda. Orlando Rosemberg, uno de los fieles empleados de Macri, fue el encargado de manipular la cifra. Pero la decisión final era potestad de Francisco Macri. Cuando estaban a punto de llegar a un

acuerdo, Macri pidió un poco más, y Grosso le respondió por teléfono:

—Tano: ¿no te parece que estoy pagando un costo demasiado alto por esto? ¿No te parece que ya es suficiente?

Grosso no se refería solamente a los dólares, sino a las versiones que lo señalaban como una suerte de delegado de Macri en la intendencia porteña. No se trataba de una versión caprichosa.

Grosso y Macri se conocían desde hace tiempo.

El 10 de enero de 1976, por indicación del ingeniero Haieck, se constituyó SOCMA, el holding del grupo. Su fundación tuvo una razón excluyente: centralizar los múltiples negocios que se estaban haciendo inmanejables. El 24 de marzo vino el golpe.

Casi de inmediato Haieck, entonces la mano derecha de Macri, *refugió* en el seno del holding a un grupo de peronistas sospechados de subversivos por la dictadura. Los más importantes fueron Ricardo Keselman, Bordón y Grosso. Keselman fue asesor del Ministerio de Economía del gobierno de Isabel. Ahora integra el directorio de varias empresas de Macri.

Bordón era colaborador de la Secretaría General de la Presidencia.

Grosso asesoraba a Carlos Ruckauf en el Ministerio de Trabajo.

Antes de suministrar los detalles de la profunda relación que une a Macri con Grosso hay que detenerse un momento en Bordón.

Inmediatamente después del golpe, la Fuerza Aérea de Mendoza le dio la oportunidad de que se fuera de la provincia, antes de matarlo. Llegó a Buenos Aires sin un peso, con su esposa y sus dos hijos pequeños. Le golpeó la puerta a Haieck. El empresario le preguntó:

—¿Qué sabés hacer?

—Sociología y política —se sinceró Bordón.

—Entonces estás muerto —informó Haieck, pero enseguida se puso a buscarle un oficio.

En esa época a Macri le preocupaba especialmente la improvisación de sus técnicos para presentarse en las distintas licitaciones. Se lo planteó crudamente a su mano derecha:

—No puede ser que nos enteremos de los proyectos el mismo día que llaman a licitación. Tenemos que organizarnos de manera que nadie tenga más información anticipada que nosotros. Tenemos que hacer un relevamiento informativo de todas las obras públicas que se vayan a hacer de aquí en más. De inmediato Haieck le trasladó la idea a Bordón:

—¿Te animarías a seleccionar y cortar artículos de revistas especializadas?

Bordón se animaba a cualquier cosa, porque tenía que mantener a toda la familia. Alquilaba un pequeño departamento en la Boca, frente al río. Al principio ganaba bastante poco, y su cargo se denominaba exactamente asistente del gerente de ventas de IECSA

(Internacional Electrónica S.A.). Trabajaba como un burro, desde las 9 hasta pasadas las 13.

Al poco tiempo sabía más sobre licitaciones que su propio jefe y se lo utilizaba como negociador ante otras empresas del mismo consorcio. Regresó a Mendoza como representante de SOCMA, con la apertura democrática.

Lo del licenciado en Letras Carlos Grosso fue diferente.

También entró al holding de la mano de Haieck, pero su primera función fue un tanto inhabitual. Él tenía que asistir a un almuerzo cada dos viernes, y, en vez de comer, hacer un análisis geopolítico de la situación, ante conspicuos hombres de negocios. Su informe se denominaba *Carta de Situación* y constaba de los siguientes ítem:

Situación internacional
Regional
Argentina
Sindicalismo
Fuerzas Armadas
Política

Cuentan algunos invitados especiales que muchos no aguantaban hasta el postre, pero que Francisco Macri estaba enamorado —intelectualmente enamorado— de sus brillantes análisis.

Ese amor fue lo que hizo que Franco Macri lo designara, de un día para el otro, nada menos que gerente general de SOCMA. Era más que nada un gerente operativo. Se encargaba especialmente de los asuntos internos. Y en medio de esa locura de los negocios, Grosso se separó de su primera mujer y se casó con su secretaria en SOCMA, Cristina López.

La López no es hija de Macri, como se dijo por ahí alguna vez, ni Macri es el suegro de Grosso, como también se repitió erróneamente. La única habilidad que tiene la señora del intendente, por otra parte, es coleccionar gatos persas, unos animalitos que sólo comen alimentos importados de los Estados Unidos.

Pero la corriente afectiva de Macri hacia Grosso no se expresó sólo con semejante designación.

En junio de 1978 Grosso fue "chupado" por equivocación, por miembros de una de las tres Fuerzas Armadas. No hay dudas de que fue maltratado y torturado. Pero se discute si sus captores le dejaron ver o no la final del Mundial entre Argentina y Holanda, aquel recordado 3 a 1, con dos goles de Mario Alberto Kempes y uno de Daniel Bertoni. De todas maneras, mientras el peronista era torturado, Franco Macri le rogó al nuncio apostólico, Pío Laghi, que éste hablara con el generalísimo Videla para evitar la segura muerte del ahora intendente de Buenos Aires. A los pocos días el sacerdote le informó a Macri que los raptores eran marineros, pero que Grosso iba a ser liberado... cuando le bajaran los hematomas que le habían dejado los brutales golpes.

Grosso dejó constancia de ese gesto de Macri en la versión taquigráfica de su interpelación ante la Comisión Investigadora del contrato de Manliba con la municipalidad, cuando terminaba 1990.

—*Macri no solamente me salvó la vida* —confesó—. *También me dio de comer.* La manutención de Macri a Grosso no fue la que le suelen dar los maridos divorciados a sus esposas e hijos. De esto tomaron debida cuenta los adversarios internos del dirigente peronista en la Capital. Uno de ellos dijo que le consta que la mayoría del dinero para las campañas del alcalde provino de las cuentas de las fundaciones de Macri. El mismo capcioso agregó:

—*Carlitos es un tipo muy coherente: usa la plata de las (elecciones) internas para cambiar el auto y el de las generales para cambiar la casa.* Después ofreció las pruebas:

Hasta las internas de 1985, en las que el grossismo superó a las 62 Organizaciones de Lorenzo Miguel, Grosso vivía en un modesto departamento de tres ambientes en la calle Agüero. Después de las externas en las que perdió frente al radical Marcelo Stubrin pero ingresó a la Cámara de Diputados, se mudó a una propiedad ubicada en la esquina de Arroyo y Carlos Pellegrini, valuada en 300 mil dólares.

Para las internas de 1987 se aguantó en el mismo hábitat, pero se compró un Peugeot 505 último modelo. La fuente admitió que lo pudo haber conseguido regalado porque Peugeot es Sevel y Sevel es Franco Macri & Fiat.

Lo que le indignó es que en setiembre de ese mismo año, después de los comicios generales, se haya comprado esa espectacular quinta de Pilar a la que su esposa, Cristina, usa para criar a sus gatitos persas.

El rival interno de Grosso informó que para la interna con miras a las presidenciales de 1989, el intendente adquirió una camioneta Renault break, y que después de que Menem asumió la presidencia, se mudó al exquisito y aristocrático edificio Estrugamou, Esmeralda 1319, primer piso.

Grosso pagó esos espectaculares 480 metros cuadrados alrededor de 400 mil dólares.

Hasta junio de 1991 abonó nada menos que 400 dólares mensuales de expensas. La propiedad tiene siete habitaciones; doble dependencia de servicio, living, amplio comedor y sala de estar. Él vive ahí con Cristina y dos hijos. Tiene una mucama fija y otra por hora. Antes de ocuparlo, lo redecoró. Sólo el reciclaje le costó más de 50 mil dólares.

Macri también financió el proyecto *Grosso Presidente 1983.* El grupo político que lo sostenía se autodenominó *Convocatoria,* pero todos lo conocían extraoficialmente como *la lista Macri.*

Integraban *Convocatoria* de *Macri,* Bordón, en Mendoza; Raúl Carignano, en Santa Fe; José Manuel de la Sota, en Córdoba; Raúl Marín, en La Pampa y Miguel Ángel Toma, en Capital. La mayoría de ellos hicieron un curso de oratoria con el mismo profesor, y viajaron a Alemania para perfeccionarse en estrategia política.

No hace falta decir quién habría financiado tanto el curso como el viaje. Macri nunca regala la plata, sino que la invierte. Un dirigente peronista que lo admira y lo quiere, dijo:

—Quiso comprar un presidente en 1983, y no pudo ser. Pero ahora tiene a un *intendente* (Grosso) *a dos gobernadores* (Marín y Bordón) *y a un embajador en Brasil* (José Manuel De la Sota) *para sus futuros negocios en el Mercosur.*

No se sabe qué beneficio le reportaron a Macri, Marín, Bordón y De la Sota, pero se puede probar que Grosso lo compensó satisfactoriamente. Éstas son las pruebas:

* El intendente designó en su momento a Miguel García Moreno como secretario general de la municipalidad. García Moreno trabajó para SOCMA. Algunos sostienen que en determinado momento manejó las cuentas personales del mismísimo Francisco Macri.

* Rubén Fontana fue gerente de la constructora SIDECO, la empresa más importante del grupo Macri, después de Sevel. Fontana renunció a SIDECO para ser subsecretario de Finanzas de Grosso. No se trata de un cargo menor: desde ahí se decide cuándo y cómo se les debe pagar a los contratistas que recogen residuos o construyen obras civiles. Fontana pasó en febrero de 1991 desde Finanzas a la Contaduría General de la municipalidad. En ese mes aconteció la crisis de gabinete por el caso Manliba. Como se sabe, el contador general es el que aprueba o veta todos los pagos de la municipalidad, incluido el de Mantenga Limpia a Buenos Aires S.A. El mes siguiente a aquel en que Grosso le preguntó a Macri por teléfono:

—*Tano: ¿no te parece que estoy pagando un costo demasiado alto por esto? ¿No te parece que ya es suficiente?*

El 14 de junio de 1990 el Concejo Deliberante aprobó, en sospechosa sesión, el polémico contrato. Pero el 9 de octubre de 1990, se constituyó una Comisión Especial para investigarlo.

Antes, durante y después de su constitución sucedieron cosas tan extrañas como las que se vienen narrando aquí desde el principio.

La comisión no se creó por una voluntad férrea y mancomunada de los legisladores en pos de hacer más transparente el negocio entre el municipio y la contratista. Se creó entre gallos y media noche sólo porque Inés Botella, que hasta el momento era una incondicional de Grosso, lo traicionó y pasó a militar en la Liga Federal de Alberto Pierri y Eduardo Duhalde. Botella era integrante de la Comisión de Asuntos Municipales de Diputados. El ultragrossista Miguel Ángel Toma también. Ninguno de los dos asistía nunca, ni por casualidad. Pero un día Gabriela González Gass, una incondicional de Suárez Lastra, enterada de la traición de Botella a Grosso, le pidió que asistiera a una reunión y votara la creación de la comisión.

Esta iniciativa fue aprobada por mayoría simple en el recinto. Toma se enteró de su constitución cuando la estaban aprobando. Caminaba por las paredes.

Otra decisión que se tomó de contrabando fue la inclusión como miembro de la comisión de uno de los Ocho Peronistas Disidentes,

Carlos "Chacho" Álvarez. Fue aprobada, distraídamente, por el presidente de la Cámara, Alberto Pierri.

Cuando José Manzano, jefe del Bloque de Diputados Justicialistas se enteró, pegó cuatro gritos y obligó a Pierri a que ordenara su reemplazo. Manzano tenía sus motivos para patalear: la amistad que lo une con el señor Francisco Macri.

Pero Álvarez sólo podía ser reemplazado por el voto de la mayoría de los 256 diputados nacionales.

Nadie pudo todavía explicar por qué el combativo legislador de Los 8 aceptó mansamente ser reemplazado de buenas a primeras por Oscar González.

Este González (PJ-Córdoba) no es el de la guía. Se trata de un diputado fusible al que recurre Pierri para suplantar a miembros de comisiones díscolos, como Álvarez en la investigadora de Manliba o Ángel Luque en la de Juicio Político.

Finalmente, la comisión especial se integró con fusible González, González Gass, Roberto Pascual (UCR), Simón Lázara (Partido Socialista Unificado) y Luis Herrera, de la UCedé.

Era obvio que Manzano y Toma no querían investigar nada. Por eso hicieron todo lo que pudieron para dificultar el trabajo del grupo: influyeron para retardar la designación del personal mínimo; les impidieron trabajar en un espacio físico adecuado; desalentaron continuamente a sus integrantes, quienes debieron revisar a pulmón más de 20 mil fojas.

La voluntad de algunos hizo que pasaran por el estrado, entre otros, los ex intendentes Osvaldo Cacciatore, Jorge Del Cioppo y Suárez Lastra, y también Carlos Grosso.

Después de 120 días de trabajo, la comisión elaboró un *preinforme* en el que se cuestionaba:

* El contrato entre el CEAMSE y Manliba realizado en 1979, por no haber estado sustentado por una ley.

* La renovación del contrato que había aprobado el Concejo Deliberante.

* La no apelación del fallo del Tribunal Arbitral que obligaba a la municipalidad a pagar, en primera instancia, una deuda de 58 millones de dólares.

* La decisión del entonces director del CEAMSE, Azaretto, de cambiar el barrido mecánico por el manual, lo que produjo un aumento desmesurado de la facturación del servicio.

Todo indicaba que el polémico contrato iba a ser revisado. Muchos temieron que todo el lobby de la empresa invertido entre concejales y funcionarios se transformara en algo inútil de la noche a la mañana.

Fue entonces cuando sucedió algo completamente inhabitual. Veamos:

Aquel preinforme, culminado contra reloj en enero de 1991, se presentó para cumplir con el plazo exigido por la Cámara de Diputados. Fue consensuado y rubricado por todos los miembros de la Comisión Investigadora. Ellos acordaron, además, que después de esa presentación se solicitaría una prórroga para hacer el dictamen final.

Sin embargo, el 10 de febrero del mismo año ese preinforme fue presentado como una resolución definitiva, con el siguiente agregado:

Las irregularidades detectadas no constituyen la comisión de delitos, pero estamos en condiciones de asegurar que han habido decisiones políticas erróneas que condenan al contribuyente a pagar mayores costos.

Gabriela González Gass estaba en Portugal cuando se enteró de ese abrupto cambio de planes que no incluía la anulación del contrato. Cuando regresó al país llamó de inmediato a su correligionario Rafael Pascual, presidente de la comisión. Se quedó helada cuando Pascual le dijo que ya no había modo de modificar nada.

Luego recurrió a Lázara, quien le confirmó que alguien había agregado ese párrafo sin consultarlo. Pero solo consiguió que el legislador escribiera una nota en donde planteó la necesidad de profundizar la investigación, *pero no la anulación del preinforme trocado en dictamen definitivo.*

La legisladora utilizó el único recurso que le quedaba: solicitó la palabra en pleno recinto, pidió la nulidad del informe y denunció que una mano traviesa había añadido que no había delito, contra la opinión consensuada de la mayoría de la comisión.

—*Hay que anular todo y empezar de nuevo porque yo creo que sí hay delito* —remató.

Pero, extrañamente, nadie votó a favor de su pedido. Ni siquiera los incorruptibles diputados del grupo de los 8.

Concejales que rechazan una presunta coima por anticipado. Donaciones humanitarias. Gentiles e insistentes pedidos de la Embajada de parte del Departamento de Estado. Altos directivos del grupo Macri que pasan a ser altísimos funcionarios de la intendencia que encabeza su ex empleado y amigo Grosso. Diputados nacionales que cambian de opinión sin razón aparente.

Detrás de cada una de estas escenas, hay un titiritero que maneja los hilos. Urge presentarlo.

2. *Mi primer millón*

Francisco Diego Macri llegó a la Argentina el 6 de enero de 1949, tres años después de que terminara la Segunda Guerra Mundial.

Tenía 19 años y estaba asustado.

Llevaba de la mano a su hermano menor, Tonino, de 14 años, y cargaba en su regazo a la única hermanita, la pequeña María Pía, quien se pasó toda la travesía llorando por el frío. Franco y Antonio eran más románticos que prácticos. Estaban en alta mar cuando el primero le confesó al segundo que le quedaban nada más que 200 liras y no sabía en qué gastarla.

—*¿Qué se podrá hacer con estas 200?* —insistió Franco.

Después de un breve debate *compraron una muñeca para la hermanita con la intención de que dejara de llorar.* A María Pía no se le escapó una lágrima más, pero llegó al puerto de Buenos Aires con un resfrío del demonio. La foto de los *fratelli* Macri bajando del barco es espectacular. María Pía Macri de Calcaterra la tiene guardada en un rinconcito especial, junto con la muñeca.

En el puerto los esperaba el padre, Giorgio Macri, quien había llegado en 1946, no para escapar de la posguerra sino para vivir una aventura. Por alguna razón que nadie comprende el pasado de Franco no figura en sus currículos, y no es retorcido sospechar que oculta su pasado.

Giorgio nació en Polístena, Calabria. Se le atribuyeron distintos oficios y posiciones económicas. ¿Era un pelagatos? ¿Apoyaba el fascismo? ¿Se había casado con una señora rica que financiaba sus *delirios*? La verdad es que Giorgio era, antes que nada, un aventurero y un audaz. Dijeron que regenteó una compañía de colectivos en Calabria, que escribió para una revista fascista en Roma y que trabajó en *Cinecità*, el Hollywood italiano. Indicaron que fundó un partido político extravagante, denominado *Uomo Qualunque*. Contaron que antes de venir a Buenos Aires pasó por África para montar una productora de cine y no tuvo éxito. Relataron que fue un aceptable poeta, y que María Pía guarda, además de la foto y la muñeca, un breve poema que lee cada tanto y la hace lagrimear. En Argentina Giorgio abandonó la pluma y se empleó en la Sociedad Anónima de Dragados y Obras Portuarias (SADOP), de la que pronto se convirtió en un pequeño accionista. En 1955 fundó la constructora *Vimac S.A.* Ese nombre posiblemente sea una fusión de los apellidos Vivo y Macri. Juan Carlos Vivo era un ingeniero civil que bajó del barco con Giorgio. En 1959 Jorge Macri prestó plata a sus hijos para que crearan Demaco, Sociedad Anónima. Fue empleado de Agostino Rocca, el hacedor de Techint, el grupo económico más poderoso de la Argentina. Después, la estrella de su hijo Franco lo ocultó casi definitivamente. Murió en 1969, doblegado por un cáncer, en Tandil. Estaba a punto de llegarle la hora cuando miró los ojos de su hijo Tonino y susurró:

—Siento que ya viene.

Pasó al otro mundo en los brazos del hijo que más quería.

La madre de los Macri se llamaba Lea Lidia Garlani. Nació y vivió en Roma. Fuentes familiares afirmaron que no vino a Buenos Aires con su marido porque ya se habían divorciado. Giorgio ganó la tenencia de los hijos, y también su corazón. Lea estaba en su propia casa de Roma cuando *antes de salir* de la ducha, pidió un jugo de naranja a la empleada doméstica. Culminaba 1991. Se murió antes de tomarlo. Lea era muy activa y de carácter fuerte. Su último compañero, Eduardo Maturi, se fue a la montaña para curar su reuma y aliviar el dolor de no tenerla más. El 12 de enero de 1992, Maturi apareció en Punta del Este, en el complejo propiedad de los Macri, *Terraza de Manantiales*. Quiso ver a sus hijastros. Se estaba muriendo de tristeza y soledad.

El árbol genealógico de los Macri está lleno de ramas secas. No parecen figurar príncipes ni títulos nobiliarios. El antecedente más épico que se encontró es el paso por la historia de *Macrino*, un emperador romano que nació en Numidia en el año 164 y reinó desde 271 hasta 272 con escasa suerte. Pero ni siquiera se sabe si tiene algo que ver con el protagonista de esta historia. El apellido Macri original se acentúa en la i y es calabrés. En Calabria hay tantos Macri como Pérez o García en Argentina. Sólo en la localidad de Catanzaro, y en 1991, la guía telefónica denunció a 68 Macri. En el Área de Reggio Calabria, figuraron 84. Son demasiados y no pasaron inadvertidos. *¡Francesco Macri fue acusado de proteger a la mafia calabresa!* Pero no se trata de nuestro hombre, sino de un verborrágico diputado demócrata cristiano. Este Francesco del demonio convive con otros dos Macri que son jueces. Lo están investigando como parte de su lucha contra la mafia y la delincuencia organizada. En la edición 1991/92 de la *Guía telefónica de Buenos Aires y la Capital Federal* aparecieron 174 Macri. Además del secuestrado Mauricio, con domicilio en Castex 3565, su hermana *Sandra*, Scalabrini Ortiz 3235, y un tal Jorge, Galileo 2473, hay diez Antonios y cuatro Franciscos. Nada indica que los últimos formen parte del clan.

Hay una leyenda sobre el pasado de Franco que ha sido divulgada con cierto orgullo por la familia. Es la que asegura que durante la Segunda Guerra Mundial debieron soportar no menos de 40 bombardeos muy cerca de la casa natal, en las afueras de Roma... mientras se repartían la escasa comida a la que pesaban en una pequeña balanza para hacer justicia distributiva. Hay otra leyenda que dice que el primer trabajo de Franco en Argentina fue el de albañil. Sin embargo, amigos de Macri juraron no haberlo visto nunca con un fratacho en la mano, ni picando una pared, o mezclando cemento.

—No sé si trabajó de albañil o no. Lo único que sé es que me prestó dinero para comprar una casa y que me ayudó a elegirla, para que no me ensartara —confesó alguien. Agregó que Franco, para saber si la construcción era buena o *trucha*, apoyó la oreja en la pared y le dio unos golpecitos, como hacen los pediatras con las espalditas de los chicos.

Voceros de Franco aseguraron que revalidó su título de bachiller en el Buenos Aires, al que muchos de sus criados ex alumnos le llaman *El Colegio*. El rector buscó la constancia de esa reválida y no la encontró. De cualquier manera, Macri asistió dos años a la facultad de ingeniería, con su *libreta universitaria número 5705*, extendida el 26 de julio de 1951. Abandonó el estudio por el trabajo. Su escasa formación académica es algo que lleva como un estigma, igual que su fracaso en el aprendizaje del inglés.

Ayudó a su padre en SADOP y Vimac. Cuando tenía 29 años, Giorgio le prestó plata para fundar Demaco, su primera propia empresa constructora. Los otros accionistas fueron Antonio Macri, nacido el 13 de agosto de 1934 en Roma, cédula de identidad 4.400.655, y el ya citado ingeniero civil Juan Vivo. Se especializaron en levantar casitas de construcción supereconómica. Y nada indicaba que se convertirían en millonarios hasta que Franco consiguió, con audacia e imaginación, la concesión de la primera gran obra pública para su firma: *nada menos que la obra civil que acompañó al tendido del enorme gasoducto de AGIP, una gran compañía italiana vinculada al Ente Nazionale de Idrocarburi de Italia (ENI)*.

Franco y sus socios levantaron los edificios que albergaban las llaves maestras y las bombas de presión del gasoducto. De esa época proviene el mito de que Macri se levanta todos los días a las 6.45 de la mañana desde hace 40 años, y que trabaja, sin interrupciones, exactamente 14 horas por día. Lo cierto es que esta obra fue tan importante para él, que la siguió paso a paso, y en persona. Durmió adentro de carpas o en pequeños hoteles de morondanga.

Un día se despertó en Tandil y conoció a su primera esposa, Alicia Beatriz Blanco Villegas. Ella le dio cuatro hijos.

Mauricio, 32 años, separado, 3 hijos, es el que heredará su poder. Sus peripecias se contarán más adelante.

Sandra, soltera pero noviera, es un tiro al aire con tendencia a millonaria aburrida a la que su padre intenta incorporar a la producción: primero le puso un jardín de infantes; ahora le montó una florería en el corazón del barrio de Once.

Gianfranco, 29 años, casado, dos hijos, ocupa puestos decorativos en las empresas del grupo. No tiene el vuelo de Mauricio. Lo cela. Siempre lo afectó el desmesurado amor que su padre le demuestra al mayor.

Mariano, 25 años, soltero, estudia en Europa, pero cada tanto regresa a Buenos Aires. Compite con Mauricio en galantería e indiscriminación: hace poco uno de sus amigos pretendió alquilar a una secretaria ejecutiva de ATC por el módico precio de 500 dólares.

Franco Macri se separó de Alicia alrededor de 1980, sin escándalos. En 1991 él le confesó a un periodista que le cedió la mitad de todos sus bienes. Cuando lo hizo, era millonario. Ahora es un superpotentado. De cualquier manera, Alicia controla parte de las acciones a través de su hermano, Jorge Alberto Blanco Villegas, tercer hombre del holding SOCMA, vicepresidente de Sevel y presidente de Philco Argentina, todas empresas del grupo Macri. El primer salto de Macri a la posteridad fue de la mano del Estado. Pero su imperio es una sucesión de pequeños y grandes saltos en donde se mezclan el sentido de la oportunidad y la brillantez. Estas dos cualidades utilizó para hacer un barrio entero con un sistema de construcción nuevo y que después fue imitado: *un moldeado de hormigón continuo que le permitió hacer 8 pisos en 24 horas.*

La plata y el tiempo que se ahorró gracias a ese mecanismo es incalculable. Tampoco se puede calcular la fortuna que acumuló desde aquel bendito día en que los dueños de Impresit-Fiat-Sideco decidieron incorporar a Francisco Macri como socio muy minoritario y darle además la dirección ejecutiva de la compañía.

Tonino y Vivo decidieron abrirse del negocio. Concluyeron que ya estaban hechos. Entonces Franco les espetó, en cocoliche:

—No voio a sere uno ladrillero tutta la vita. Ese sé que no.

En ese momento Macri no hizo sólo un interesante movimiento, sino que empezó a cultivar la *"amistad de negocios"* más importante de su vida. La que lo une con el Imperio Fiat y por la cual se lo juzga erróneamente como un testaferro de ese pulpo italiano.

Impresit era una subsidiaria de Fiat. Se encargaba de construir obras civiles. En menos de cinco años se empezó a llamar Impresit Sideco. Es decir, Impresit SI (Silos) DE (Demaco) CO (Compañías). El primer trabajo de Macri en la constructora consistió en hacer silos en Mar del Plata. Un ex empleado fiel reveló que en ese momento, Macri —a pesar de que ya hacía años que tenía un Mercedes Benz y vivía en el piso 17 de Ayacucho 1250, muy cerca de la plaza Vicente López— era *un mediano empresario, que no llegaba a facturar 10 millones de dólares por año.*

Quince años después se quedará no sólo con el 100 por ciento de las acciones de Impresit Sideco sino también con el 85 por ciento de Fiat-Sevel Argentina, la empresa automotriz más importante del país, el corazón del imperio Macri.

El otro gran salto de Macri fue la compra del Banco de Italia. Se trató de una jugada audaz y poco clara, un pase de mano del que jamás trascendieron detalles. Fue en 1979, cuando reinaba Martínez de Hoz y estaba en vigencia la Ley de Entidades Financieras, el instrumento que permitió a los bancos transferir al Central millones de dólares correspondientes a su propia quiebra.

En esa época, la cartera de accionistas del Banco de Italia estaba dividida, en partes muy pequeñas, entre un gran grupo de inmigrantes italianos. A la entidad la controlaba, con una porción reducida pero suficiente, un accionista de apellido Doretti, un hombre de 80 años que se estaba despidiendo de la vida.

Macri convenció a José Bartolucci y a un tal Meyer para repartirse en tercios la pequeña porción que le comprarían a varios pequeñísimos accionistas. Y un buen día, con el mayor sigilo, uno de los hombres de negocios más pícaros de la Argentina, Alfredo Lisdero, se presentó en una asamblea de accionistas y descerrajó:

—Represento a los señores Macri, Bertolucci y Meyer, quienes a partir de hoy pasarán a tener el control del Banco de Italia.

A esta operación, en Estados Unidos, se la llama *take over*. Los del grupo Doretti no utilizaron el idioma inglés, sino el italiano, para maldecir e insultar a los que consideraban responsables de una traición.

En 1980 Francisco Macri se convirtió en el presidente del directorio del Banco de Italia. En 1981 le vendió su parte a Luis María Gotelli. En 1987 el Banco Central denunció que esa institución centenaria fue objeto *de un verdadero vaciamiento entre los años 1979 y 1985*. El fiscal Luis Moreno Ocampo calculó que el Italia defraudó al Central por 110 millones de dólares. A Gotelli se lo procesó por una maniobra valuada en 62 millones de dólares y consistente en una compleja trama de compra y venta de acciones. Las autoridades descubrieron que distintos grupos económicos como Roberts, Alpargatas y Juncal, fueron comprando las acciones de la mayoría de los pequeños accionistas inmigrantes. También detectaron que durante esa época el banco privado dio créditos públicos para prefinanciación de exportaciones a *empresas fantasmas* por montos de hasta 10 mil veces su capital. Todavía hay cerca de 20 procesados por esta causa. Entre ellos se encuentra Carlos Carballo, el segundo del ministro de Defensa, Erman González, y presunto asesor financiero del grupo Macri. Sin embargo, no hay sentencias ni detenidos gracias a la habilidad de los poderosos estudios jurídicos, cuyos abogados solicitan pericias contables que nunca llegan a ningún resultado. A Macri no lo salpicó el barro de la denuncia. Al síndico Lisdero sí.

Lisdero apareció también, en 1979, como presidente del directorio del primer amor de Macri, Impresit Sideco, Sociedad Anónima, Constructora, Industrial, Inmobiliaria y Financiera. En la presentación que hace Manliba para ganar la licitación de recolección de residuos figuró, completo, el currículum de Lisdero. Vale la pena detenerse a hojear parte de él. Su trayectoria explica la trama de intereses que une a determinadas empresas. Este señor fue síndico titular de:

Fiat Concord
Fiat Argentina

Loma Negra (Amalia Lacroze)
AGIP Argentina
Las Acacias (Carlos Bulgheroni)

Macri recuerda su paso por el Banco de Italia como uno de los grandes errores de su vida.

En 1975 el protagonista Franco se entusiasmó con el proyecto de la construcción de una ciudad satélite en Benavídez. Una ambiciosa obra de prefabricación de grandes casas que estaba a punto de financiar la CGT. Un día cualquiera el proyecto se desvaneció, pero Macri tuvo la suerte de conocer, mientras lo piloteaba, a un experto en organización de conglomerados y holdings. Un peronista de la segunda hora. Un ingeniero industrial que se recibió con diploma de honor. El señor que fundó la consultora Executives en 1962.

El asesor de gabinete de la secretaría de Industria y Comercio Interior en 1959. El secretario de Estado de Energía del presidente Marcelo Levingston. El jefe de finanzas de la campaña de Cafiero-Gobernador de Buenos Aires. Se trata de Jorge Fortunato Haieck, nacido el 6 de diciembre de 1925 en Entre Ríos, cédula de identidad 2.413.019 y libreta de enrolamiento 4.030.387. Estamos hablando del individuo al que Macri dio la directiva de *despersonalizar* el grupo para convertirlo en un verdadero holding. Una madrugada de 1975 Macri le confesó a Haieck:

—*Tengo muchas dificultades para controlar mis empresas. Mis principales socios no quieren agrandarse más. Uno ya se retiró porque ya se considera hecho. Pero yo quiero seguir creciendo.*

Macri ya controlaba la compañía de seguros Solvencia; Impresit; Supercemento; Dragados y Obras Portuarias; Perfomar (perforaciones para hacer pilotes); era Director titular de Salto Grande y vocal de la Cámara Argentina de la Construcción (CAC) y hacía dos años que había tomado la importante decisión de hacerse ciudadano argentino.

Macri remató durante aquella madrugada:

—*Dame un nombre para el conglomerado.*

Y Haieck le respondió:

—*Se podría llamar SOCMA (Sociedades Macri)... Pero el asunto no es el nombre, sino la formación de un sistema de organización.*

—*Estoy de acuerdo* —resolvió expeditivo, el hombre de negocios—: *Ponele SOCMA y hacete cargo.*

El 1º de enero de 1976 se fundó SOCMA, bajo la presidencia de Franco Macri y la vicepresidencia ejecutiva de Haieck. *Por esos días, la facturación de todas las compañías del empresario italiano naturalizado no superaba los 100 millones de dólares.*

Macri quería auditar sus propias empresas porque no encontraba el filtro por donde se le escapaba el dinero. Pretendía expandirse al exterior porque preveía que los créditos del Estado iban a ser suculentos. Y deseaba ingresar a la electromecánica, porque un día, en medio de una tensa reunión de directorio, preguntó:

—*¿Cómo puede ser que seamos la empresa más importante en*

obra civil y sin embargo estemos a la cola de SADE (Pérez Companc y Techint)?

Y alguien, con suma inocencia, le respondió:

—*Porque desde hace un par de años, en las obras civiles es más importante y rentable manejar el área electromecánica que el cemento.*

Así fue como nació IECSA, la empresa en la que trabajó el gobernador Bordón.

El denominado Proceso de Reorganización Nacional afectó a Macri políticamente, pero no rozó sus negocios. Los militares siempre supieron que tenía muchos amigos considerados subversivos, como Keselman, Grosso y Bordón. El sutil Norberto Imbelloni llegó a llamar a estos dos últimos, *Los Montoneros de Manliba.*

Para llegar a los despachos de los uniformados Macri utilizó su amistad con el nuncio apostólico, monseñor Pío Laghi, pero también usó convenientemente a su hombre de Relaciones Públicas, su lobbista principal, el pintoresco comodoro Juan José Güiraldes.

Güiraldes, nacionalista, simpatizante de los Azules cuando se pelearon con los Colorados, amigo íntimo de los generales Juan Carlos Onganía, Alejandro Lanusse y Sánchez Bustamante, presidente de Aerolínes Argentinas durante la denominada Revolución Libertadora, tuvo acceso a los círculos de poder militar más por su apellido que por su ideología. Es el hijo del conocido escritor Ricardo Güiraldes. Preside la Confederación Gaucha durante muchos años. Güiraldes conoció a Franco en una cena, en la casa de Oberdan Sallustro, el legendario presidente de la Fiat, poco antes de que fuera secuestrado y asesinado. Macri se lo "quitó" a la constructora francesa Dumez, después de conseguir que el militar hiciera ingresar a Sideco en Yacyretá gracias a sus contactos. Como la mayoría de los militares que integraron los directorios de las grandes empresas durante la última dictadura, Güiraldes fue relevado cuando dejó de ser útil. Sin embargo, siguió haciendo de las suyas, ya que presidió la Fiesta Gaucha durante la visita que hizo George Bush a la Argentina en 1990.

Haieck, en cambio, era una mala palabra para los uniformados. Sin embargo fue recibido por un coronel que ocupaba una silla en el directorio del CEAMSE, el instrumento jurídico que hizo posible que Manliba ganara la licitación para recoger basura. Ni bien empezó la reunión, el coronel entró en confianza y le confesó, orgulloso, que había matado gente muy mala en tres países distintos. El vicepresidente de SOCMA no abrió la boca debido a la repugnancia y el militar interpretó el silencio como entusiasmo y le siguió relatando truculentos detalles de sus asesinatos.

Haieck se fue con el estómago revuelto pero... negocios son negocios. Unos meses después, este hombre de Macri fue recibido por el generalísimo Jorge Videla, para hablar sobre BIMA, un proyecto para hacer alconafta en el que SOCMA se gastó más de 2 millones de dólares pero nunca concretó. Se trató de una reunión protocolar, *pour la galerie.* El ingeniero se quiso morir cuando comprobó que la cita apareció al otro día en todos los diarios.

Otro que tuvo que compartir varias horas con jerarcas militares fue el propio Grosso. El licenciado en Letras quería hacer carrera en SOCMA. Por eso aceptó el trabajito caliente: convencer a uno de los más crueles represores del proceso, el coronel Roualdes, sobre la necesidad de que fuera una empresa de Macri la encargada de limpiar una parte del riachuelo. Grosso lo hizo con dignidad. Y enseguida lo nombraron gerente general del holding.

Entre el 23 de marzo de 1971 y en el mismo mes de 1979 Macri y/o Sideco participaron en 30 grandes obras públicas que costaron en total... ¡1.700 millones de dólares! Entre una fecha y otra gobernaron la Argentina los presidentes Alejandro Lanusse, Héctor Cámpora, Raúl Lastiri, Juan Perón, Isabel Perón y Jorge Videla. Fuentes muy seguras reconocieron que Francisco Macri no fue amigo personal de ninguno de ellos, aunque destacaron, entre sus relaciones más fluidas, al nefasto ministro de Bienestar Social, José *Brujo* López Rega, y su secretario de Prensa, el actual intendente de Morón, Juan Carlos Rousselot. *Esta última hipótesis se fortalece al revisar las obras públicas que realizó Sideco para el Banco Hipotecario Nacional y con autorización del ministerio que comandaba López.* Hasta 1979 Sideco terminó sus obras en el plazo prometido, y a menor costo de lo pactado. Velocidad y menor costo es la misma fórmula que durante muchos años utilizó Donald Trump, el *self-made man* billonario más polémico del mundo, para ganar las licitaciones y construir su imperio.

En 1979 Macri se asoció con la recolectora de residuos más importante del mundo y ganó la licitación para juntar basura en la zona más rica de la Capital Federal.

En 1981 se puso en puntas de pie para dar el salto más grande de su vida: *la imaginativa, audaz, brillante y controvertida operación por la que se quedó con el negocio más grande de Fiat y Peugeot en la Argentina, la fabricación y venta de automóviles con la garantía Sevel, un pase de mano que nunca fue suficientemente aclarado.*

Para empezar, se debe revelar que Macri *no compró Fiat, sino que la consiguió completamente gratis y con saldo a su favor.* Los hechos: *entre 1975 y 1980 Fiat Argentina perdió nada menos que 500 millones de dólares.* En 1980, desalentada, la francesa Peugeot se retiró de la sociedad y para eso tuvo que pagarle a Fiat... *130 millones de dólares.*

En 1981, los italianos le ofrecieron a Francisco Macri la presidencia ejecutiva, sin participación accionaria. Éste, a su vez, contrató a un genio de las finanzas; al monje negro de la devaluación llamada *Rodrigazo* y viceministro de Economía durante 1975; al autor del libro *La Segunda Fundación de la República*; al presidente de la Fundación Carlos Pellegrini; el mismo que asesoró a María Julia Alsogaray durante la primera etapa de la privatización de ENTel y el que auxilia desde las sombras al interventor de YPF, José Estenssoro, para vender la empresa que más factura en la Argentina.

Francisco Macri contrató a Ricardo Zinn... quien con unos pases mágicos contables y mucha suerte convirtió al muerto Sevel en un milagro.

Durante el primer año de Macri y Zinn, al saneamiento de Sevel lo financió Fiat. En ese 1981 del diablo, los italianos le pusieron a nuestro hombre y su mano derecha más de 200 millones de dólares sobre la mesa. Es decir: los 130 millones de dólares que Peugeot pagó como tributo por abandonar el barco más otros 100 que Fiat sacó de su bolsillo para bancar la pérdida. Para empezar, Macri y Zinn despidieron sin mucho remordimiento a casi 7 mil operarios. Y pagaron, en concepto de indemnización, aproximadamente 47 millones de dólares.

Para seguir, se lanzaron a fondo con un plan de hiperausteridad franciscana que contempló, entre otras cosas:

* La culminación del delirio que significaba mantener un taller para que arreglara, gratis, el auto de los directivos de Sevel.
* El corte de los vales de nafta.
* El congelamiento de todos los sueldos.
* El no uso de las secretarías ejecutivas hasta en los niveles más altos. Como si eso fuera poco, pergeñaron un plan que se inició en agosto de 1981 y consistió en una durísima y agresiva competencia con Renault. Sevel no le rayó los autos a Renault de pura casualidad, pero inventó estas otras trapisondas:
* El discurso de que los autos de Sevel estaban pintados con cataforesis, un proceso que supuestamente aseguraba la no oxidación del vehículo. *A partir de esa propaganda, las ventas de Renault empezaron a caer en picada, y esa compañía tuvo que gastar, de inmediato y de una sola vez, cerca de 30 millones de dólares en la bendita pintura con cataforesis.*
* Cuando Ford estaba a punto de lanzar el Sierra, Macri & Zinn combinaron con Renault abortar la iniciativa. Por un lado Sevel se anticipó con la campaña publicitaria de sus autos de siempre. Por el otro, Renault estrenó la coupé Fuego bajo el *leiv motiv* "maneje el viento". El viento era el caballito de batalla del Sierra, y pronto quedó diluido en la memoria de los argentinos.

En junio de 1982, Macri compró el 65 por ciento de las acciones de Sevel por un precio teórico de 30 millones de dólares y Zinn se quedó con el 15 por ciento. Todavía los italianos creían que su compadre estaba loco y que el negocio seguía siendo una bomba de tiempo a punto de estallar. No comprendían cómo iba a hacer Sevel para pagar la deuda externa de 170 millones de dólares que tenía con los bancos acreedores y cuya garantía principal era la Fiat. Los que participaron de la negociación dicen que hasta el máximo capo de la Fiat, Giovani Agnelli, pronosticó que Macri se fundiría.

Pero Zinn transformó esa millonaria deuda en dólares en bonos de Estado. Convirtió a esa pesada carga en los famosos seguros de cambio inventados por el entonces presidente del Banco Central, Domingo Cavallo, en unos livianos papeles.

Cuando terminó 1982 Macri & Zinn pagaron la deuda de 200

millones de dólares que tenían con su vendedor, Fiat, a un precio real de 15 millones. También se beneficiaron con una cláusula del contrato que decía que si la Fiat cobraba esos 200 millones rápidamente, le devolvía a sus compradores 100 millones en efectivo. El autor de este libro preguntó a una de las fuentes cuánta plata ganó Macri en esa operación. Calculadora en mano, la fuente respondió:

—*Macri ganó 150 millones de dólares. O sea: los 100 que les dio la Fiat más los 50 que puso el Estado cuando el Central asumió la deuda externa.* Pero eso no fue todo. Porque en el gran paquete de venta, Fiat no sólo le vendió a Sevel, sino que le entregó todas las acciones de la constructora Sideco.

En estos meses de delirio y enjuagues financieros se encuentra gran parte del secreto de la fortuna de Macri.

Cuando Zinn asumió, Sevel manejaba el 7 por ciento de todo el negocio de la industria automotriz, y estaba endeudada hasta los huesos. Cuando Zinn se retiró y le vendió su parte a Macri, en 1986, Sevel capturaba más del 50 por ciento del mercado y se ubicaba entre las primeras diez empresas privadas de la Argentina.

Cuando Macri adquirió Sevel, todo el grupo facturaba un poco más de 100 millones de dólares por año. Cuatro años después Sevel significaba el 70 por ciento real de todo el poder de SOCMA, con una facturación de más de 500 millones de dólares/año.

El negocio era floreciente y la pregunta es obvia: ¿Por qué Zinn abandonó Sevel justo en el momento de esplendor? La respuesta es múltiple.

Respuesta uno:

Zinn se fue porque venció su contrato.

Respuesta dos:

Zinn habría traicionado a Macri. Habría viajado a Italia. Le habría propuesto a Agnelli una sociedad para quitarle a Macri la recuperada Sevel. Agnelli lo habría recibido en su oficina. Lo habría escuchado atentamente. Y habría llamado por teléfono a Buenos Aires para sacarse la duda:

—*Franco* —habría dicho—. *Acá hay un tipo que dice que es amigo tuyo y te quiere quitar la empresa.*

Macri nunca se lo habría perdonado.

Respuesta tres:

Zinn abandonó Sevel por sus conflictivas diferencias con el dueño del paquete mayor, Francisco Macri.

Las conflictivas diferencias entre estos dos temperamentales hombres no las provocó la miseria, sino la abundancia. Lo traumático fue que Sevel pasó demasiado rápido de ser una empresa con un gran agujero negro a una compañía superavitaria *que prestaba plata a otras necesitadas a través de su exclusivo servicio de la Mesa de Dinero.*

Zinn, un ultraliberal de pura cepa, sostenía que el superávit de Sevel no podía ser utilizado para tapar los baches coyunturales del grupo Macri. Pero sí para prestar, a tasas muy altas, a las empresas sanas, las que seguramente devolverían el crédito.

Macri, un típico corporativista de posguerra, afirmaba que SOCMA no tenía por qué sufrir si Sevel estaba en condiciones de ayudar a sus hermanas pobres. Al cabo de muchos meses de discusión Zinn accedió a prestarle dólares. Pero enseguida vino otra diferencia más seria y pesada.

Macri pretendía dar crédito a distintas empresas de sus amigos, aunque no fueran solventes o estuvieran a punto de quebrar. Eso rompía la política de crédito de Zinn, denominada *mail-landing*. Una política que consistía en prestar sólo a aquellas personas o entidades a las que no había que investigar para hacerlo. En ese momento, Sevel ayudaba a cerca de 20 empresas. Una de ellas era Loma Negra, y Zinn nunca preguntaba cuándo ni cómo lo iban a devolver. La tormenta sobrevino en el momento en que una de las compañías del Grupo Bridas se acercó a la automotriz para pedir alivio en dólares.

—*A Bridas, antes de prestarle, la tengo que estudiar. Así que no hay crédito* —le planteó Zinn a Macri, una tarde de verano.

—*Los Bulgheroni son mis amigos... y ésta es mi empresa* —razonó, con una lógica implacable, Franco Macri.

—*No merece nuestra confianza, pero si querés hacerlo, quiero que quede en claro que es bajo tu exclusiva responsabilidad* —se despidió Zinn.

A esa partida la perdió Macri. Y a partir de ese momento la relación entre ambos popes se quebró sin remedio.

Era previsible.

Zinn fue el único de todos sus ejecutivos que compitió con el jefe en audacia y sagacidad. El único que era admirado por sus subordinados... además del propio Franco.

A Macri siempre le resultó imposible tener a un "par" a su lado. Él nunca obedeció a nadie, y jamás le pasó por la cabeza compartir con alguien su poder. La relación natural de este italiano con el resto del planeta es de subordinación... desde el resto del planeta hacia Macri. Franco necesita tener razón siempre, y no aguanta que lo contradigan.

Pero, además de todo eso, Zinn es un empresario, y Macri es un hombre de negocios.

Zinn se ocupó de administrar Sevel. De insertarla en el mercado. Mientras la condujo, tuvo en su cabeza el mapa completo con los puntos débiles y fuertes de la firma. Su interés era *servir a Sevel.*

Pero Macri, como hombre de negocios, nunca tuvo en su cabeza el mapa de Sevel, sino *el mapa de las oportunidades. Usó, usa y usará a Sevel para multiplicar sus negocios.* Le daría exactamente lo mismo fabricar autos que chorizos. Sus intereses exceden a ambos productos.

He aquí la gran diferencia.

Sevel, ahora, dejó de ser un milagro.

Es, en realidad, la compañía que le permite tener a SOCMA dinero contante y sonante todo el tiempo.

El instrumento que facilitó por esa misma razón el pago de 8 millones de dólares a los secuestradores de Mauricio Macri.

Pero también la palanca que permite las siguientes maniobras.

Maniobra primera. Título: evasión impositiva. Denunciante: Aduana Nacional. Desarrollo:

El 15 de enero de 1991 el entonces administrador de la Aduana, Aldo Fuad Elías, acusó a un conjunto de empresas del delito de subfacturación de importaciones. Subfacturación significa hacer figurar un precio menor al real del artículo que se compra en el exterior y pagar el impuesto aduanero sobre ese precio vil y devaluado. Entre las firmas denunciadas se encuentran:

IBM
Du Pont
Autolatina
Mercedes Benz
Federación Nacional de Cafeteros de Colombia
Equitel
Shell
Monsanto
Abbott (Laboratorios)
Xerox
Duperial
Eric Martin
Hoechst
Roche
Merk Sharp & Dohme
Dow Química
Deere and Company
Y, por supuesto, Sevel.

Todo el conjunto habría defraudado a la Aduana por una cifra cercana a los 450 millones de dólares. Sólo Sevel le debería a este ente recaudador casi 59 millones de dólares por los 1.200 expedientes revisados y en los que constarían la subfacturación, convirtiéndose así en la segunda en el ránking de deudores detrás de IBM, que cargaría con un pasivo de más de 80 millones de dólares.

Maniobra segunda. Título: demora en la entrega de automóviles previamente cobrados. Denunciante: diputado mandato cumplido Osvaldo Ruiz. Desarrollo: En 1986 Osvaldo Ruiz presentó un pedido de informes al Poder Ejecutivo para que por intermedio de la Secretaria de Industria informara:

* Cuántos automóviles ya pagos por los clientes adeudaba Sevel a su red de concesionarios.

* Si se había sancionado a la empresa por *enajenar bienes inexistentes.*

* Si alguien había hecho trámites para acortar la demora de entrega. En los fundamentos de su pedido, Ruiz denunció que los

propios directivos de Sevel habían reconocido la demora. Agregó que en algunos casos esa tardanza llegó a 90 días, y en otros a más de 120. Acusó a la automotriz de usufructuar dinero que no era de la compañía, sino de los compradores de sus autos. Y calculó el número de coches no entregados en 2.500.

Lo que no hizo Ruiz fue revelar la trama secreta del mecanismo y el beneficio que le reportaría a la empresa semejante demora.

Existió primero una bicicleta legal que figuró en el contrato con letra muy chiquita. Sevel pudo así entregar los autos 45 días después del momento del pago o 15 días después del cobro de aquel que licitó. De manera que siempre se quedaba con el dinero 15 días antes, hecho que, en esa época inflacionaria, le reportaba considerables beneficios financieros.

Se practicó luego otra bicicleta ilegal, sostenida con el argumento de la escasez de autopartes, por la que se demoraba cerca de tres meses. Se trata de la que denunció Ruiz, y es otra de las pequeñas razones que pueden ayudar a comprender cómo se construyó el imperio Macri.

Maniobra tercera. Título: posible evasión impositiva. Denunciante: Raúl Gutiérrez Urquijo. Desarrollo:

Raúl Gutiérrez Urquijo era el dueño de la concesionaria de automóviles llamada Avignon. Su negocio quebró en 1987. Y Sevel lo querelló inmediatamente porque se tuvo que hacer cargo de los autos correspondientes al *Autoplán* que Gutiérrez no entregó a clientes que ya le habían pagado. G. Urquijo fue a los tribunales y admitió que había vendido coches que eran parte del *Autoplán* a otros consumidores que los necesitaban con urgencia. Pero además, le dijo al juez interviniente:

—A partir de que Sevel me entrega el auto, yo, como concesionario me convierto en el dueño y hago con el vehículo lo que quiero.

Esta afirmación equivale a decir que G. Urquijo no estafó a Sevel. Pero los defensores de la empresa de Macri, patrocinados por el poderoso estudio Maier, adujeron que *el auto siempre es de Sevel y nunca jamás del concesionario.* Todo parecía quedar en la nada hasta que los sabuesos del dueño de la concesionaria quebrada, los abogados del estudio *Fontán Balestra-Argibay Molina,* empezaron a revisar los impuestos de Sevel, para sostener la tesitura de que el propietario del auto era G. Urquijo.

Entonces plantearon las dos únicas hipótesis posibles.

La primera: que Sevel facturara sus autos como una venta directa al consumidor, *con lo cual debía pagar los impuestos por ese precio.* Es decir: si al cierre de esta investigación un Duna cero kilómetro era pagado por cualquier argentino 15 mil dólares, Sevel tendría que abonar impuestos de aproximadamente el 30 por ciento, es decir, *unos 4.500 dólares.*

La segunda: que Sevel facturara sus productos como una venta al concesionario, es decir, por el 20 por ciento menos del precio de venta al público. En este caso, los impuestos que pagaría Sevel deberían ser sobre un Duna de 12 mil dólares. Es decir: *unos 3.600 dólares.*

Grande fue la sorpresa de los defensores de Gutiérrez Urquijo cuando descubrieron que Sevel confeccionaba los contratos directamente con el último consumidor, pero lo facturaba como si se lo vendiese a la concesionaria.

Para que no quede ninguna duda: los directivos de Sevel le dijeron al juez de la causa G. Urquijo que la transacción se produjo entre la fábrica y el cliente. Pero al mismo tiempo le informó a la DGI que la transacción fue entre Sevel y la concesionaria Entre una verdad y la otra hay una hipotética evasión de impuestos. Una evasión que no sería menor a los 90 millones de dólares.

El último punto de controversia alrededor de Fiat-Sevel no es una maniobra, sino una inquietante duda que desde hace mucho tiempo mortifica a una buena parte del establishment argentino. La duda es:

¿Cuál es la verdadera relación de Macri con la Fiat? ¿Se puede considerar al empresario italiano nacionalizado argentino un testaferro del legendario Giovanni Agnelli? ¿Existe un vínculo de dependencia? ¿Cuál es la real participación de Macri en el negocio de Fiat Argentina?

Fiat es un gigante que fabrica un millón de autos y factura decenas de miles de millones de dólares por año. Sevel es un enano que factura 700 millones. Así y todo, SOCMA es el tercer conglomerado que más vende en Argentina, después de Techint y Pérez Companc. Para entender la verdadera dimensión de los negocios en el mundo sirve la frase que utilizó un alto directivo de la japonesa NEC. Él definió a Pérez Companc así:

—*Estamos asociados con una pequeña firma de origen argentino para instalar telefonía en el mercado local.*

Macri ostenta el 85 por ciento de las acciones de Sevel pero Fiat, con su pequeño 15 por ciento, *igual controla el corazón del negocio.* Estas son las razones que prueban semejante afirmación:

* Los capitanes de Fiat que viven en la Argentina siempre tuvieron una gran influencia sobre Macri. Durante mucho tiempo, Macri no tomó ninguna decisión importante sin consultar a Vittorio Ghidella, Cesar Romitti o al capo de *tutti cappi*, Agnelli.
* Todavía ahora Sevel Argentina y Fiat Argentina tienen a tres hombres de carne y hueso que figuran en ambos directorios. Lo que prueba el vínculo jurídico entre una y otra. Se trata de Paolo Rucci, director general en Fiat y Director Técnico en Sevel; de Alfonso Fernández Vidal, director financiero en la Fiat y director suplente en Sevel, y de Silvio Corona, director adjunto y director suplente, respectivamente.
* Sevel fabrica los autos, pero Fiat maneja la investigación, el desarrollo, la técnica y los nuevos diseños. *Es decir, Macri no puede fabricar por sí mismo lo que se le antoja y, en este sentido, no es erróneo decir que Sevel es un verdadero intermediario de Fiat.*
* Fiat necesitó de Macri para que el negocio de Sevel en Argentina

no se convirtiera en una tragedia. Pero es más fácil que desaparezca Macri a que deje de existir Fiat.

* La asociación de Fiat & Macri se encuadra dentro de las tradiciones empresarias europeas. Al presidente de una compañía norteamericana jamás se le ocurriría asociarse con un Macri. Tampoco con un Bulgheroni, un Rocca (de Techint), una Amalita Fortabat (Loma Negra) y ni siquiera con un Jorge Born (Bunge & Born). *Pero Agnelli o Pirelli no dudan en aprovechar la capacidad de lobby de los particulares hombres de negocios de la Argentina.*

* Hay una palabra italiana que sintetiza el concepto "amigos de negocios". Eso es lo que son Macri & Agnelli. Amigo de negocios es mucho más que un socio. Un hombre que trabajó junto a Macri más de seis años lo explicó así:

—Si Franco le hubiera pedido a Agnelli una parte de su fortuna para salvar a su hijo Mauricio mientras estaba secuestrado, éste se la habría dado. Del mismo modo en que Franco no dudaría un segundo en hacer cualquier cosa que Agnelli le encargara.

Hay quienes piensan que Macri no hubiese sido nada si no existiera Fiat. Y lo fundamentan con el argumento de que Sevel es la primera empresa más rentable del grupo, así como Sideco constituye la segunda. Estos hombres no computan o ignoran deliberadamente la audacia y el sentido de la oportunidad del protagonista de esta historia para fundar empresas como *Movicom (telefonía móvil)* o *Itron* (informática), ni toman en cuenta su cintura de avispa para entrar y salir de los negocios petroleros y financieros. Tampoco analizan que detrás del hombre de negocios hay un ser humano.

El ser humano Franco sufrió su primer infarto en Punta del Este, en el verano de 1975. Estuvieron por llevarlo de urgencia a los Estados Unidos para practicarle un bypass. No fue necesario: se le hizo naturalmente. Después de ése, le atacaron otras crisis cardíacas a las que sus familiares le llaman infartitos. ¿Padeció un infartito o una angina de pecho mientras su hijo Mauricio estuvo en cautiverio? ¿Es cierto que nadie lo enfrenta por temor a que lo traicione su corazón? Los francólogos explicaron que los motivos de su primer infarto pudieron ser dos. Uno se llama María Cristina Greffier. El otro, *Lincoln West.*

La Greffier, psicóloga, es la segunda mujer legítima de Francisco, la que le dio a su última hija, la luz de sus ojos: Florencia Macri, de 8 años. Ella no es sumisa, como Alicia Blanco Villegas. Tiene personalidad y mundo propio. Nunca aceptó que Franco tomara decisiones por los dos. El empresario italiano naturalizado argentino se llenó de impotencia al entender que, aunque Cristina lo amaba, podía perfectamente vivir sin él. Macri la celaba. No se sabe si lo hacía con o sin motivo. Pero se sabe que un día Francisco tomó de las solapas a su mejor amigo y le preguntó si lo estaba engañando con su más amada mujer.

—No entiendo cómo podés dudar de mí —le respondió, a medias, el amigo. Franco perdió el amor de ambos de una sola vez.

Un año después colocó sobre su herida abierta el bálsamo de la mirada suave de Clara Bordeu. La llevó a vivir con él. Le prometió que criaría a los tres pequeños hijos de ella como si fueran propios. Se separaron en octubre de 1989. A ese vacío lo cubrió sin demoras la adolescente Evangelina Bomparolla. Pero esto es asunto del capítulo que viene.

La otra supuesta causa del infarto llamada *Lincoln West* no era una pavada. *Se trataba del proyecto de obra civil más grande y ambiciosa del mundo occidental.*

Solamente la preparación del proyecto costó 80 millones de dólares. Iba a ser una gran ciudad, con 8 grandes torres, enclavadas en el subsuelo de la Isla de Manhattan.

Se convertiría en el centro urbano más grande del planeta.

Se terminaría en 5 años, con un costo aproximado de 2 mil millones de dólares.

El mundo envidiaría esa megaconstrucción.

El propio Franco Macri junto con Haieck supervisaron de cerca las grandes líneas. Ambos iban y volvían de los Estados Unidos para negociar su aprobación.

Pero el jefe de campo en los Estados Unidos era un doctor en astronomía, uno de los pocos hombres a quien Macri admiró sin reservas por su talento y su capacidad de trabajo. Se llamaba Carlos Varsavsky. Algunos veteranos de SOCMA todavía lo recuerdan con emoción.

Varsavsky fue el mismo que piloteó la construcción de la planta de Aluar: un hombre que se aburría apenas terminaba de armar un proyecto. Por eso se alejó del mundo de las empresas y se metió de cabeza en la Universidad de New York. Ya había trabajado para Macri en Plospetrol, una que fracasó antes de madurar. Haieck lo reencontró en los Estados Unidos y le ofreció la batuta de *Lincoln West*. Pronto el astrónomo se dedicó a encarrilar a un arquitecto brillante y caótico llamado Rafael Vignoli y se lanzó a la aventura de presentar la rezonificación de la zona.

Rezonificación es el estudio del impacto ambiental. En este caso se trabajó con unas hipotéticas 25 mil personas para demostrar qué impacto tendría el complejo en la vida cotidiana de la gente. Varsavsky consiguió que todas las autoridades competentes de New York autorizaran el emplazamiento del monstruo de cemento.

El último permiso fue otorgado por un cuerpo colegiado que integraron el intendente, el procurador de la ciudad y los jefes de cada uno de los once grandes barrios de New York.

La reunión plenaria terminó a las 3 de la mañana. Macri, Haieck y Varsavsky brindaron con champagne.

Alguien dijo alguna vez que esa fue la noche más feliz en la vida de Macri. Es la misma persona que consideró como su día más triste aquel en que le anunciaron que *Lincoln West* se caía por falta de financiación de los bancos norteamericanos.

Tanto Macri como Haieck comprendieron que no tenía sentido echarle la culpa al responsable de la parte financiera, el contador

Orlando Salustrini. Consideraron que tampoco era serio agitar la versión de que la mafia inmobiliaria neoyorquina, comandada por el ampuloso Donald Trump, había movido sus influencias para que los bancos no prestaran. Ambos sabían que, en el fondo, la responsabilidad era del dueño de SOCMA. Entendían que había sido un error que Macri no se hubiera instalado en New York para negociar los créditos en persona. Evaluaban como una tontería que el italiano convertido en argentino no se radicara por unos meses, sólo porque le costaba demasiado hablar el inglés que, como todo el mundo sabe, es el idioma de los negocios.

El proyecto fue vendido al propio Trump en 120 millones de dólares. La desazón todavía continuaba cuando llegó la terrible noticia que faltaba.

Varsavsky había partido de New York después del champagne del festejo. Había viajado a Islandia con la idea de instalar, con la plata de Macri y los créditos del gobierno argentino, una planta de aluminio. Había pasado también por Canadá, con idéntico objetivo. Y debió volar de urgencia desde ese país hacia su querida Buenos Aires para cuidar a su hermano, que estaba a punto de hacerse un triple bypass.

El avión hizo escala en Río de Janeiro. Él no fue al free-shop porque se empezó a descomponer. Le pidió un vaso de agua a la azafata, para tomar una pastilla.

Nunca llegó a beberlo.

Tenía 50 años y tanto su padre como su abuelo habían muerto como él, de un infarto repentino.

—Dios vino a buscar a un Varsavsky, y se llevó al equivocado —susurró un compañero de trabajo mientras lo velaban, y a propósito del triple bypass. Lo de *Lincoln West* ¿fue una maldición? Porque a Macri lo atacó el infarto, pero a Haieck lo derrumbó un cáncer maligno un par de años más tarde. Los amigos del ingeniero peronista afirmaron que ese cáncer, del que ya se recuperó, no se debió a *Lincoln,* sino a la mala sangre que le produjo la anulación del contrato que la empresa *Aseo* tenía con la municipalidad de Córdoba para juntar la basura. Aseo era la Manlibita de Macri. El intendente Ricardo Mestre le dio el trabajo al principal competidor de Franco, Benito Roggio. Ahora Haieck disfruta de su familia y sólo se dedica a asesorar a su amigo Bordón en asuntos de política petrolera. Pero el mundo siguió andando para Macri.

Entre 1983 y 1989 tuvo que juntar fuerzas para discutir con sus amigos del gobierno radical, quienes siempre lo consideraron peronista no sólo por lo de Grosso y Bordón sino también por haber cedido las instalaciones de una de sus empresas para la campaña presidencial del anodino Ítalo Luder.

Franco siempre sintió algo especial por Enrique Coti Nosiglia. Y por eso lo invitó a Punta del Este, a uno de sus departamentos del exquisito complejo Terraza de Manantiales. Pero nunca soportó al ministro Juan Sourrouille y sus incorruptibles colaboradores, quienes, entre otras cosas:

* Le controlaron el precio de sus autos por orden del secretario de Comercio, Ricardo Mazzorín.

* Le impusieron un suculento descuento a las facturas de Manliba cuando se inauguró el Plan Austral.

* Y le hicieron perder nada menos que *16 millones de dólares* en un abrir y cerrar de ojos, y solamente por confiar ciegamente en la palabra de un funcionario incondicional de Alfonsín.

Todo comenzó en diciembre de 1988, cuando Franco Macri cometió el error de avisar a un hombre del presidente, que pasaría sus ahorros de australes a dólares. Marcelo Kiguel, vicepresidente del Banco Central, llamó inmediatamente para rogarle:

—Macri. Usted no puede hacer eso. Nos va a crear un problema. Le aseguramos que no habrá dolarazo. Tiene que mantenerse en australes, si no al dolarazo lo va a producir usted. Además, cuando devaluemos, le avisamos.

El viernes 3 de febrero de 1989 el gobierno devaluó pero no le avisó. El sábado Macri se enteró de la terrible noticia jugando al golf con el ministro de Defensa, Horacio Jaunarena. El lunes 6 se encontró con que había perdido 16 millones de dólares. El 8 de enero de 1990, en su comodísimo departamento de Manantiales, le confesó a un periodista lo que le dijo en el oído a Jaunarena, mientras volaba de la bronca.

—No me extraña lo que me hicieron. No me extraña. Porque Alfonsín podrá tener muchas cosas buenas, pero tiene un ministro que se llama Sourrouille y que es lo peor que le puede pasar al país. Porque es un tipo que vivió falseando y modificando la verdad. Y yo pagué la culpa de haber aceptado la palabra de gente que no era confiable.

La asunción de Carlos Menem le devolvió la alegría.

En este gobierno sí se podría confiar.

Estaban sus amigos José Luis Manzano, Eduardo Menem y José Roberto Dromi. Estaba también el amigo de su hijo Mauricio, Juan Carlos Rousselot, y eso era muy bueno para los negocios.

Manzano es el mismo hombre a quien,en una fresca mañana de enero de 1990, Jorge Rachid, entonces secretario de Prensa y Difusión, acusó, en medio de una poblada reunión de gabinete, de haberle llevado la oferta de un grupo económico para que influyera en el resultado de la privatización del Canal 11. En conversación telefónica con el autor, Rachid no sólo ratificó que el mensajero era Manzano. También informó que el grupo económico era SOCMA. Lo hizo desde los estudios de la radio de Mar del Plata en la que trabaja como columnista. Se le preguntó:

—¿Lo que publicó la revista Somos *sobre aquella reunión de gabinete es cierto?*

—En términos generales sucedió así, tal cual. Pero lo que tuve que hablar lo hablé en su momento en el ámbito que correspondía.

—Entonces la reunión de gabinete existió.

—Existió. ¡Había más de 15 personas!

—¿Quiénes estaban?

—Estaban todos. Todos los ministros. El vicepresidente. Estaba Eduardo (Menem). *Estaba Chupete* (Manzano), *el Pato* (Fernando) *Galmarini. Estaba* (Raúl) *Matera. Yo no sé por qué, pero ese día estaban todos los secretarios.*

—¿Su planteo fue que Manzano le había propuesto facilitar a un grupo económico el tema de los canales?

—Así fue.

—¿Cómo?

—Que así fue.

—¿El grupo económico era Macri o SOCMA?

—Así venía dicho por él.

Se supone que "él" es Manzano.

—¿Qué cantidad le habían ofrecido?

—No era cantidad. Era participación en las acciones.

El propio presidente Carlos Menem también era el que coordinaba la reunión. Cuando escuchó la denuncia de Rachid, quedó estupefacto. El aludido se encontraba allí y de inmediato empezó a gritar desaforadamente que se había puesto en marcha una campaña para desprestigiarlo.

Eduardo Menem es el mismo hombre a quien el ex presidente del Banco Central, Javier González Fraga, siempre recuerda como uno de los políticos que más insistía para que la entidad pública apurara las deudas que tenía con la empresa Sideco. Una de esas deudas era por reembolsos para la exportación vinculados a la obra hidroeléctrica de Uruguaí. Se trata de una usina que debería haber servido para iluminar una buena parte de la Mesopotamia, pero que todavía no le da luz a nadie.

Rousselot es el mismo hombre al que Mauricio Macri, presidente de Sideco, se vinculó gracias a los buenos oficios de Mario Caserta. Caserta, como se recordará, estuvo preso sospechado de haber lavado dinero proveniente del narcotráfico. Caserta es también el hombre que le abrió la puerta del despacho presidencial a Mauricio, cuando el delfín de SOCMA buscaba una línea directa hasta las alturas del poder, independiente de la que le podía facilitar su propio padre.

El intendente Juan Carlos Rousselot, Macri hijo y Caserta fueron los que pergeñaron el controvertido proyecto de las cloacas de Morón. Aquel asunto que estuvo por pudrir, para decirlo de alguna manera, la carrera política del ex locutor de radio y televisión.

Todo pintaba como un negocio redondo hasta que el Concejo Deliberante de Morón consideró fraudulento al contrato por tres razones.

* Una: resultaba llamativo que Sideco fuera la única concursante de una licitación convocada a las apuradas.

* Dos: constituía una ilegalidad la no consulta al Concejo Deliberante.

* Tres: significaba algo más que una injusticia el hecho de que los vecinos debieran pagar cuotas siderales, y en dólares, mucho antes de que se les colocaran los inodoros.

El 8 de setiembre de 1991, setenta y dos horas después de ser liberado por sus secuestradores, Mauricio llamó a Juan Carlos para felicitarlo por la victoria que lo convirtió de nuevo en intendente de Morón. El político, entonces, prometió:

—Esta vez construiremos una red cloacal de cinco plantas.

Finalmente, José Roberto Dromi, ex ministro de Obras y Servicios Públicos, es el mismo hombre que defendió a empresas de Macri mientras trabajaba en el sector privado como abogado administrativista. El mismo funcionario al que se lo considera responsable de numerosas irregularidades relacionadas con su amistad con altos directivos de SOCMA.

Lo siguiente es la historia secreta de esa amistad y sus correspondientes irregularidades.

El 15 de enero de 1990, 77 firmas se presentaron en concurso para explotar, mejorar y remodelar casi 10 mil kilómetros de caminos. Entre ellas, por supuesto, se encontraba *Sideco Americana.* La compañía de Macri no pretendía los tramos menos rentables y en peores condiciones sino los más negociables y menos destruidos. Se trataba de pedazos de las rutas 3, 252 y 205, que casi sumaban 1.200 kilómetros.

Lo último era lógico, estaba bien, y respondía a una de las reglas de oro del capitalismo, como la obtención de la máxima utilidad con el mínimo gasto.

Lo que no estuvo nada bien y ahora investiga la justicia penal es que tres de los funcionarios del MOSP que comandaba Roberto Dromi y que participaron activamente en la confección del pliego de licitación, *hayan sido además, y al mismo tiempo, altísimos directivos del Grupo Macri.*

Uno se llama Carlos Ramallo y fue en ese momento nada menos que *subsecretario de Concesiones y Proyectos Especiales.* En Sideco, ocupaba el cargo de director.

Otro es Roberto Righini y ostentó entonces el cargo de *director de Concesiones.* En Sideco era nada menos que gerente administrativo. El tercero es Guillermo Panelli Evans, entonces *subsecretario de Políticas y Legislación del MOSP y ex socio de Dromi en varios juicios contra el Estado.* A Sideco había representado en uno de esos pleitos contra Vialidad Nacional, en 1986.

El Código Penal, la Ley de Contabilidad y el conjunto de normas que regulan la función pública consideran que es un delito *estar vinculado a un contratista del Estado y ser funcionario de ese Estado simultáneamente.* Pero también condena a los agentes públicos que actúan ostensiblemente a favor no del Estado sino de un tercero, como Sideco.

Esta es una de las denuncias que formuló el diputado nacional (UCR-Buenos Aires) Victorio Bisciotti ante la Fiscalía de Investigaciones Administrativas, el 28 de febrero de 1990. Los hechos:

El 16 de febrero de 1990, el MOSP, con la firma del controvertido Dromi, *declaró de interés nacional la iniciativa de Sideco de remodelar y explotar el Puerto de Quequén.* En el lenguaje de los hechos, cuando el Estado declara algún proyecto de interés nacional, lo que está haciendo, de verdad, *es autorizarlo, preadjudicarlo... casi ponerlo en marcha.*

Bisciotti siguió atentamente todo el trámite y después lo cuestionó, con los siguientes argumentos.

* Que el Puerto de Quequén no necesitaba grandes remodelaciones porque estaba trabajando a pleno y absorbiendo la demanda justa de barcos cargueros.

* Que además, el puerto era superavitario.

* Que se trataba de uno de los más aptos del país gracias a la acción mancomunada de los vecinos y las entidades de fomento que contribuyeron a su reacondicionamiento.

* Que, en caso de que fuera necesario profundizarlo más, *resultaba de todos modos una decisión irracional, oportunista y faraónica, cobrarle por ese servicio al Estado entre 150 y 200 millones de dólares.* Bisciotti había conseguido esa impresionante cifra de fuentes de la propia Sideco y a partir de afirmaciones publicadas en los diarios *Ámbito Financiero, La Nación* y *La Capital de Mar del Plata.*

* Que le parecía sugestivo el rechazo del MOSP de una oferta presentada por una empresa soviética Techno Export, para hacer idéntico trabajo pero con un costo aproximado de 13 millones de dólares.

La *necesidad inexcusable* de profundizar el canal de acceso al puerto fue solamente declarada, en su momento, por el ingeniero Carlos Manuel Ramallo, el subsecretario de Concesiones y Proyectos Especiales de Dromi, y a quien ya no hace falta presentar.

Bisciotti, para que no lo acusaran de trabajar para la competencia, también calificó de oportunista al consorcio encabezado por la constructora Benito Roggio, la sombra negra de Macri. Roggio también pretendía quedarse con la explotación integral del Puerto de Quequén. Por eso sus abogados presentaron ante Dromi una impugnación a la declaración de interés público que mereció la iniciativa de Sideco.

—*La propuesta de Roggio es tan cara, delirante y faraónica como la de Macri* —informó el legislador desde su despacho de la Cámara de Diputados. Pero nada es comparable con el escándalo que sacudió las entrañas del gobierno de Menem, originado en un litigio entre Sideco y el Estado nacional por el cobro de varios millones de dólares en concepto de indemnización para la privada por mayores costos y gastos improductivos. El escándalo se mantuvo en secreto hasta el presente. Fortalece la hipótesis de la conexión Macri & Dromi. Estos son sus detalles principales:

El 16 de julio de 1971, al mediodía, los gobiernos de Argentina y Paraguay convinieron la construcción de la obra *Puente Internacional Posadas.*

En setiembre de 1980 se llamó a licitación pública nacional e internacional. Se presentaron once ofertas. La obra fue adjudicada al consorcio integrado por *Impresit-Sideco* (ahora Sideco Americana) y Sauige (ahora Girula Argentina). *La verdad es que se trataba de la oferta más barata y más ventajosa de todas.*

El Puente Posadas Encarnación debió haberse finalizado el 27 de febrero de 1987. Los trabajos se habían iniciado en 1982 y se paralizaron debido a la extraordinaria crecida del Río Paraná producida ese mismo año. En 1983 se retomaron a buen ritmo. Pero desde febrero de 1986 se desaceleró considerablemente el ritmo de las tareas. Esta demora motivó un pedido de informes del diputado nacional Miguel Alterach el 24 de junio de 1987. Y generó otro más, en marzo de 1987, en donde el mismo Alterach preguntó cómo era posible que se le reajudicara la obra a Sideco, la compañía que había incumplido el contrato respectivo.

Alterach sabía poco y nada sobre el controvertido litigio.

Empezó el 3 de febrero de 1984 cuando el consorcio se quejó ante Vialidad por el cambio de condiciones en la importación de los equipos para hacer la obra. Siguió 6 meses después cuando Sideco, además de exigir una reparación en dólares, solicitó a Vialidad que:

* Asumiera que la demora no era responsabilidad del consorcio.

* Aprobara nuevos plazos de terminación de la obra y nuevo plan de inversiones.

* No le aplicara multas por incumplimiento del plazo previsto o *el aumento de facturación derivado de los cambios en las condiciones de importación.* El litigio prosiguió con la respuesta del director general de Construcciones del MOSP del gobierno radical, quien accedió al pedido de Sideco, a condición de que éste renunciara a todo reclamo de "indemnizaciones por gastos improductivos".

El 19 de febrero de 1985 todavía Sideco no había renunciado a su reclamo pero había conseguido de Vialidad la eximición del pago de suculentas multas por no haber cumplido con los tiempos comprometidos.

El 9 de abril del mismo año el consorcio firmó con el Estado un nuevo convenio. Por ese acuerdo Sideco renunció a cobrar por gastos improductivos, y logró una prórroga para terminar el puente el 28 de febrero de 1987.

El 19 de diciembre de 1985 el equipo de Macri volvió a la carga y exigió la revisión del contrato y la reparación de la pérdida financiera sufrida. Es decir: más plata del Estado.

El 17 de abril de 1986 el Estado dijo no a la renegociación del contrato. Una semana después Sideco apeló esa medida ante la Dirección de Asuntos Jurídicos del MOSP. Esta dirección interpretó que el consorcio ya se había resignado a no cobrar por gastos improductivos.

Pero la contratista hizo otra presentación el 16 de setiembre de 1986. En esta adujo que *no renunció al reclamo por libre voluntad, sino porque la presionaron con la no renovación del contrato.*

El 18 de noviembre del mismo año Vialidad Nacional volvió a desestimar los pataleos de la compañía de Macri. Y la Dirección Nacional de Construcciones se pronunció en el mismo sentido.

La suerte de Sideco parecía echada hasta que poco después, en una opinión que debería figurar en los Anales de la Historia de la Patria Contratista, el Director General de Asuntos Jurídicos del MOSP, Horacio Repetto Boerr, ordenó *hacer lugar al recurso interpuesto por la contratista, y ordenar la formación de una comisión especial para analizar la queja.* Repetto pronto se convirtió en juez y parte del litigio. Porque además de ordenar la creación de la comisión, *la integró, y,* como si eso fuera poco, se pronunció, *a favor de Sideco,* en los siguientes términos:

* Sugirió que debía llegarse a un arreglo con el consorcio para no perder un juicio que costaría mucho más dinero.
* Argumentó que Vialidad usó las multas como elemento de presión para que Sideco renunciara al reclamo por gastos improductivos.
* Consideró "notorio el nivel de coacción" que el Estado "le impuso a la empresa renunciante".

El dictamen de Repetto se pareció mucho a una hipotética declaración de principios de SOCMA. Pero el ministro de entonces, Rodolfo Terragno, se agarró de ese dictamen para no sólo autorizar la queja sino cuantificar el perjuicio contra Sideco. El 27 de mayo de 1987 Terragno calculó la pérdida de Macri en casi 27 millones de dólares. El asunto pasó por varios despachos del Estado, y los radicales, igual que con Manliba, lo dejaron sin resolver efectivamente.

Tuvo que subir Menem y asumir Dromi para que el trámite siguiera su curso. El 19 de enero de 1990, ese ministro y su compañero en Economía, Erman González, ordenaron que se retribuyera a Sideco con cerca de 22 millones de dólares, pero no con un cheque al portador, sino en Bónex 87. El secretario general de la presidencia, Raúl Granillo Ocampo, leyó el expediente con detenimiento y, en vez de remitírselo al jefe de Estado para que lo firmara y aprobara, lo envió al Tribunal de Cuentas de la Nación para que dictaminara si era correcto hacerlo.

El dictamen del Tribunal de Cuentas que presidía Alberto Porreti fue demoledor. Ese expediente más otro que cuestionó a Eduardo Bauzá por el escándalo de la carísima compra de guardapolvos para las escuelas públicas provocaron luego el reemplazo por decreto de Porreti y sus colaboradores. El dictamen concluyó:

* Que el director general de Asuntos Jurídicos, Repetto Boerr, mintió, ya que Sideco nunca se encontró en estado de necesidad ni jamás se le aplicó una multa.
* Que ese director no podía dictaminar por un lado la creación de una comisión especial para el análisis del caso y encima integrarla.
* Que el pedido de renuncia a reclamar que Repetto interpreta como una "coacción" a Macri es una práctica habitual entre los encargados de defender los intereses del Estado.
* Que por lo tanto queda sin efecto el dictamen emitido por la Comisión Especial creada e integrada por Repetto.
* Que también queda anulada la resolución conjunta firmada por

Dromi y Erman González y por la cual se le devolvía al consorcio el equivalente a 22 millones de dólares.

En el severo dictamen del Tribunal de Cuentas se desmenuzó luego la zarandeada resolución que rubricaron los ministros, y se denunció:

* Que los ministros le estaban otorgando a Macri un *beneficio monetario adicional* de más de un millón de dólares. El secreto: si bien a la indemnización se le realizó la quita del 21 por ciento que prevé la Ley de Emergencia Económica, también se le calcularon intereses desde febrero de 1987 hasta enero de 1990 del 12 por ciento anual, en vez del legal, que nunca supera el 5 por ciento;
* Que entregar al consorcio Bónex 87 era igual que darle dinero en efectivo;
* Que esta última decisión violó el principio de igualdad que el Estado debe mostrar en el tratamiento de las empresas contratistas;
* Que por el principio de igualdad contemplado en la Ley de Emergencia Económica, cuyo inspirador es Dromi, Sideco tendría que cobrar, en el caso de que correspondiera el pago, una suma aproximada de 13 millones de dólares, y nunca cercana a los 22 millones.

El pronunciamiento del Tribunal fue más que contundente, pero no impresionó ni a la Dirección de Asuntos Jurídicos del MOSP, ni al procurador general de la Nación y menos al ministro Dromi, quien impulsó un *decreto de insistencia aconsejando la transacción.*

El decreto fue recibido por Granillo Ocampo y devuelto al propio Dromi casi de inmediato, con una nota en la que se podía leer: *El presidente Menem estima improcedente este decreto de insistencia.*

El 17 de junio de 1990 Dromi le envió a Sideco una cartita en la que le informó que su reclamo no tenía validez, le aclaró que quedaba agotada la vía administrativa, y le adelantó que se suspendería la ejecución de la indemnización.

El controvertido litigio entre Sideco y el Estado alrededor del contrato para la Construcción del Puente Encarnación Posadas tuvo así un epílogo lógico. Pero eso fue sólo hasta la madrugada de agosto de 1991. Hasta aquel instante terrible en que unos hombres raptaron a Mauricio Macri. Es que Sociedades Macri S.A. necesitaba dinero contante y sonante con urgencia. Una vida estaba en juego.

El cobro inmediato de las supuestas deudas que tiene el Estado podía llegar a evitar el asesinato de Mauricio.

3. *Plata por apellido*

El domingo 25 de agosto a la madrugada Mauricio Macri fue secuestrado en la puerta de su casa. Antes, durante y después del secuestro, directivos de Sideco presionaron al presidente del Banco Nación, Aldo Dadone, para que le otorgaran un crédito de 20 millones de dólares. El Banco Nación no está autorizado a dar más que 3 o 4 millones, y cuando las razones de la solicitud son muy buenas. Para colmo, Sideco ofrecía como garantía las acciones en Celulosa Puerto Piraí, una empresa que tendría una considerable deuda con el Banco Nacional de Desarrollo (BANADE).

Dadone llegó a pensar que la orden venía de muy arriba. Por eso consultó a Menem para saber si era así. El episodio terminó cuando Menem le ordenó que no le dieran un solo austral.

Hay muy pocas cosas que no se saben sobre el secuestro de M. M., además de la identidad de sus autores.

Amigos de Mauricio terminaron confirmando que el rescate se pagó y sugirieron que se trataba de 8 millones de dólares. Pero fuentes a prueba de desmentidas aclararon que se trató, en realidad, *de 9 millones y medio, que 7 millones habrían salido de Sevel y que del resto conversaron largo y tendido los ministros José Manzano y Domingo Cavallo con el padre de Mauricio, Franco Macri, el jueves 5 de setiembre.*

¿Cómo se filtró lo de Sevel? Por uno de los gerentes, quien se inquietó al dar por sentado que el suculento monto iba a poner en riesgo el cobro de los premios de fin de año para el personal jerárquico. El hipotetico auxilio oficial no está suficientemente probado:

—*No va a encontrar a nadie que le asegure con nombre y apellido si el gobierno le ayudó o no a Macri. Es el secreto de Estado mejor guardado de la Argentina* —explicó un vocero de Menem.

Otra de las cosas que se discute es si efectivamente la familia Macri tenía una póliza contra secuestros, con lo que el susto le habría salido prácticamente gratis. MM desmintió esto en un extraño reportaje que concedió a la revista *Noticias*: una entrevista en la que pareció querer adelantarse a posibles denuncias sobre el origen del pago del rescate. Pero fuentes de inteligencia confirmaron sin embargo que el seguro contra raptos extorsivos existía. Y un señor muy amigo de Ricardo Zinn, el ex vicepresidente de Sevel, recordó que éste había contratado un servicio parecido para los principales directivos de la compañía automotriz entre 1982 y 1986. Jorge Blanco Villegas y el propio Franco Macri fueron dos de los pocos beneficiarios. *En ese entonces sus vidas tenían un valor aproximado de 3 millones de dólares.*

Pero una de las pocas cosas que algunos elegidos saben y nadie cuenta es que, mientras Mauricio estuvo secuestrado, el experto en comunicaciones de la empresa, el renombrado Fernando Marín, tuvo que realizar *la sesuda tarea de contratar a una conocida bruja para que le vaticinara a Franco si su hijo estaba todavía con vida.*

—*Está con vida y se salvará* —informó la hermética pitonisa en su lenguaje hermético.

Desde ese momento, Franco Macri la anda buscando para compensarla por su tarea.

Otras de las cosas que se falsearon era que Mauricio estaba débil y tenía tos. La verdad, explicaron fuentes policiales, es que "el muy bribón" tenía blenorragia. La blenorragia es la inflamación de la mucosa de los órganos genitales, y la produce un hongo llamado gonococo. Orinar con el asunto es un verdadero suplicio. El autor no pudo constatar la existencia de esa enfermedad sexual en el joven.

MM fue secuestrado por dos principales razones. Una: porque es el sucesor efectivo de todo el poder del *padre padrone*. Dos: porque hasta el momento tanto a él como a su progenitor se los podía encontrar en cualquier lugar de Buenos Aires, solitos y sin custodia.

MM, 32 años, 3 hijos, divorciado de Ivonne Bordeu a fines de 1990, se casó cuando tenía apenas 23, por el poderoso motivo de que su novia estaba embarazada. No es ninguna novedad que se recibió de bachiller en el Colegio Cardenal Newman. Tampoco que le encanta el sky, y el fútbol, que es un puntero derecho bastante limitado; que ama a Boca, que intentó comprar a Diego Maradona y que pagó a jugadores de la talla de este último o de la del arquero Sergio Goicochea para que jueguen en su quinta de Los Nogales. Tampoco es una revelación que su paso por el colegio lo hizo mezclarse con amigos provenientes de la aristocracia decadente y portadora de apellidos como Pereyra Iraola o Braun. Pero más de uno se sorprendería al comprobar la cantidad de compañeros *conchetos* que hoy integran el staff de las empresas del grupo Macri.

La historia de este chico es la historia de todos los descendientes de inmigrantes que escalaron alto y pugnan por ocupar un lugar en la *high society*: consciente o inconscientemente buscan en las familias patricias su *blanqueo social*; mientras éstas se dejan seducir por el poder del dinero; permutan plata por apellido. Los sabuesos de la SIDE no pueden comprender esta mezcla de apellido célebre con dinero, pero más les cuesta entender cómo es que este chico puede codearse con un Patrón Costa o un Bordeu y a la vez hacer un pacto de caballeros con los exquisitos miembros de la hinchada de Boca.

—*No tiene el perfil típico de un ejecutivo de su categoría* —se limitó a definir un vocero de esa secretaría, un tanto confundido.

El currículum oficial de Mauri dice que se recibió de ingeniero civil en la Universidad Católica Argentina (UCA) y que de inmediato se fue a perfeccionar en el área de comercio y finanzas a la Universidad de Columbia. Pero no dice que el muchacho era un alumno del montón para abajo, que no se recibió con los de su camada sino bastante después y que llegaba siempre temprano a las olimpíadas estudiantiles y demasiado tarde a los exámenes. Su manera de aterrizar a la alta casa de estudios terciarios es otro de los puntos en debate:

—*Mauri llegaba a la facu en una poderosa moto* —juró un amigo de entonces.

—*Mauri nunca usó moto... ¡Si caía todos los días en un auto distinto!* —aseguró otro íntimo.

Mauricio Macri se separó de Ivonne Bordeu por varios motivos, pero uno, seguro, es que ella jamás soportó el entorno familiar de su pareja, aunque siempre se encargó de disimularlo. Ivonne venía de una familia cuyos miembros hablan en voz baja, hacen de la delicadeza y los modos una religión y suelen encerrarse con cuatro llaves a la hora de hablar de negocios limpios y sucios. *Pero el 13 de noviembre de 1981, al unirse en matrimonio con su hombre en la iglesia del Pilar, ubicada al lado del cementerio de la Recoleta, se zambulló dentro de una típica familia romana, donde la comida se empasta con los negocios y las emociones se presentan mezcladas, un hogar en el que te aprietan hasta asfixiarte en vez de decirte que te aman y en el que se habla de la muerte, el dinero y cómo conseguirlo, sin vergüenza y sin medida.*

Se ignora si Ivonne incluyó, como uno de los ejemplos de esa mixtura confusa, el hecho de que su prima hermana, la bella Clara Bordeu, se haya convertido en la tercera pareja de su suegro, Francisco Diego Macri. Pero los secuestradores sabían todo eso en el momento de "chuparlo". Como también sabían que desde la separación, venía haciendo una vida un tanto más desordenada. Y que ese desorden incluía el encuentro con más de una mujer, en una posible búsqueda frenética destinada a amainar su sentimiento de profunda soledad. Cuando a MM los comisarios raptores lo tiraron en el pozo de una tapera, ya había pasado fugazmente por su vida Marina Wollman, ex del corredor de autos "Cocho" López, uno de los mantenidos por la firma Sevel, y entraba fuerte y profundo Marisa Mondino, la actriz que llegó no por su histrionismo sino por su romance con Carlín Calvo, el protagonista de la comedia de televisión *Amigos son los amigos.*

Pero todo lo anterior era lo que menos les importaba a los especialistas en secuestros extorsivos.

Lo que seguramente los desvelaba era qué impacto tendría en el grupo alzarse con el muchacho.

Y el impacto fue múltiple.

En primer lugar, porque Francisco Macri renunció a las acciones de las empresas a favor de sus hijos, y fuentes seguras admitieron que le otorgó la mayor parte al varón mayor.

En segundo lugar, porque Mauri no es un mero herdero sino el vicepresidente del holding, el número uno de Sideco, un influyente en Sevel y tiene sus propios contactos con el poder político, que son distintos pero igual de útiles a los de su padre.

Mientras el joven empresario estuvo raptado, la desazón de la familia fue doble: *no sólo corría riesgo la vida de Mauri, sino la continuidad coherente del imperio económico.* Y cuando a Franco lo atacó la angina de pecho todos pensaron en el infarto anterior y se encomendaron a Dios mientras se hacían, en silencio, la siguiente pregunta:

¿Qué será del grupo Macri sin su jefe y su seguro heredero?

Todos los hijos están decididamente marcados por la sombra del *padrone*. Pero, de todos, Mauri es el más compinche, el más exigido, y el que más goza y sufre con la carga de ese vínculo de sangre.

Ambos parecen competir en los terrenos más diversos. Las pruebas:

* No se sabe quién es el más machista de los dos. Francisco opina seriamente que en la Argentina todavía existen asuntos, como la intervención de ENTel, que son competencia exclusiva de los hombres. Y Mauricio respondió con un seco: *"Yo esperaba a Manuel Mora y Araujo, y no a una... mujer"* cuando le enviaron a la licenciada Marcela Guílligan para ofrecerle un análisis sociopolítico de la Argentina en ese momento.

* Un verano, hace poco más de cinco años, en el country de Pinamar que compartían los Macri y los Calcaterra, se armó una mesa de póquer de la que participó Mauricio. Se apostaron montos normales hasta que apareció Franco. Todos se sorprendieron cuando ignoró a la mayoría de los adversarios para dedicarse a enfrentar, especialmente, a la sangre de su sangre. Lo toreó. Lo arrinconó sin cartas. Algunos de los presentes entendieron que llegó a humillarlo. Y se volvieron a sorprender al observar que al progenitor, al registrar el desinfle de Mauri, de repente lo embargó la compasión.

* Dicen que sus discusiones sobre política son memorables. Francisco es un típico hijo de la posguerra: es peronista, cree en el Estado regulador. Mauricio es el típico hijo del europeo de posguerra: ultraliberal, cercano a la UCeDé, lejano a Cafiero y Alfonsín.

* En un reportaje concedido a la revista *Somos* el 8 de enero de 1990, al mediodía, Franco Macri confesó que sus hijos le temen porque, a pesar de tener 60 años, actuaba como uno de 20.

Todo indica que no mintió, aunque nada autoriza a tratar este punto como un estricto caso de competencia entre padre e hijo.

Es sintomático que Franco y Mauri vayan juntos a las fiestas, igual a lo que sucede con las madres y las hijas... especialmente cuando aquéllas intentan parecer hermanas de éstas.

En una de sus primeras salidas después del secuestro la falsa sensación de que son pares se acrecentó. Fue el viernes 18 de octubre de 1991, en el restaurante El Dorado, de Hipólito Yrigoyen al 700. Se trata de un reducto underground que fue descubierto por la jet y también convenientemente enajenado por la misma. Se festejaba el cumpleaños de Patricia Bordeu, viuda de Juan Manuel Bordeu. Mauricio, quien desde su liberación pasó a convertirse en el nuevo héroe argentino, estaba muy cerca de la Mondino. Franco curtía la noche junto a Evangelina Bomparolla.

Evangelina es un breve capítulo aparte. Ella lo conoció cuando era la secretaria de la empresaria Cecilia Zuberbhuler, y desde entonces fueron uno para el otro. Hija de Tito Bombarolla, un mecánico de motos que tenía su taller en Camarones y Jonte, Villa del Parque, Capital Federal, Evangelina debió soportar, apenas comenzó la relación, el acoso de algunos miembros de su familia, quienes le sugirieron, de diferentes formas, que distribuyera equitativamente los dividendos económicos de esa relación. Y también aguantó con estoicismo la persecución del empresario cuando se separaron momentáneamente y ella empezó a salir con un joven abogado. Hay varios testigos que podrían acreditar cómo la encontraba, siempre, y casualmente, cinco minutos después del regreso de la salida con el susodicho abogado.

Un día de enero de 1990, un cronista de *Somos* tocó el timbre del departamento que ocupa la familia Macri en el complejo Torres de Manantiales, en Punta del Este. Es un emplazamiento que el visionario hombre de negocios levantó cuando eso era un desierto. Abrió la puerta Evangelina, y el periodista, desinformado, hizo esta pregunta de tres palabras que pudo hacer fracasar el reportaje. La pregunta fue:

—*¿Está tu papá?*

Y ella respondió con una carcajada:

—*No: yo soy la novia.*

Igualmente bien se toma el asunto el novio. Y, en ese sentido, parece mucho más evolucionado que sus encargados de imagen y relaciones públicas, Fernando Marín y Víctor García Laredo, quienes consideran que el señor Macri debe ser visto como un hombre de negocios, más que como un ser humano.

De todos modos, aquel viernes 18 de octubre de 1991 en que los Macri se sacudieron al compás de diversos boleros para festejar en el bar-templo del artista under desaparecido Batato Barea el cumpleaños de Patricia Bordeu, estaba también uno de los más altos exponentes de la nueva burguesía argentina: el ministro del Interior, José Luis *Chupete* Manzano.

Manzano, quien tiene la fantasía de que cualquiera que lo critica forma parte de la banda de Desestabilizadores de Manzano, confirmó así la relación que lo une con el empresario, y rogó al fotógrafo que no lo retratara, y al periodista que no lo incluyera en su crónica.

Esa noche, los Macri compitieron, sanamente, en la danza y la ingestión de champagne. Testigos sobrios opinaron que Mauri no es Fred Astaire y que Franco, como bailarín, es un exitoso empresario.

—Tocaban "lo más", pero él movía las manos como si se tratara de música bossa nova. Ponía voluntad. Hacía lo posible... la verdad es que era un desastre —se animó, finalmente, a juzgar, uno de los presentes.

Es posible que al repasar estas anécdotas padre e hijo tengan una idea más acabada de la imagen que dan. Es posible también que Mauricio se enoje, y que Francisco tome a esta investigación como hacen los grandes: sin dramatismo y con humor.

Los que lo quieren y también los que lo dejaron de querer, pintan a este homo sapiens que recorrió ya las tres cuartas partes de su vida como un señor divertido, bienintencionado y sensible.

¿Por qué un hipermillonario no puede jugar al tenis, al truco, al bridge, al póquer, o preparar pastas a la carbonera, trufas blancas importadas de Milán a 3 mil dólares el kilogramo o empacharse con risotto al champán? ¿Por qué no puede dejarle 150 dólares de propina al encantador mozo hermafrodita de El Dorado? ¿Quién dijo que para tener chapa de empresario serio hay que ser necesariamente austero como Jorge Born o tacaño como Roberto Rocca, de Techint? Franco es *muy generoso*. Y hay decenas de episodios que acreditan su generosidad. Estos son unos pocos:

* Financió varias producciones de películas como *Adiós Sui Géneris*, *La Isla* y *Piedra Libre*, que obtuvieron muchos premios pero dieron mucha pérdida, y jamás se le oyó quejarse por eso.
* Jamás deja que paguen los demás una cena.
* Escucha a todo aquel que tiene un proyecto vital. Y financia no sólo a los que significan un negocio seguro, sino lo que es un placer tanto para él como para quien lo impulsa.

En este aspecto, tiene tanta sensibilidad como su hermano Antonio *Tonino* Macri. Tonino es cuatro años menor que Francisco y desde que sufrió un infarto en 1982 abandonó paulatinamente el mundo de los grandes negocios para dedicarse al mundo de los humanos: le dedica buena parte de su tiempo a su segunda esposa, la atractiva y delicada veneciana María Antonia Miranda Von Wolny; es presidente del Hospital Italiano; director-secretario de la Fundación Coliseum y consejero y miembro de la Honorable Junta Ejecutiva de la Sociedad Italiana de Beneficencia en Buenos Aires. Tonino ha salvado la vida de mucha gente sin pedido de publicación. Tonino ama la música, el arte en general y hace un tuco espectacular, cuya preparación se convierte en un rito digno de admirar. Tonino estuvo al borde de un ataque de nervios cuando a un alma traviesa se le ocurrió divulgar, a principios de 1983, en pleno proceso de restauración democrática, que él había sido uno de los usufructuarios de la patria financiera.

El caso es que Antonio Macri había pedido y obtenido un crédito del *Banco Ambrosiano* por aproximadamente un millón de dólares. Y que lo había depositado en el *Centro Financiero S.A.*, de Córdoba. Como se sabe, él debía abonar a su prestamista una tasa de no más del 20 por ciento anual, pero se beneficiaba en Argentina con un índice de retorno de más del 80 por ciento.

No hizo nada que no hubieran hecho cada uno de los que tenían resto para concretarlo. Sin embargo, fue señalado con el dedo como la Gran Excepción, y eso le afectó mucho.

Pero el desprendimiento económico de su hermano Franco no sólo se limitó al mundo de los amigos y de los negocios. También llegó al mundo político.

—*Pero eso no es una dádiva, sino una inversión* —interpretó un hombre que trabajó muchos años a su sombra.

Es cierto. No puede considerarse sino como una inversión a mediano plazo la apuesta que hizo al ayudar a Grosso, Bordón, el gobernador de La Pampa, Marín, De la Sota y el propio Manzano. Y no debe interpretarse más que como una ayuda al Estado el préstamo gratuito de los teléfonos móviles de *Movicom* o los *Peugeot 505* de *Sevel* a conspicuos funcionarios menemistas. Moisés Ikonicoff entendió bien de qué se trataba cuando le pidieron que devolviera el auto y el teléfono celular días después de abandonar el cargo de secretario de Planificación del Ministerio de Economía.

No sufrieron la misma desilusión Eduardo Menem, Alberto Kohan y Eduardo Bauzá, aquel verano en Pinamar, al constatar que más de uno tenía el mismo *Fiat Regatta* último modelo que su compañero de al lado.

Pero el más sorprendido y agradecido por la generosidad de Macri parece ser el ex viceministro de Economía del gobierno de Sourrouille & Alfonsín, Adolfo Canitrot.

Él cree recordar que sucedió en 1986. Estaban hablando con otro funcionario público de bueyes perdidos cuando se volvió a quejar por lo destartalado que tenía su *Dodgito*. Su colega entonces le dijo que él tenía la solución para su problema, y se la planteó así:

—*En Sevel hay una especie de agencia paralela donde vos podés conseguir un cero kilómetro a la mitad de precio de venta al consumidor.*

—*No jodás* —le cortó Canitrot, en su lenguaje habitual.

—*Te lo digo de verdad. El curro es así: a cada director de Sevel le dan un cero casi regalado que cambia cada seis meses. El tipo lo vende al mercado y se hace su diferencia. Ahora, hay una especie de pool de directores, una agencia paralela, que vende autos con pocos meses de uso a un mercado especial.*

—*¿Mercado especial?* —preguntó Canitrot haciéndose el... distraído.

—*Sí, el mercado que a la empresa le interesa: senadores, jueces, diputados, funcionarios de línea...*

Al segundo hombre del equipo económico no le pareció justo recibir ese privilegio. Pero tuvo la mala suerte de comentarle a su esposa, durante la cena, la interesante conversación con su compañero.

—*¿Te das cuenta qué barbaridad?* —la consultó.

—*De lo único que me doy cuenta es que vos sos medio gil* —parece que le dijo su compañera, cansada de la moralina de su esposo.

Así fue como Canitrot se desprendió de su querido Dodge y se compró un Regatta casi nuevo, a precio de alto funcionario del Estado. Lo tuvo que ir a buscar a la planta de Sevel en Palomar. El encargado de Relaciones Públicas que lo atendió lo trató como si fuera Diego Maradona.

Una persona que lo conoce bien aventuró que si Canitrot lo hubiese pedido a quien corresponde, se lo habrían regalado. Y agregó que cuando el licenciado en Política Económica narró los hechos, los remató así:

—*A veces me asalta un poco de culpa, pero debo decir, en favor de ellos, que jamás me pidieron nada a cambio.*

Tampoco se puede afirmar fehacientemente que Grosso haya recibido favores ostensibles para permitir a Macri entrar en todos los nuevos negocios que se generaron a partir de julio de 1989 con la agresiva política de privatizaciones.

Sólo se debe registrar, con rigor, cuáles son esos negocios:

* Muchos porteños tienen la sensación de que los limpiadores de los parques son los *famosos padrinos de las plazas*. En realidad, lo que hacen ellos es colocar las flores y la vigilancia. La que recoge la mugre es *Manliba*. El servicio de la compañía de Macri es excelente. Y le cuesta a los ciudadanos cerca de 250 mil dólares por mes.

* La Dirección de Catastros era el organismo de la municipalidad encargado de registrar y controlar cada uno de los metros cuadrados construidos en la Capital Federal para cobrar así el impuesto inmobiliario... hasta que llegó una Unión Transitoria de Empresas entre las que figuran *Itron* de Macri, y *Techint*, para hacerse cargo del asunto. Se considera que la evasión del impuesto a la propiedad supera en la capital el 50 por ciento. Se estima que las obras clandestinas se multiplican cada vez más. Pero no hay que desesperar, ya que esta UTE estaría fotografiando cada terraza y escudriñando cada departamento, en busca del evasor. El grupo prometió invertir 15 millones de dólares en los próximos 10 años, y otorgar 100 nuevos puestos de trabajo.

Este relevamiento le permitirá a Macri y a sus socios, ambos constructores, conocer cada rincón de esta inmensa ciudad.

Nada de lo que suceda en Buenos Aires les será ajeno.

* Hasta hace pocos años, a las escuelas públicas las limpiaban los encargados, a los que simpáticamente se los denomina porteros. Ahora, a muchas de ellas las limpia *Mantenga Limpia a Buenos Aires, S.A.*

* La municipalidad pagará un canon de 45 millones de dólares para la remodelación, el mantenimiento y la limpieza de los hospitales. Son 8 zonas y al cierre de esta investigación, todo indicaba que una le sería adjudicada, por licitación, a una de las compañías de SOCMA.

* Como si esto fuera poco *a Itron* se le entregará, también, toda la informatización de la Dirección General de Rentas hasta el año

2002. En esta tarea se incluirán la confección y *el cobro de todas las multas municipales.*

La diputada nacional Gabriela González Gass (GGG), quien fue secretaria de gobierno entre 1987 y 1989 tiene una interpretación particular sobre este asunto. Ella afirma que Grosso no privatizó, sino que *transfirió negocios del sector público hacia tres o cuatro grupos, los que tendrán el poder económico de la ciudad por un tiempo que va desde los 12 hasta los 20 años.* GGG no aclaró que antes, a todo eso lo hacía la muncipalidad, un poco más caro y seguramente bastante peor. Tampoco hizo la salvedad de que no se trata de contrataciones directas sino de licitaciones. Sólo profetizó:

—*Al sucesor de Grosso ya no se lo llamará señor intendente... porque será un mero títere de los grandes contratistas.*

Para justificar su desazón, la diputada nacional se remitió a la polémica renovación del contrato entre la MCBA y Manliba.

El mismo pleito que determinó que un día de junio o agosto de 1990 tres conocidos concejales rechazaran antes de recibirla una presunta oferta de coima de directivos de aquella empresa basurera.

4. No sabe, no contesta

Los trámites para conseguir la entrevista con Macri fueron complejos y tediosos.

El primer reportaje le fue propuesto al magnate, personalmente. Tomaba sol en el balcón de su departamento de Manantiales, y respondió:

—No tengo problemas. No soy de esos empresarios que se ocultan. Ultime los detalles con Víctor García Laredo.

Ya se aclaró que García Laredo es el lobbista del grupo. La primera cita con él fue prometedora:

Se ofreció como *coautor* del libro, oferta que fue rechazada.

Adelantó que él mismo sería de la mayor utilidad, ya que había trabajado además, y durante muchos años, junto a Carlos Bulgheroni.

Se entusiasmó con la iniciativa como un chico.

Sin embargo, a los pocos días, pidió un papel escrito con un temario. Y aclaró que no importaba que fuera informal. Éste es el material que se le envió:

ÉSTE ES UN SUMARIO TENTATIVO PARA EL SEÑOR FRANCISCO MACRI:

* Sus comienzos como contratista. Cómo empezó. ¿Cuántos años tenía? ¿Cuál era su visión del mundo entonces?
* Su infancia. Su familia. Alguna vez dijo que provenía de una familia acomodada. Detalles. ¿Por qué vino a la Argentina? ¿En qué vino? Sus recuerdos del viaje. Su vida en Roma.
* Sus antepasados. Los títulos nobiliarios, si los tuviera. Su árbol genealógico.
* ¿Cuál fue el primer contrato que hizo? ¿Cómo y dónde vivía entonces?
* Su casamiento. Sus amigos de entonces.
* ¿Cuándo empezó, realmente, a ser lo que es? ¿Cuándo lo supo? ¿Cuándo estuvo seguro de que construiría un imperio?
* Sus estudios en el Buenos Aires. ¿Por qué no terminó su carrera de ingeniero? La eventual frustración por no haber culminado ese estudio.
* ¿A cuál de sus empresas quiere más y por qué?

* Alguna vez dijo que sus empresas tenían un manual de procedimientos. Mostrar aunque sea uno.

* Los códigos de ética. Las reglas de oro de cada una de las empresas.

* Radiografía del grupo. La organización. Los sueldos.

* ¿Cómo y quiénes deciden los asuntos estratégicos y los tácticos? Ejemplos concretos.

* ¿Cuánto pagan de impuestos por todo concepto?

* ¿Cuánto le debe el Estado al grupo? ¿Cuánto, el grupo al Estado?

* ¿Cuántas obras públicas ganaron por licitación? ¿Cuántas les fueron adjudicadas directamente? Monto de la inversión. Detalles de las tratativas.

* Todo el caso Manliba. (La verdadera historia, la deuda real, la invitación a comer al Grupo de los 8, las denuncias del concejal Norberto Laporta sobre el supuesto incentivo monetario que habrían recibido decenas de concejales para votar a favor de la renovación del contrato.)

* Todo el caso Sideco y las cloacas de Morón.

* El paso de Macri por el Banco de Italia.

* Lista completa de funcionarios o ex funcionarios que además fueron o son directivos de las empresas del grupo. Ejemplos: Carlos Grosso, Guillermo Fanelli Evans, Ricardo Zinn, Carlos Ramallo, Roberto Righini, Haieck, Carballo, etc.

* ¿Cuándo consiguió su primer millón?

* Las relaciones con los gobiernos de turno desde los años cincuenta hasta ahora. Las anécdotas que ilustran esas relaciones. Las conversaciones con funcionarios como Mazzorín, Marcelo Kiguel, Sourrouille, Schiaritti, Domingo Cavallo, Martínez de Hoz, etc.

(En su archivo hay conversaciones muy ricas como la que tuvo con Kiguel durante el Plan Primavera). La odisea que significa desfilar por los pasillos de la Casa de Gobierno. El Congreso. Los ministerios, etc.

* Todo el lobby del grupo. Por qué prestan a los funcionarios autos y teléfonos móviles. Si es cierto que a Moisés Ikonicoff se lo dieron y se lo quitaron.

* Por qué regala estadías en el complejo Terrazas de Manantiales. Lista completa de los invitados además de Nosiglia, Granillo Ocampo, González Fraga y Marcelo Stubrin.

* Sus diálogos con Frondizi, con Lanusse, con Onganía, con Illia, con Videla, con Viola, con Galtieri, con Bignone, con Alfonsín y con Menem.

* ¿Cuánto dinero suministró para las distintas campañas electorales? Especialmente las últimas. Si es cierto que mandó a pedir un estudio de cómo se financian los partidos políticos en el mundo porque estaba cansado de que lo "manguearan" demasiado y políticos del mismo partido.

* ¿Cómo vive? ¿Cómo es un día completo suyo? (Lo ideal sería

que me permitiesen pasar un día entero con él para detallar sus actividades.)

* Sus gustos. ¿Qué libros lee? ¿Qué deportes practica? Sus salidas nocturnas a los boliches de onda. La música que lo apasiona. Sus hobbies. Su fama de buen cocinero y comedor de pastas.

* En algún momento, Macri reconoció que había dejado de lado sus relaciones personales por sus negocios. Que las había descuidado. Profundizar sobre el tema.

* ¿Cómo consiguió Sevel? ¿Por qué pagó por su paquete del 60% (de las acciones) apenas 15 millones de dólares si el valor total de la empresa era de 600 millones. Si Sevel fue o es la piedra angular del "imperio". Las condiciones de la entrega (el desprendimiento de personal, el traspaso de la deuda externa).

* La deuda externa del grupo llegó a 170 millones de dólares. Una resolución de Cavallo la transfirió a toda la sociedad. Su explicación.

* Explicación sobre el aprovechamiento de la promoción industrial.

* Si es cierto que durante el Proceso le salvó la vida a Grosso. Detalles de cómo fue.

* Su supuesta intención de comprar a Maradona.

* ¿Quiénes estuvieron en la quinta de Mauricio, además de Maradona y Goicochea?

* Todos los momentos que marcaron su vida. (Como el infarto de Antonio, su separación, la muerte de sus padres, la relación con sus hijos, la consolidación de su nueva pareja, y aspectos de los negocios.)

* Si es cierto que veía seguido y tenía una muy buena relación con López Rega.

* Su relación con el PJ. (Haieck, mientras fue ejecutivo de SOCMA, ocupaba la tesorería del PJ.)

* ¿Cuánto gasta por mes? ¿En qué? El último resumen de su tarjeta de crédito. Todas sus propiedades. Su cuenta bancaria.

* Explicar cómo fue que el grupo pasó de una facturación de 700 millones de dólares en 1984 a otra de 900 en 1987 y a una de 1.500 en 1990.

* Si tuviera que compararse con algún empresario. ¿Cón quién lo haría? (Lee Iaccoca, Henry Ford, etc.).

* ¿Qué tipo de organización empresaria le interesa más? (La japonesa, la norteamericana, la alemana.)

* Sus relaciones con la aristocracia argentina.

* Si no tiene miedo que su figura tan fuerte termine ahogando a alguno de sus hijos.

* ¿Cómo los cría? (Cómo fue criado él).

* Una reflexión sobre la clase dirigente.

* Una opinión sobre Jorge Born y su grupo, sobre Amalita Fortabat y el suyo, sobre Carlos Bulgheroni y Bridas, sobre Roberto Rocca y Techint. (Si es posible, que no sea de compromiso).

* Si volviese a nacer ¿qué le gustaría ser o hacer?
* ¿Quién será su sucesor?
* ¿Qué imagina que estará haciendo el día de su muerte?
* Si soñó alguna vez con ser presidente.
* Si tiene custodia. Si alguna vez intentaron secuestrarlo. Si pagaría el rescate en caso de que sucediera.
* Su fama de mujeriego.

(Éstos son solamente puntos de referencia. Recordatorios. Es para tener una idea de todos los temas que podemos tratar. Si ustedes prefieren que algunos sean *off the record*, que yo los ponga en mi boca, no hay ningún inconveniente. Lo ideal sería pasar un día entero con él. Ir conversando durante ese día. Y luego, recoger los datos técnicos que sean necesarios a través de las áreas respectivas. Le recuerdo que, de todos los puntos que hay en el sumario, yo tengo mi propia versión. Y que la obtuve de fuentes muy confiables cuya identidad no revelaré.)

15 de mayo de 1991.

A partir del momento en que García recibió este conjunto de temas, el entusiasmo se trocó en evasivas. Intentó ganar tiempo solicitando los antecedentes del autor. Se le remitió un sobre en el que incluso, figuraban varios artículos en distintos medios. Después de varias conversaciones telefónicas, derivó el asunto a uno de sus subordinados. Finalmente sugirió el contacto con el responsable de la imagen de Macri y el grupo: el productor de telenovelas Fernando Marín.

En el ínterin, se le entregó, en persona, otro cuestionario tentativo al vicepresidente de SOCMA, Mauricio Macri. Es el siguiente:

Cuestionario para completar la información oficial del grupo económico que preside Francisco Macri.

1) ¿Cuánto factura, el grupo, actualmente, en la Argentina?

2) ¿Cuánto factura cada una de sus empresas, por separado?

3) ¿Cuánto facturaba en 1976? ¿Cuánto en 1983?

4) ¿Cómo y por qué creció?

5) ¿A cuánta gente da trabajo directamente? ¿A cuánta en forma indirecta?

6) ¿Cuánto gasta en ayuda social por año?

7) Nombre, apellido y función de los principales directivos de cada una de las empresas.

8) ¿A cuántas licitaciones se presentaron en los últimos años?

9) ¿A cuántos y cuáles negocios accedieron por contratación directa?

10) Evolución de cada una de las empresas del grupo.

11) Sueldo que se paga en cada una de las empresas.

12) ¿Cuántas empresas del grupo quebraron y por qué?

13) Participación de cada una de las empresas en el rubro ventas.

14) Participación de cada una de las empresas en el futuro personal.

15) Si el grupo desapareciera ya. ¿Qué sucedería con la economía y el país en general?

16) ¿Cuánto dinero paga el grupo de impuestos? (Detalle de cada una de las empresas.)

17) Detalles de todo el management: jerarquías y funciones en el holding; quién responde a quién; código de ética; manejo de la imagen; decisiones de inversión.

18) Toda la información oficial posible sobre Manliba y Sevel.

19) ¿Cuánto le debe el Estado al grupo? ¿Cuánto el grupo al Estado?

Observaciones: Toda información oficial adicional será bienvenida.

20 de junio de 1991.

Una semana después la simpática secretaria privada de Macri juniors dijo:

—*La respuesta es negativa.*

Finalmente, la empresa cautiva del grupo Macri *Fernando Marín y Asociados* envió una respuesta final, con la firma de su director, Gerardo Palacios Hardy.

Se reproduce a continuación:

"Tengo el agrado de dirigirme a usted con motivo de la solicitud de entrevista que hizo al señor Francisco Macri.

En primer lugar, el señor Macri le agradece que haya pensado en él como uno de los empresarios sobre los que ha decidido escribir en un próximo libro.

Sin embargo, su decisión es la de no acceder a entrevistas para su difusión pública que tengan como propósito hablar de su vida privada, sus negocios, y los directivos del grupo SOCMA. Tampoco desea emitir juicios y opiniones sobre sus pares o cualquier persona que haya tenido actuación pública en un pasado reciente.

Rogándole sepa comprender esta decisión, hago propicia la oportunidad para saludarlo con atenta consideración".

Los complejos y tediosos trámites culminaron con esta carta formal. La mayoría de los puntos del sumario tentativo presentado a pedido del señor García Laredo fueron respondidos en los capítulos anteriores. Para los que faltan, éstas son sus respuestas:

* El señor Francisco Macri no tiene títulos nobiliarios.
* Además de Grosso, Fanelli Evans, Zinn, Ramallo, Righini y Carballo, otros funcionarios que trabajaron o trabajan en SOCMA son: Alberto Salem, quien se encargaba de las comunicaciones institucionales del gobierno radical; Rubén Fontana y Miguel García Moreno, quienes reciben órdenes de Grosso; Ricardo Keselmann, quien fue asesor del gabinete de Isabel, y Pedro Dudiuk, ex jefe de gabinete de la subsecretaría de Industria durante la gestión de Roberto Lavagna. Como se ve, son exponentes de los tres últimos gobiernos.
* La empresa a la que quiere más es a Sideco. Es porque es una constructora y él es un brillante constructor.
* El señor Javier González Fraga nunca paró en el complejo Terraza de Manantiales, sino muy cerca de allí.
* El sindicalista Luis Barrionuevo informó que para la campaña

electoral de 1989 SOCMA aportó a Carlos Menem 600 mil dólares y 12 *Fiat 1*.

* Fue imposible reconstruir un día completo suyo.

* No se pudo obtener el gasto de su tarjeta de crédito ni los movimientos de su cuenta bancaria.

* Ya se sabe qué es lo que hace en caso de secuestros.

* Es posible que ante la pregunta ¿Qué le gustaría hacer o ser si tuviese la oportunidad de nacer de nuevo?, hubiera contestado:

—Lo mismo que hago y lo mismo que soy.

* Es casi seguro que habría contestado así a la consulta de cómo se imagina que lo encontrará la muerte:

—Trabajando.

Fuentes seguras infirieron que el hombre de negocios no concedió la entrevista porque su equipo de comunicación consideró improcedente la aclaración del autor en la que se informa que, de cada uno de los puntos, ya se contaba con otras versiones.

Cuarta parte

Rocca, sólido como una

1. *Rocca: Los secretos de Techint*

En una extensa y apasionante conversación que duró más de dos horas, el dueño de Techint, el grupo económico más importante de la Argentina, Roberto Rocca, 70 años, casado, tres hijos, italiano, cédula de identidad 4.290.656, acuario en el horóscopo occidental y perro en el chino, reveló más cosas sobre el conglomerado y sobre él mismo de lo que jamás se haya conocido desde su fundación.

El ingeniero Rocca no sólo habló, sino que entregó un documento en el que se devela el árbol societario del grupo. *Un papel que prueba que todas las compañías del grupo Techint son verdaderamente extranjeras, aunque tienen fachada de sociedades anónimas nacionales.* Esta última realidad no es intrínsecamente perversa, pero demuestra que por mucho tiempo el Estado estuvo otorgando beneficios impositivos, créditos y promociones a empresas supuestamente argentinas, pero que en realidad son extranjeras. Algo que jamás hicieron países civilizados, liberales y desarrollados como Estados Unidos, Japón o Alemania Occidental.

El ingeniero milanés reconoció que hacía gimnasia para no morirse; calculó la facturación anual del conglomerado en 1.500 millones de dólares; confesó que pagaban 300 millones al año de impuestos; reveló que no llevaba custodia; concluyó que la mesa de dinero de Techint manejaba 80 millones de dólares mensuales; indicó que jamás pagaría rescate si lo secuestran; admitió que había gastado más de un millón de dólares en lobby en los Estados Unidos; negó que hubiera un pacto de sangre con sus hijos para continuar su obra; afirmó sin vergüenza que despidió al jefe del Área de Servicios porque un día faltó papel higiénico en una de sus fábricas; anunció con sutileza su retiro y aceptó hacer una pintura completa de Amalia Fortabat, Carlos Bulgheroni, Francisco Macri y Jorge Born, a quien le achacó moverse "con ligereza en el campo político".

Los encuentros con Rocca fueron dos. El primero se realizó en su oficina del piso 29 del edificio de Leandro Alem 1110, y se desarrolló bajo cierta tensión. El segundo tuvo lugar el martes 23 de abril de 1991, dentro de un automóvil que volvía desde Campana —donde se encuentra la impresionante planta de tubos sin costura Siderca— hasta su oficina en el microcentro. Este milanés de 70 años, que habla español correctamente, que juega al golf, al tiro con arco y flecha, que fue alpinista y vivió los horrores de la Segunda Guerra Mundial, no tiene un solo rasgo de frivolidad, se niega a contar aventuras disparatadas y es tan humano como todos nosotros. En la mañana del último encuentro tenía un pantalón gris, una camisa celeste, una corbata al tono y... una musculosa abajo, que haría poner colorado de vergüenza a Gino Bogani. Ahora debe medir un metro setenta, porque los años lo fueron doblando un poco. Y debe pesar no más de 65 kilos, porque los hombres, cuando se acercan al final, empiezan a comer como los pajaritos. Roberto Rocca, quien simpatizó con los fascistas, como su padre, ex subteniente de ingeniería naval, tripulante de un submarino de guerra, ingeniero mecánico, doctor en Ciencia recibido en el Massachusetts Institute of Techonology (MIT), camina demasiado despacio, y con trancos muy cortos. Cuando avanza, da la sensación de que quisiera pasar por la vida muy lentamente. Tiene los ojos claros y la mirada de un chico.

Rocca ha pedido con insistencia que se diferencie la ética del gruppo Techint de la ética individual de los hombres que lo integran. En las páginas siguientes se comprobará que esa es la única condición respetada para esta investigación.

El reportaje ha sido sintetizado y algunos de sus párrafos intercalados, para su mayor comprensión. Los paréntesis y subrayados son responsabilidad del autor. Este es el resultado:

Supe que iba a ser lo que soy y no otra cosa siempre, desde que nací. El grupo (no ha sido fundado sólo por su padre Agostino Rocca) ha sido formado por mi padre y yo. Lo hicimos los dos juntos, de la siguiente manera. Fue en 1945. Era el fin de la Segunda Guerra Mundial. Él (su padre, Agostino), tenía 50 años. Y junto con su hermano (Enricco Rocca) y unos veinte viejos amigos, vinieron a la Argentina. (Enseguida) nos encargaron a nosotros, un grupo de jóvenes ingenieros (la organización), de toda la parte operativa. Yo todavía estaba en el submarino. Por eso Agostino se trajo primero a un grupo de amigos, como Rosa y (Lorenzo) Einaudi (a levantar Techint). Estos colaboradores se asociaron como "juniors Staff", desde el comienzo. ¿Cómo hay que entender la estructura (del grupo)? Agostino Rocca era un ingeniero. Y formó el grupo como un mecanismo de ingeniería. Él no llegó solo (a este país). También llegó con inversores italianos, a los que logró convencer de que se tenía que formar un hólding. Y (a quienes también) convenció de que tenían que darle a él la suficiente autoridad para conducirlo. (Para) manejarlo como si fuera un grupo con acceso a un gran Fondo de Inversión.

¿Ahora entiende? Este es el grupo. Un grupo que aquí en la Argentina se identifica (con el nombre de) Agostino Rocca y Cía. Y nosotros (él) tenemos lo suficiente (las acciones necesarias) como para controlar la mayoría de las empresas que lo integran. Y todavía ahora, todas las inversiones provienen de un Fondo de Inversión. Un fondo al que yo llamo "Huérfanos y Viudas". Lo llamo así porque al

principio aportaban a ese fondo los dueños de los grandes grupos italianos. Pero después quedaron los hijos de éstos, los nietos, y también las viudas. Hoy, en total, serán unas 400 o 500 personas, (herederos) de los inversores primarios que confiaron en Agostino Rocca.

Ahora quedan las inversiones. Y nuestra tarea es que (los inversionistas) no pierdan demasiado dinero.

¿Que cuánto dinero tengo yo?... ¿Yooo? No sé. No comments (sin comentarios). Si quiere, usted puede escribir que mi padre, en el momento de morir, quintuplicó la fortuna de su madre. No tiene interés saber cuánto dinero poseo. Puedo decirle que el grupo factura 1.500 millones de dólares. Que nuestra familia controla todo el grupo. Pero que, en total, tendrá la propiedad del 15 por ciento (de todas las acciones).

Bueno. Tampoco... me quiero hacer el pobre. No quiero decir que no tengo dinero. ¿Austero? ¿Qué significa, exactamente, austero? Nosotros (los Rocca) somos genoveses. Los genoveses tienen casas viejas y buenas. Fuertes de construcción. No ostentosas. Ni mi familia ni yo pasamos nunca necesidades. (Pero) tampoco andamos mostrando.

Me pregunta por el palazzo de Milán. (Yo le respondo que) depende qué es lo que se entienda por palazzo. Palazzo (para los milaneses) no es el Gran y Viejo Palacio del Medioevo. Mi palazzo de Milán no es más que un viejo conventillo (ubicado) a dos cuadras de la piazza. En ese lugar, hace muchos años, había unos 30 conventos. Y ahora hay muchos departamentos. (Está) el mío, el de mi suegra, el de mis hijos, y hasta el de un amigo. Y abajo hay un restaurante. Si tuviera que compararlo con algún edificio de la Argentina le diría que es (una construcción) típica del viejo San Telmo.

(Por supuesto) que si volviera a nacer haría lo mismo que ahora. Y sería lo mismo que soy. Yo era y soy una persona con un elevado concepto de mí mismo. Y un profundo sentido de la responsabilidad. Cuando (Agostino Rocca, su padre) vino aquí, yo tenía casi 23 años. Y había recibido una beca del MIT. Era 1949. Mi alternativa era quedarme en los Estados Unidos o viajar a la Argentina para mantener al grupo. (Hizo lo segundo). Pero fue una decisión crucial. Pasaba el 70 por ciento de mi tiempo en Italia y el resto en la Argentina.

¿Si mi padre fue una sombra para mi desarrollo? No fue una sombra. Como tampoco creo que yo seré una sombra para ninguno de mis tres hijos (Agostino, Paolo y Gianfelice Rocca). Para hablar (de los Rocca y de Techint) usted tiene que pensar siempre en el origen. En el origen genovés. Los genoveses somos... distintos. Las familias genovesas son familias de navegantes. En 1700 y 1800 nuestra familia navegaba a vela. Y había dos hijos que tenían que salir a abrir fondas. A abrir las bases de lo que después fueron sus propios comercios. Si (se tomara el trabajo y) revisara la trayectoria de todas las familias genovesas se encontrará con que los hijos trabajan con los padres a la par: continúan la acción y abren más negocios.

El jefe de la familia (de los Rocca) vivía en Ruano. Mi bisabuelo estaba (radicado) en Odessa. (Un hermano de él) estaba en Londres. Otro en Marsella. (En todas esas ciudades) abrían sus fondas. Nosotros exportábamos trigo desde Odessa y desde Rusia a la Argentina. Señor: el primer cargamento de trigo candeal que llegó (desde Europa) a este país se llamaba... Filipino Rocca. Y el capitán del barco era... ¡Paolo Rocca! ¿Cómo puede pensar que mi padre pudo ser una sombra?

Tampoco significa dependencia (el hecho de que los hijos viven muy cerca o con los padres hasta muy grandes). Se trata de una vieja tradición. A ver... Yo tengo tres hijos. Agostino encabeza el grupo (Techint). Paolo encabeza Siderca (la empresa más grande y rentable del grupo). Y Gianfelice vive en Italia. Los tres son muy distintos. Pero yo los quiero igual a los tres. ¿A usted le interesa el tema de las casas? Bien. Mi padre, cuando llegó, alquiló una casa, bastante grande, en Martínez (provincia de Buenos Aires). Yo viví, mucho tiempo, con él, allí. Más tarde, le compré una casita, muy chica, cerca de ahí. (Me fui de la casa de mi padre) porque ya me resultaba incómodo vivir allí, ya que había mucha gente, muchos nietos. De todas maneras (se puede decir que) yo viví con mi padre hasta (1977) el año que murió. Es cierto que él usaba su casa de Martínez como lugar de fin de semana, y que trabajaba en su estudio de la capital hasta las 12 de la noche. No había forma de estar todo el tiempo juntos y pegados.

No se trata de dependencia. Es tradición.

Mi padre luego compró una casita al lado de la mía. Y las unió a las dos a través de la cocina. Más tarde compró el terreno de al lado y construyó otra casita. Esta es la casa en la que ahora vive (mi hijo) Agostino. Pero tanto él como los demás son muy independientes, y sólo vienen a Martínez los fines de semana.

Ni ellos ni yo tenemos custodia. Yo camino solo por la calle Florida, y para mí eso es muy normal. Mi padre tampoco llevó custodia. Ni tuvo miedo de que lo secuestren. Además, yo creo que en la custodia está el germen del secuestro. Es muy fácil que (los custodios) sepan dónde, cómo y cuándo secuestrarlo. Mi padre tenía un lema. Nos decía:

Si me secuestran y piden rescate, ustedes van y se lo pagan... pero a Don Orione.

Si los secuestradores piden más, ustedes ponen más para Don Orione. En algún momento los secuestradores se darán cuenta que, cuanto más plata pidan, menos les quedará para cobrar.

Nunca intentaron secuestrarme, pero si lo hicieran, ordenaría no pagar rescate. Además, no creo que sea lo más sano hacerlo. No creo que el pago del rescate asegure la libertad. El caso Clutterbuck es una muestra. (Además de ese lema, los consejos más importantes que recibí) fueron los de Agostino Rocca.

No eran consejos a un hijo. Eran consejos derivados de su ética. No me los daba solo a mí sino a todo el que tenía cerca. Uno era:

Uno no puede gastar más de lo que produce.

Uno tiene que producir por lo menos lo que gasta.
Otro decía:
El amateurismo no sirve.
las cosas tienen que hacerse siempre bien, nunca más o menos.
Después repetía un pensamiento alemán:
Las cosas deben hacerse bien por amor a las cosas.
Y también:
Todas las cosas que se hacen deben tener un mínimo de rendimiento y un máximo de sentido social.

Puedo decir que la ética del grupo no ha cambiado. (Pero) no me siento el continuador de mi padre. Sino el continuador de una idea: una idea familiar que empezó a principios de siglo.

Por otra parte, al grupo yo también lo considero mi propia criatura. Déjeme aclararle que (Techint) siempre se movió sobre dos pilares: los viejos y los jóvenes. Los viejos eran Agostino y sus socios (quienes) planearon con éxito toda la estrategia. Los jóvenes éramos nosotros y fuimos los encargados de la construcción, del día a día.

La gran enseñanza de Agostino fue el no habernos dado la medalla cuando pusimos la primera piedra, sino cuando colocamos la última. Cuando empezamos a levantar Siderca, lo primero que apareció fue un cartel, que decía:

La planta se pone en marcha dentro de 438 días.

Y todos los días se le iba modificando la cifra. Demás está decir que Siderca se puso en marcha de acuerdo a lo prometido. Que no hubo bla-bla-bla, sino un serio estudio de sistemas y directivas claras para que la gente haga lo que tiene que hacer.

(Pero) nosotros (los Rocca, además de genoveses) somos ingenieros. Y los ingenieros aman construir. No están ligados a nada rígido. Nosotros podemos construir en Argentina, pero también en Turquía, en Arabia Saudita y en Colombia, porque, además de todo, somos profesionales. Tenemos la capacidad de construir sistemas complejos. Y esta es la razón por la que los socios e inversores apoyaron a Agostino Rocca en su aventura de venir a la Argentina. (Todos sabían que éramos) profesionales de la producción industrial. Que podíamos hacer los mejores tubos (sin costura) y comercializarlos como nadie.

¿Qué lo diferenciaba a Agostino y a los Rocca (de cualquier otro grupo)? La pasión por el producto.

La pasión por el producto era otro de sus lemas, y es también una de mis manías. Siento que es una manía porque me miro al espejo, la observo, y me parece que estoy envejeciendo. Pero no es una manía mala.

Es la manía de creer que la manera como se hacen las cosas es más importante que los resultados.

Los latinos y algunos argentinos piensan lo contrario. Dicen:

—Pero Roberto... si el resultado ha sido bueno. ¿Qué importa cómo lo logramos?

Yo les digo no. Lo que importa es el método. El orden organizativo. Porque eso es lo único que persiste. Lo único que lleva a lograr, casi siempre, buenos y durables resultados. A veces tengo miedo de guiar nuestra tarea en base al supuesto éxito. Hay quienes dicen (en Techint):

—¡¡¡Tomamos los ferrocarriles!!!

Como si el mero hecho (de ganar la licitación para explotar el ramal Rosario-Bahía Blanca) fuera el éxito. Pero mi problema no es ganar la licitación. Yo deseo saber cómo vamos a manejar (ese negocio). No quiero que el encargado me anuncie:

—Rocca: dentro de un año esto va a ser un éxito.

Quiero saber qué es lo que va a hacer para que funcione desde el primer día. Esa es mi parte maníaca. Y era también la manía de Agostino. Porque Agostino también era un hombre sustancialmente operativo. Era un hombre fiel a sí mismo. Y jamás quiso ni pudo convertirse en otra cosa que lo que fue. Cuando terminó la guerra, él pasó a ser gerente general de Fisinder y administrador de Dálmine Italiana, y de Cornigliano. Fisinder era un estudio. Dálmine fabricaba tubos,como Siderca hoy, y Cornigliano hacía chapa en frío, igual que Propulsora ahora.

En el mundo actual eso (la fidelidad, el amor al producto) está mal visto. Es un mundo de bussinesmen (hombres de negocios) de hombres que pueden pasar de un negocio a otro, de un trabajo a otro, porque lo único que buscan, lo único que perdura en ellos, es el deseo de ser exitosos. Sinceramente creo que ese espíritu es el que hace fracasar a los negocios. El otro, el (espíritu) propio del emprendedor italiano, del que tiene una pasión y la mantiene toda su vida, no puede fallar jamás. Yo (en Techint) encabecé 53 grandes iniciativas. Algunas de ellas fracasaron. Yo me dediqué a hacer un análisis del porqué. Encontré el factor común enseguida. El factor común era que faltaba el hombre apasionado por el producto. El (individuo) capaz de medir la calidad y la capacidad del producto. Descubrí que fracasamos cuando alguien gritó:

—¡Es una gran iniciativa! ¡Vamos a tener mucho éxito! Pero jamás se apasionó.

¿Me está preguntando si alguna vez fui a un psicoanalista o a una bruja? No entiendo. Pero. No. No. Nunca. Jamás sentí esa necesidad. Yo soy un hombre profundamente racional. Los hombres como yo no son tremendamente divertidos pero están satisfechos con ellos mismos. He sido y soy un hombre de notable inteligencia. Con un coeficiente muy cercano a los (niveles) máximos. Pude haber sido un buen matemático. O un excelente inventor. Aún así, creo que en una organización compleja como Techint es muy necesario un hombre racional para poner orden.

Techint no es un grupo ordenado, es un grupo anárquico. Quiero que lo entienda así: aquí existen líneas de mando que son muy respetadas pero no dictatoriales. ¿Cómo explicarlo?

Todos los días surgen problemas nuevos y para solucionarlos se eligen siempre hombres distintos. El más apto para conducir cada problema. Luego, todos nos ponemos detrás de ese líder momentáneo. Un ejemplo: cuando el problema son las pri-

vatizaciones, todos se ponen alrededor de Roberto Sanmartino.

Mi tarea como jefe del grupo es controlar esa informalidad, pero no cortarla. Somos informales y eso es bueno:

Todo el mundo puede entrar a mi oficina cuando se le da la gana... antes de pasar su cuerpo por las armas de Gulia. (Gulia es su fiel secretaria privada. Lo anterior quiso ser un chiste).

Yo contesto personalmente todas las cartas que me escriben los obreros. Yo voy muy seguido a Siderca y algunos antiguos empleados... ¡hasta me dan besos!

Esa es la cultura de Techint. Y sus reglas de oro son:

** mantener el reconocimiento de la autoridad final.*

** descentralizar al máximo las decisiones.*

** crear un ambiente en el que no sea necesario empujar a la gente para que se mueva.*

** convocar con urgencia a los técnicos respectivos cuando surge un problema de su área.*

** rotar a los principales gerentes que pueden estar un día en Milán, otro en China y otro distinto en Arabia Saudita. (Pero) no sé, en realidad, si Techint es el grupo más importante de la Argentina. De hecho, hay muchos grupos, como Pérez Companc, que tiene más influencia sobre los hombres de gobierno que Techint.*

No me interprete mal. Claro que Techint tiene su lobby. Todos lo tenemos. Es que en la Argentina, el acceso ante quien dictamina tiene que ser inmediato. Y debe ser así porque a veces (los funcionarios) no se dan cuenta de lo que firman o lo que hacen. Hay proyectos en los que diputados (incluyen) determinados artículos (que) pueden afectar o llevar a la destrucción a ciertas fábricas. Una de las tragedias de la Argentina es que no hay una estructura profesional de funcionarios públicos. Y otra (desgracia) es que quienes dictaminan las leyes normalmente no conocen en profundidad al sector que afectan con ese dictamen. (De manera que) es necesario un lobby explicativo.

En otros países, el lobby está legalizado. En los Estados Unidos, nosotros (Techint) gastamos este año un millón y pico de dólares para defendernos de los ataques de algunos (competidores). Yo mismo estuve en Washington haciendo lobby. Allí los diputados están obligados a escucharnos y considerarnos.

Aquí, en cambio, yo no voy con mi abogado a decirle a ningún diputado cómo creo que me afecta tal medida. Sin embargo, a veces, soy el encargado de decirle a tal funcionario cómo afecta su decisión al sector. Pero en este país los ministerios no saben informar a los hombres políticos las situaciones concretas de cada sector. Por eso hay tanta confusión y tantas presiones.

Otro lema que siempre repetía Agostino era romano y decía:

Hay que obrar como si fueras a vivir eternamente
pero pensar como si pudieras morir en cualquier momento.

Él murió con los papeles en la mano. Y a mí también me gustaría morir así: de golpe, y trabajando. Estoy seguro que (el día de mi muerte) estaré haciendo cosas constructivas. Que no estaré, seguro, al sol, con un cigarrillo en la mano derecha y un vaso de whisky en la mano izquierda. No soy un hombre que pueda estar mucho tiempo sin hacer nada. Mi padre tampoco.

Mi padre fue un hombre que hizo grandes obras. Obras que siempre podían expandirse. Obras para que luego, con los años, se pudieran hacer alrededor... otras grandes obras.

Siderca nació así. El plan regulador de Siderca tiene nada menos que 50 años. Y toda la obra incluye, además de los barrios que estamos viendo ahora juntos, algunas cosas que no se hicieron, pero que tarde o temprano se levantarán.

A veces no entiendo a los industriales argentinos.

No comprendo cómo pudieron levantar sus fábricas en zonas tan cerradas y limitadas como... Avellaneda y no en otras donde pudieran expandirse. Conozco a muchos que tuvieron que cerrar sus fábricas por haberlas levantado al borde del riachuelo o porque contaminaban el aire.

La vieja obsesión de mi padre (de construir en una zona muy abierta y durante muchos años) también fue transmitida a todos nosotros.

Por eso yo también pienso para el año 2000...

Porque la industria se construye para siempre. Y en la Argentina no habrá futuro si no es un futuro industrial.

¿Cómo se hace para convencer a los políticos, a los funcionarios y a los ministros de Economía de que sin industria este país se muere?

Hoy mismo tres jóvenes me pararon en Campana para pedirme trabajo. Y Campana es un centro industrial. Quizá el más próspero de Argentina. Pero. ¿Por qué no hay más fábricas como Siderca? ¿Por qué no hay más centros industriales como éste? Yo quiero que haya más, porque dentro de 10 años el problema se nos va a venir encima a nosotros (a Siderca y a Techint). Y estoy preocupado. Porque Siderca será cada vez más automática y necesitará de menos gente. ¿Qué pasó con aquellos pequeños bancos que financiaban a pequeñas empresas de nuevos emprendedores? ¿La Argentina pensará quedarse sólo con tres o cuatro grandes empresas en todo el país? Una vez me senté a conversar con Jorge Born. Fue cuando era el auge (de ese empresario). Fue poco antes de que cayera (Néstor) Rapanelli. Y me dio la impresión de ser un hombre inteligente. Pero no entendí cómo pudo entrar al campo político. Me pareció que (Jorge Born) se movía en el campo político —en la industria pesada del campo político— con extrema ligereza. Me pareció que no se dio cuenta de dónde se había metido. Yo pienso que el hombre de empresa debe mirar la política desde la distancia. Los gobiernos políticos son completamente distintos a los gobiernos de las empresas. El mundo político es un mundo de compromisos. Donde siempre alguien le debe a otro algo. En esa conversación —y este es el punto al que quería llegar— me pareció ver a Jorge Born demasiado preocupado por el desarrollo agroindustrial.

Me pareció que no reconoció —como no lo reconoce la mayoría—

que el problema argentino está ligado ún-ni-ca-men-te al desarrollo industrial. Porque desarrollo agroindustrial ya ha habido. Y no puede haber más. Es decir: no hay más mercado. Yo le pregunté (a Jorge Born):

—Cuando usted duplique su producción ganadera, ¿a quién se le va a vender? A nadie.

Duplicar la producción ganadera en Argentina es lo mismo que multiplicar la producción cafetera en Brasil.

Por suerte, en ese país se dieron cuenta que las ciudades no crecían con el cultivo de café. Por suerte los paulistas (los industriales de San Pablo) se lanzaron a industrializar el Brasil.

Yo no soy un aristócrata. Soy de lo que se denomina aristocracia burguesa italiana. No sé cómo será la aristocracia argentina. Pero yo una vez le dije a (Guillermo) Alchourrón (ex presidente de la Sociedad Rural Argentina):

—Ustedes exportan unos (pocos) millones de dólares al año y se dan el lujo de hacer una fiesta en la Rural todos los años... ¡Eso es una porquería! A la industria, en cambio, no hay que darle nada. Sólo hay que dejarla para que se desarrolle.

Lo único que se necesita es estabilidad en la política económica. Porque cuando se planta soja no se necesita más de un año para saber si la cosecha fue buena o mala. Pero el negocio de la industria no es como la agricultura. Necesita por lo menos un ciclo de 8 años para evolucionar. El complejo que usted acaba de ver (la planta de Siderca) necesitó 2 años de proyectos, 3 de construcción, y 3 más para ponerse a trabajar. Pero no tuvo un ciclo de certeza de 8 años. No tuvo ni siquiera 4 años de política (económica) uniforme.

¿Usted quiere saber cuánto le debe el grupo al Estado? La verdad es que no le debe nada.

En cambio el Estado le debe a Techint algo parecido a 400 millones de dólares.

Le debe 140 millones en BOCREX (bonos de la deuda externa).

Le debe 80 millones de dólares en papeles con los que el Estado pagó nuestro trabajo en (el gasoducto de) Loma de la Lata.

Le debe otros 30 o 40 millones que no están formalizados.

Pero el grupo no puede convertir todos estos bonos en dinero líquido. Si los tuviéramos que comercializar ahora no sacaríamos más de la mitad de su valor real.

Y eso que pagamos todos los impuestos.

Nosotros exportamos 400 millones de dólares (en tubos sin costura) y pagamos 150 millones por impuestos directos e indirectos.

Sólo desde enero a marzo de 1991 pagamos 41 millones de dólares de impuesto al capital.

Y, globalmente, el 20 por ciento de todo lo que facturamos se destina a impuestos. (Es decir: 300 millones de dólares por año).

Es cierto que tenemos los hóldings en países como Panamá. Lo hacemos porque son naciones donde no se pagan dobles impuestos. Le explico:

Yo pago los impuestos de Siderca.

Pero cuando transfiero el dinero de Siderca al hólding tengo que pagar el 17 por ciento de impuesto adicional sobre ese dividendo.

El impuesto llega al hólding y en el hólding se convierte en utilidad. Pero como el hólding paga un impuesto por su utilidad, en realidad lo que hace es pagar dos veces.

Esa es la razón por la que los hóldings de Techint están en esos países. Es que son Estados donde no se pagan impuestos por utilidades, o se paga muy poco.

De todos modos nosotros tenemos una especie de hólding acá (en Argentina). Se llama Santa María.

Santa María es una financiera interna del grupo. No hace ninguna operación financiera externa. Tampoco actúa en el mercado.

Santa María es la tesorería del grupo: toda la "caja" de Techint se deposita en Santa María.

Santa María opera, como máximo, 80 millones de dólares mensuales.

Santa María trabaja así:

Supongamos que Siderca tiene 50 millones de dólares cash (en efectivo). Entonces se los da a Santa María. Luego ésta los deposita en un banco de los Estados Unidos. Entonces, cuando Siderca tiene que pagar sus sueldos toma el dinero de su cuenta corriente con Santa María. ¿Entiende? Yo, por ejemplo, a mis fondos los coloco en Santa María. El personal no. No lo hace porque no es un casino.

(Le explico todo esto, le concedí la entrevista) por otra de mis manías. La de querer convencer a los otros. Pero es una manía estúpida e insulsa, porque normalmente no puedo convencer de nada a nadie...

(Le concedí el reportaje) también, para decirle que el mundo industrial no funciona como lo cuentan las anécdotas de algunos medios.

Por ejemplo, aunque muchos imaginan lo contrario, nosotros calculamos que (en el último ejercicio) desde junio de 1989 hasta junio de 1990, el grupo perdió 130 millones de dólares. Y si le descuento, como corresponde, las amortizaciones, considero que perdimos, de caja (en efectivo real) 50 millones de dólares.

Quiero decir: que Techint le transfirió a la Argentina 50 millones de dólares, a cambio de nada.

Y agregó: si el grupo pierde 50 millones de dólares por año, tardará no más de 30 en desaparecer.

No me gusta mucho hablar sobre los demás.

Pero, no sé... Amalita Fortabat es una mujer más inteligente y activa de lo que la gente cree. No es la mujer típica del jet-set que sólo se ocupa de gastar su dinero. Ella sabe lo que pasa en la empresa, se mueve, cuida de su personal... toma decisiones. En fin: me resulta difícil hablar sobre una persona tan rica; los ricos tienen muchos problemas derivados de su riqueza. Debo decir, eso sí, que aunque (Amalita) no tuviera nada sería (igual) una persona interesante.

¿Bulgheroni? Bulgheroni es un hombre del petróleo. Un típico

hombre del petróleo. Una especie de... texano. Estos hombres son un poco... raros. Juegan a todo o nada. Él está aquí, pero podría estar también en Texas o en Houston. Su diferencia con Astra o Pérez Companc es que estos dos grupos son mitad petroleros y mitad industriales.

Macri, en cambio, es el gran self-made man. Un hombre que se hizo a sí mismo. Con una gran capacidad e intuición para identificar nuevos campos de desarrollo. Mientras nuesta principal característica (la de Rocca) es que somos hombres de producción y que manejamos nuestras cosas (nuestros negocios), la más importante habilidad de Macri consiste en juntar grupos. En asociar a grupos extranjeros e inducirlos a invertir. No quiero decir con esto que Macri sea... totalmente... un intermediario. Porque él también participa (de los negocios) aunque no tiene la mayoría accionaria en muchas de sus empresas. Nosotros somos incapaces de hacer (lo que hace Macri). Seríamos incapaces de meternos en negocios (que no conocemos) como los inmobiliarios.

Bunge & Born, finalmente, es un grupo comercial y despersonalizado. El valor agregado (el capital de riesgo) que ponen es pequeño. Es igual que Continental y que Dreyffus. Y es manufacturero. El manufacturero es un tipo apasionado. Pero en ese tipo de negocios las personalidades (las individualidades) no pesan.

¿De qué me arrepiento?... ¿Arrepentirme? Bueno: me arrepiento de la falta de tacto al pelearme con mi padre cuando discutíamos problemas serios. De no ser más blando en la discusión, para preocupar a mi padre mucho menos. A él le faltaba fuerza, al final, para conducir las cosas importantes. Pero yo tendría que haber forzado menos mis ideas.

Yo no voté a nadie nunca en la Argentina, porque soy italiano. Pero a mí me gustaban y me gustan los presidentes calmos. Me gustaba (Arturo) Illia. Y al principio me gustó Alfonsín. Lo hubiera votado en 1983. Pero no lo habría votado en 1987. También habría elegido a (Carlos) Menem en 1989, aunque no por él, sino por reacción al fracaso. Jamás hubiera votado a (Juan) Perón en 1974. Y si tuviera que decidir ahora lo haría por (César) Angeloz.

Nunca pensé en ser ministro de Economía o presidente. Absolutamente no. A mí la política me aburre. No puedo soportarla. Esas reuniones de 20 personas en las que hablan largamente 19 y no hacen nada concreto me parecen totalmente inútiles. Yo amo la eficiencia. Y en el trabajo político tendría 0, 1 o 2 de eficiencia.

Yo soy ingeniero. Pero no detallista. Yo no llamaría ser detallista a fijarse si está la toalla o el jabón en el baño de la fábrica. Cuando yo despedí al encargado de servicios porque faltaban toallas (y papel higiénico), me pareció justo. (Y lo hice porque) me pareció que estaba contrariando el espíritu de la empresa.

Si un japonés visita el baño de su compañía y lo encuentra sucio dirá:

—Este baño no es japonés.

Y también se preguntará:

—Si así están los baños donde todo el mundo va. ¿Cómo estarán los demás lugares?

Así pienso yo. Y siempre visito los lugares visibles de mis empresas. Y supongo que si están sucios, el corazón de la empresa debe estar mucho peor. Por eso yo no despedí al encargado de colocar el papel higiénico: despedí al encargado del Área de Servicios, un sector que refleja la cara de la compañía.

No se equivoque. No estoy en todo. Voy a decirle la verdad: Estoy retirado.

Y no me ocupo de la parte operativa: no opero más. Sólo controlo. Mantengo el ambiente para que mi gente opere. Digamos que todo el mundo, en Techint, siempre, tiene que rendir cuentas. Mi función es nada más y nada menos que leer esa rendición de cuentas.

¿Usted quiere saber quién será mi sucesor? Será el que sea capaz de mantener al grupo unido. Y la condición para que Techint siga unido es que la familia Rocca mantenga el hilo conductor.

Así es: mientras la familia controle el grupo nada sucederá, y también se mantendrán unidos sus (principales) dirigentes.

En los países latinos la continuidad es lo que mantiene a los grandes grupos vivos.

En Japón, la motivación no es la herencia familiar sino la lealtad a la empresa. Los grupos japoneses son sociedades anónimas dirigidas por decenas de ancianos leales a... esa sociedad anónima.

En Estados Unidos, lo que hace latir a las grandes empresas es el profesionalismo. A los dirigentes no se los elige por el apellido o por su lealtad, sino por su actitud profesional. En ese país, un profesional que hace su trabajo como corresponde... puede llegar a convertirse en el dueño de la empresa.

En Alemania, en cambio, el sistema de motivaciones para mantener vivo (un imperio) es la lealtad a la línea de mando. Es una lealtad absoluta: más que militar. La compañía alemana que por una razón fortuita pierde la línea de mando, seguro que quiebra o se funde. Es curioso: los alemanes saben con mucha anticipacion quién será el número dos. Saben de memoria que el secretario general de una compañía será, seguro, el próximo presidente. Y también necesitan conocer quién es el tercero. Si les falta esa certeza se desesperan.

La Siemens, por ejemplo, tuvo una etapa de crisis aguda porque no encontraba al último Von Siemens de la sucesión. ¡No encontraba al heredero! El tipo estaba en Australia e hicieron lo imposible para ubicarlo. No era para menos... corría peligro la compañía.

En el caso de nuestro grupo, insisto, es necesario que se prolongue el hilo familiar en la conducción.

¿Pacto de sangre? ¡Ningún pacto de sangre! Mis hijos no entraron a la sociedad por la fuerza. Entraron después de probar distintas cosas muy diferentes. Entraron porque tenían vocación.

Pero mi mayor preocupación, ahora, es tratar de no despedir personal. Techint solamente tiene 1.500 personas. Sobran 300 en la sede central. Pero se trata de un centro de ingeniería, de computa-

ción, con muchos especialistas aquí y en el mundo. No podemos (darnos) el lujo de perderla. Entonces la vamos a trasladar. 115 irán a (el negocio de los) teléfonos, en el que tenemos una participación del 10 por ciento. Apenas manejemos los ferrocarriles, enviaremos a otras 100 personas. A (el negocio) del peaje irá otro tanto. No perderemos personal tan especializado. Dejaremos de ser dependientes de las estructuras del Estado.

¿Qué? No señor. No pienso en la muerte. Tampoco le tengo miedo. Ni siquiera la miro de costado. No quiero hablar de esto. Soy un hombre racional. No quiero hablar de la muerte.

No hay un solo hecho, determinante, que marcó (mi vida) para siempre. Para ser sincero (debo decir) que mi formación fue bastante más... complicada que la de cualquier joven de hoy. Pienso en 1940. Pienso en la guerra. Yo era militar. Yo tuve que caminar 500 kilómetros durante todo el verano de 1940. Y también estuve embarcado en un submarino desde fines de 1943 hasta fines de 1945. Había guerra y le aseguro que las bombas se sentían por todos lados. En febrero de 1945, para huir de la guerra, me casé. ¿Por qué? Bueno... preferí, en ese momento, morir casado que morir solo. En marzo de 1946, como ya le expliqué. Agostino (su padre) voló hacia la Argentina. Y yo volé hacia los Estados Unidos. No tuvimos mucho tiempo de pensar en la guerra. Nos pusimos a trabajar. Nos encontramos varias veces en Italia, Argentina y los Estados Unidos. Enseguida yo empecé mi doctorado en el MIT.

Todas esas cosas (todo ese vértigo) me ayudó a tomar la vida con menos sentido trágico.

Hay dos cosas que jamás haría en vida. Una es comprar bancos y la otra adquirir medios de comunicación.

Los bancos son peligrosísimos, porque las empresas productivas (de un mismo grupo) siempre tienen la tendencia de hacerse financiar por ese banco. Y dejan de preocuparse por sus finanzas.

Los medios de comunicación no me interesan. No me importa demasiado influenciar a la gente. Y siempre terminan dependiendo de los partidos políticos. Berlusconi, por ejemplo, tiene una alianza de intereses con el Partido Socialista Italiano. Nosotros (Techint), teníamos en un momento muy pocas acciones en Mondadori, el grupo periodístico de revistas más importantes de Italia. El que tiene Panorama y también Express. De repente, hubo una lucha despiadada entre Berlusconi y Mondadori por un lado y Benedetti por el otro. Cuando nos dimos cuenta del fabuloso lío que era eso nos retiramos.

No insista. No quiero hablar de mi vida privada.

No me pregunte cómo siento. No puedo explicarlo. Soy demasiado racional. Vivo en Martínez. Me levanto todos los días a las 7 de la mañana. Me despierto (escuchando) Radio Clásica gracias al radio-despertador que me coloca mi mujer. Leo los diarios. Hago un poco de gimnasia para no morirme. Tomo café, jugo de naranja y un vaso de leche con cereal.

A las 8 y media mi chofer (Chichilo) viene a buscarme (en un Peugeot 505 modelo 87) y me lleva a mis oficinas.

Enseguida presido una primera reunión de correspondencia con mis asistentes.

Al mediodía como siempre en el centro, en el mismo departamento que usaba mi padre en la calle San Martín. No son almuerzos de placer. Son almuerzos de trabajo. Para ir de la oficina hasta allá, camino 4 cuadras por Florida. No hago vida social. No voy a ningún club. No ceno afuera ni asisto a boites. No tengo el defecto de muchos argentinos de cenar tarde y llegar a cualquier hora. Vuelvo a casa temprano. A las 8 y media de la noche ya estoy en Martínez. Entonces sí, como con amigos, o salgo con mis hijos a comer una pizza. Lo que no dejo nunca de hacer es ir a la cena de los lunes del Círcolo Italiano. Casualmente, el martes pasado tuve otra cena en lo de Amalita Fortabat. Debí asistir, pero no soy muy amante de eso. Mi vida es bastante aburrida.

No sé a quién podrá interesarle.

Claro que leo. Leo de todo. Al lado de mi cama tengo como 10 libros. Me devoro los de aforismos, pero también leo economía y los científicos. Me gustan los clásicos. Pero no los leo todos. Leo los pasajes que me interesan. Me gustan, sí, autores como (Leonardo) Sciacia y (Alberto) Moravia.

Voy al cine sólo cuando viene mi mujer desde Italia. Hace poco fui a ver, por ejemplo, el Padrino III. La verdad es que me pareció demasiado truculenta. ¿Cómo puede ser que de una sola vez se disparen unos contra otros y se terminen matando 25 personas? No sé. Quizá, en la realidad (hubo una matanza así) en 30 años. Sin embargo en el Padrino III pasaba todos los días. ¿Si me siento identificado con algún personaje? No absolutamente. Con nadie. Aunque el padrino (Al Pacino), es, sin dudas, el mejor.

Tomo tres semanas de vacaciones al año. La mayoría de las veces voy a una casita que tengo sobre la Isla de Elba, en las afueras de la Costa de Toscana, en el lugar donde estuvo (preso) Napoleón. Es un lindo lugar, con mar, en el que sólo veranean unas 200 personas. Estamos prácticamente aislados. Y nosotros la pasamos en una vieja aldea medieval, a 400 metros de altura.

No quiero ser enterrado en Campana, como mi padre. Agostino era muy especial. Por eso hizo su tumba allí, y dejó 12 tumbas vacías para el personal (de Siderca) que no tuviera donde morir.

Pero yo... yo... quiero ser enterrado junto a mi mujer, en un lugar muy cerca de Milán.

El lugar donde vivimos la mayor parte de nuestras vidas.

2. *La famiglia*

Ni la familia Rocca ni la organización Techint nacieron de un repollo.

El apellido Rocca se registró en este mundo por primera vez en 1309: ese año se anotaron 5 familias con el nombre "de Rocha" en la localidad italiana de Loano.

Debieron pasar 485 años para que se constituyera la primera empresita. Se llamaba *Fratelli Rocca fu Giacomo* y era una compañía familiar, importadora y exportadora, constituida exclusivamente por parientes. Esa pequeña sociedad representó el núcleo inicial de la riqueza de los Rocca.

En 1820 un tal Giuseppe Rocca compró una casa en Génova, donde se instaló definitivamente.

En 1830 la humilde "Fratelli Rocca fu Giacomo" se convirtió en una gran empresa a ia que llamaron "Ragione Comerziale Giacomo Giovanni Rocca fu Giuseppe e Cugini fu Pietro Antonio". Para ese tiempo la firma ya tenía subsidiarias en Marsella, Nápoles, Taranto, París, Trieste, Bari y Odessa, y un barco que navegaba por el mar Negro con altanería y dedicación.

Los Rocca eran comerciantes que amaban el mar y la aventura. Parientes directos unidos por los lazos de la sangre y el orgullo de la estirpe. No les faltaba nada. Constituían una típica familia de la pequeña burguesía.

En 1852 el apellido fue aceptado en los círculos de la alta sociedad italiana y a sus miembros los dejaron participar en una ceremonia selectiva: la inauguración de la Villa Pagoda Di Nervi, edificada gracias a las liras de Giuseppe Rocca.

En 1860 los Rocca ayudaron a financiar la expedición de Garibaldi.

En 1867 otro gran barco llamado *Fratelli Rocca* se lanzó a recorrer el mundo con sus mercancías.

Fue en esa época cuando la fortuna de la familia empezó a ser mal administrada y perdida con velocidad.

Carlo Rocca afrontó serios problemas financieros en Odessa. Previsor, envió a su esposa y a sus tres hijos de vuelta a Italia mientras se dedicó a liquidar, paso a paso, todos sus comercios. En el camino intentó cambiar de rubro e ingresó en la Bolsa, pero su situación económica siguió empeorando.

Murió en 1889 y dejó tres hijos: Giuseppe, Francesco y Agostino.

Francesco, de temperamento vivaz y brillante, siguió la carrera militar. Agostino se convirtió en poeta, músico y conversador brillante y mujeriego. Alguno de los Rocca tuvo la obsesión de conquistar a cuanta mujer se cruzara por su camino.

El primogénito, Giuseppe Rocca, fue el padre de Agostino, el hacedor del imperio Techint.

Giuseppe no era tan brillante como Francesco, ni poseía la sensibilidad de su hermano Agostino, pero su tenacidad lo llevó a recibirse rápidamente de ingeniero en el politécnico de Milán, y también a ingresar como funcionario público en los Ferrocarriles Italianos.

El 18 de marzo de 1891 Giuseppe Rocca conoció en un baile a Enrichetta Sismondo, hija de un ex ministro de Guerra, Felice Sismondo. Hay quienes aseguran que la persona que hizo las presentaciones fue una pariente de la niña, una señorita llamada Enrichetta Pirelli. La dama era miembro de la familia Pirelli, la de los neumáticos.

Giuseppe y Enrichetta se miraron fijo, danzaron apretados... y se casaron cuatro meses después de aquel flechazo.

No fue un matrimonio por conveniencia, pero tampoco se trató de una unión sencilla y sin controversias.

Por esos años la dinastía Sismondo era considerada más antigua e importante que la de los Rocca. Una típica familia piamontesa, tradicional, ordenada y un poco pagada de sí misma.

Los Rocca tenían su prestigio, pero en principio no daban el pinet. Lo que finalmente unió a ambos apellidos fue el respeto por la sangre de sus ancestros y la tradición.

Enrichetta Sismondo era pequeña, fina y elegante. Tenía la piel blanca y el cabello rojizo. Su única obsesión era el piano. Amaba tocar piezas de Chopin y de Beethoven. Le decían *Mimetta* y aunque murió hace más de 80 años, todavía en la familia se la recuerda con cierta devoción.

Enrichetta y Giuseppe Rocca tuvieron cuatro hijos.

Elisa nació en 1892 y pasó a la historia sin pena ni gloria.

Carlos llegó al planeta en 1893 y murió 16 años después, presa de una meningitis fulminante.

Agostino nació el 25 de mayo de 1895: es el protagonista de nuestra historia.

Enrico aterrizó en el mundo en 1898 y se convirtió en la mano derecha de Agostino, especialmente en la aventura de la fundación de Techint.

Por su puesto en los ferrocarriles, Giuseppe fue trasladado de una ciudad a otra, y por toda Italia. Por supuesto, en cada mudanza cargaba a toda la familia.

La navidad de 1908 encontró a los Rocca en Reggio Calabria, muy cerca de Messina.

El 22 de diciembre Mimetta compró regalos para todos. El 25 de diciembre pasaron una navidad en paz. La noche del domingo 27 de diciembre Agostino terminó de cenar, besó a su padre Giuseppe e hizo lo mismo con su madre. Para recibir el cariño de su hijo, Enrichetta interrumpió la pieza que estaba tocando. Agostino recordó esa pieza muy bien hasta el día de su muerte. Era L'Apassionata, de Beethoven. Y fue la última imagen de Mimetta con vida.

Durante la madrugada del lunes 28 de diciembre pasaron 2 o tres perros caminando sin rumbo por las calles de la ciudad. Los caballos relincharon y los pajarillos revolotearon, como anunciando el desastre.

Era un día nublado y frío. La temperatura no llegaba a los 8 grados. Un poco antes de las 5 de la mañana el pequeño Agostino, de apenas 13 años, oyó un estruendo terrible. Salió a la calle desesperado y sintió entonces cómo la tierra temblaba bajo sus pies.

Fue uno de los terremotos más devastadores de la historia de Italia.

Duró cerca de una hora.

Murieron entre 75 mil y 80 mil personas.

Entre ellas Giuseppe Rocca y Enrichetta Sismondo.

Lo primero que hizo Agostino fue alzar a su hermanito Enrico, de 10 años, y sacarlo a la calle para evitar que las paredes se les vinieran encima. Cuando quiso entrar al dormitorio de sus padres, el fuego y los escombros se lo impidieron.

En ese instante Agostino Rocca empezó a forjar su verdadera personalidad. Casi de inmediato rechazó la invitación de su abuelo materno Felice —quien le ofreció vivir con él— e ingresó a un hogar reservado a los hijos de las víctimas del terremoto.

En junio de 1913 recibió otro golpe de la vida al perder a ese abuelo tan querido. En julio se presentó a un concurso para la admisión del curso número 99 en la prestigiosa Academia Militar de Torino, donde se formaban los oficiales de artillería. Los inscriptos eran más de mil y había lugar sólo para 130.

Agostino Rocca ingresó en el primer lugar.

En 1914 empezó la Primera Guerra Mundial, y nuestro hombre participó activamente. Deseó como nadie entrar en combate. Lo hizo y terminó asqueado de ver cadáveres casi todos los días.

En 1918 culminó la guerra y regresó a Milán. Ingresó en el Politécnico de esa ciudad. Se recibió rápidamente. El 28 de mayo de 1921, tres días después de su cumpleaños número 26, abandonó el celibato y se casó con María Queirazza, una buena señora de la sociedad que lo acompañó y lo amó profundamente hasta el día en que se despidió de este mundo.

El 1º de febrero de 1922 nacieron los mellizos Ana y Roberto Rocca. El segundo es ahora el capo de *tutti capi* del imperio Techint, aunque reveló que ya está retirado.

Ese mismo año surgió el fascismo, un movimiento liderado por el ex socialista Benito Mussolini que se caracterizó por su capacidad de movilización social, la adhesión que recibió de profesionales liberales de la burguesía media y de los veteranos de la Primera Guerra, su compromiso con un Estado fuerte, su esperanza de que Italia dejara de creerse la hija pobre y acomplejada de Europa y su vocación expansionista que da origen a la Segunda Guerra Mundial.

Agostino Rocca apoyó, aunque no frenéticamente, el movimiento fascista. En 1931, cuando sólo contaba con 36 años, fue designado por el gobierno de Mussolini vicepresidente de Dálmine, la siderúrgica pública más grande de Italia. Al mismo tiempo ingresó en el negocio financiero como delegado de Banca Commerciale Italiana. En 1934 fue nombrado secretario del Comité para la Siderurgia Bélgica Especial. En 1939 Italia, Alemania y Japón se aliaron para comenzar la Segunda Guerra Mundial.

El 28 de agosto de 1937 se inauguró gracias a Rocca el primer gran acorazado para la guerra. El trabajo se lo había encargado Mussolini. Hay fotos que muestran a ambos caminando alrededor del barco el día de su bautismo.

En 1938 le dieron el manejo de Fisinder, la empresa más grande del Estado, con un capital estimado entonces en 900 millones de liras y una producción que abastecía de acero a la mitad del país.

En 1941 pocos tenían en Italia tanto poder como Agostino Rocca. Él integraba entonces los consejos de administración de las compañías Fisinder, Ansaldo, Dálmine y Terri. Era una estructura que contenía a 100 mil hombres y costaba por lo menos 300 millones de dólares de entonces. Cuando se habla de la siderurgia italiana, se menciona a tres grandes próceres. Uno es Oscar Sinigaglia, el primero que planeó un sistema integral para la producción siderúrgica. Es decir: una gran fábrica que contuviera desde la materia prima hasta el producto final. Otro es Vittorio Cini, quien apoyó con entusiasmo esa idea. El tercero es Agostino Rocca, quien la concretó con Siderca, pero en la Argentina, varios años después. Al 25 de julio de 1943 se lo reconoció en Italia como el día en que murió el fascismo.

El 29 de abril de 1945 varios periódicos publicaron una lista de supuestos magnates a los que el nuevo gobierno les retiraba sus derechos civiles y se disponía a investigar el origen de sus fortunas. Entre los acusados se encontraban, además de Rocca, apellidos ilustres como Agnelli, Volpi, Marinotti y Valleta.

Las imputaciones a Rocca fueron varias. Luigi Offeddu, el autor de la biografía oficial de Agostino, las consideró a todas políticas. La comisión que lo investigó le achacó:

* Haber amasado su fortuna usufructuando de los favores del régimen fascista.

* Haber levantado la planta de Cornigliano, al que se consideró un emprendimiento inútil y demasiado caro, sólo destinado a hacer grande a Benito Mussolini.

La historia oficial sugirió que le confiscaron los bienes, pero no aclaró cuáles y a cuánto ascendían. Tampoco si sus propiedades habían sido puestas a nombre de testaferros, como se acostumbraba y se acostumbra hacer en el mundo occidental.

La historia oficial también afirmó que Agostino se pasó más de un año preparando su defensa. Y agregó que personalidades insospechables de fascistas defendieron la integridad de Agostino ante la comisión investigadora. Uno de ellos fue Sinigaglia, quien testimonia: "Rocca fue siempre y solamente un técnico y un industrial de altísima clase, que nunca se ocupó activamente de la política".

Este es un momento clave para comprender por qué Techint llegó a ser lo que es ahora.

Es el instante en que nació en Rocca la idea de salir de Italia para emprender la aventura de hacer la América.

El 27 de julio de 1943 Agostino se reunió con un pequeño grupo de amigos en la casa de Chichino Massone, ex directivo de Sofindit, y lanzó su idea: había que levantar la Gran Fábrica en el Nuevo Mundo.

En noviembre de 1945 Rocca fundó la *Compagnia Técnica Internazionale*, la que enseguida tomaría el nombre abreviado del télex, *Techint*. La sede se levantó en Milán, en la calle Matteotti 1. Los integrantes de la sociedad además de Agostino fueron, entre otros, su hermano Enrico, los hermanos de María Queirazza, Rodolfo y Edoardo, Roberto Einaudi, Umberto Rosa e Ilario Testa.

La sociedad se inició con un capital de 10 mil dólares, reunidos con esfuerzo entre parientes y amigos. Y que 2 mil de ellos se destinaron para el primer viaje de exploración de Agostino al Tercer Mundo.

—Éramos pobres —cuenta Roberto en la página 179 de *La sfida dell'acciaio— porque en el IRI era mucho el trabajo y escasa la compensación... Además, cinco años de guerra nos habían resentido nuestros bienes.*

Otra versión, más lógica pero imposible de confirmar, aseguró que Rocca tenía muy bien guardado el dinero acumulado durante el apogeo del Duce. Y que de otra manera no habría podido enviar a su hijo Roberto a los Estados Unidos en julio de 1945, para obtener el doctorado en ciencias del Instituto Tecnológico de Massachusetts (MIT).

El 15 de julio de 1945 Agostino dejó a su esposa María y su hija Ana en Milán, y partió a recaudar dinero para la aventura.

Primero "tocó" a Vittorio Cini, quien accedió a su pedido pero se incorporó en la sociedad con un 50 por ciento. Luego pasó por Amsterdam, Lisboa y Holanda, en busca de parientes y conocidos que se sumaron a lo que parecía una locura.

El 27 de febrero de 1946 llegó a New York y se conectó con el representante local de la Banca Commerciale de Italia. El 3 de marzo salió desde Miami hacia el Nuevo Mundo. Llevaba siempre con él una pequeña máquina de escribir personal marca Olivetti.

Se deslumbró con Cuba y con Jamaica.

El 10 de marzo voló de Cali a Lima y anotó en su diario de viaje:

—Estoy exactamente a 6.126 kilómetros de Nueva York y a 4.863 kilómetros de Buenos Aires.

En Perú negoció un proyecto de tendidos de cables eléctricos. La noche del 21 de marzo durmió en Antofagasta, Chile. A las 2 de la tarde del 22 de marzo de 1946 llegó a Buenos Aires y se instaló en el City, un hotel muy cercano a la Plaza de Mayo y sobre todo a la Casa de Gobierno que ocupaba Juan Domingo Perón.

Rocca no tardó en darse cuenta que acababa de conocer un país muy parecido a una mina de oro.

Tenía 15 millones de habitantes y una Capital moderna y muy urbana, como cualquiera de las europeas. Poseía 45 millones de ovejas, 30 millones de vacas y 10 millones de caballos. Desde 1935 a 1946 la ocupación industrial había aumentado más de un 100 por ciento.

Los inmigrantes italianos se multiplicaban como hongos.

Su Banco Central poseía 1.500 millones de dólares en oro y divisas y el dinero que circulaba entre sus habitantes superaba los mil millones de dólares.

Rocca sufrió al principio los meses hostiles de la adaptación. Pero enseguida habló con Di Tella y en noviembre de 1946 consiguió la preautorización para instalar una fábrica de tubos para gas.

Envió cartas y habló con sus socios en Italia para que no se desalentaran.

Y en febrero de 1947, con apenas 15 empleados y con sede en la calle San Martín 195, se fundó Techint, Compañía Técnica Internacional, Sociedad Anónima.

Cuarenta y seis años después los empleados son 18 mil, y se puede decir que el grupo da de comer a mucho más de 100 mil personas entre proveedores y trabajadores directos e indirectos.

Que factura más de 1.300 millones de dólares por año. Es decir, más del 1 por ciento del Producto Bruto Interno de la Argentina.

Que empezó y terminó pequeñas y grandes obras por aproximadamente 4.500 millones de dólares.

Que construyó más de 11 mil kilómetros de líneas de alta tensión y más de 2 mil kilómetros de caminos.

Que controla a 4 empresas que figuran entre las 150 que más venden en todo el país.

Que no solamente se encarga de montar grandes obras públicas, como el Puente Zárate Brazo Largo, el gasoducto Loma de la Lata, el Puente Paraná Iguazú, o el túnel Trasandino Cristo Redentor, sino que participa en el muy rentable negocio del petróleo, los teléfonos y la explotación del transporte ferroviario en la zona cerealera más rica de todo el país.

Su compañía madre, Techint, tiene la misma particularidad que todas sus hermanas. Se presenta como una sociedad nacional, pero la mayoría de sus acciones exactamente el 68,8 por ciento pertenecen a inversores extranjeros. Es decir: a firmas radicadas en países como Panamá, Bermudas o Cayman, donde no se pagan impuestos.

Un año después de la fundación de Techint, Agostino creó *LOSA (Ladrillos Olavarria)*, una compañía que produce tejas y cerámicas pero que jamás tuvo la relevancia ni la ganancia de las demás.

En 1949 apareció *Cometarsa (Construcciones Metálicas Argentinas)*, una fábrica de estructuras metálicas y grandes equipos para edificios y puentes, cuyo cliente principal y durante muchos años también fue el Estado.

El mismo año Rocca inventó *Tubos y Perfiles S.A.*, una sociedad que comercializa los tubos de Siderca pero también otros tubos, y que produce y vende columnas y torres de iluminación y transmisión.

En 1954 creó Siderca. Roberto Rocca recordó que su padre debió esperar horas y horas en la antesala del despacho del entonces ministro de Finanzas de Perón, el señor Cereijo, para que le dejaran ingresar al país las maquinarias que ya habían importado para instalar en la fábrica.

Así como el patrón de acumulación del dinero de Techint es la Gran Obra pública, el de Siderca es el excelente precio que YPF paga por sus excelentes tubos sin costuras.

En 1970 Techint creó Propulsora Siderúrgica S.A. Uno de los motivos por los que esta compañía se hizo superrentable es un convenio con el Estado nacional por el que compra chapa caliente baratísima a SOMISA, o la importa sin gravámenes del exterior, y la vende a un precio que mata toda competencia interna pero le genera una utilidad millonaria.

En febrero de 1978 murió Agostino Rocca. Sucedió de noche y de repente. Cargaba con 80 años. Su hijo Roberto estaba de viaje. Pero enseguida regresó, y se hizo cargo del monstruo económico. El "prócer" fue enterrado en Campana, muy cerca de Siderca. Fue el corolario de un tributo de marca mayor, ya en 1964 lo habían designado ciudadano ilustre de Campana. Ahora la principal avenida de la zona lleva el nombre de Agostino Rocca.

En 1980 Roberto aprobó la creación de *Tecpetrol*, una sociedad para explorar y explotar el petróleo. En 1984 se incorporó al holding *Telettra Argentina*, fabricante de equipos y de instalaciones para comunicaciones. En 1990 esta se quedó con el 10 por ciento del apetecible negocio de la explotación de las comunicaciones como parte de un consorcio que lidera *Telefónica de España*.

En 1986 el grupo Techint le compró a Bulgheroni *Siat-Comatter*, una firma que fabrica tubos de aceros sin costura de menor calidad pero tan rentables como los que hace Siderca.

En noviembre de 1991, la organización se hizo cargo de la explotación del transporte ferroviario del ramal Rosario-Bahía Blanca encabezando un consorcio de varias empresas.

Pero nada es tan automático, sencillo, claro y épico como parece.

Hay una característica en los Rocca que no figura en ningún archivo oficial y sin embargo es fundamental para comprender hasta dónde llegaron. Así como la heredera Amalita Fortabat es realmente generosa, Carlos Bulgheroni austero y Francisco Macri demasiado desprendido, los Rocca son, muy cuidadosos a la hora de gastar. Lo que en los bares y las casas de familia se denomina *amarretes*.

De Agostino, todavía se cuenta como una pequeña hazaña el hecho de que cuando ocupaba altos cargos en el gobierno de Mussolini, seguía viajando en la clase segunda del ferrocarril italiano.

Roberto Rocca viaja desde su casa de Martínez hasta el centro, y a veces desde el centro a Campana, en un Peugeot 505 modelo 87, al que su chofer, Chichilo, trata con mucho cariño para no acelerar su deterioro.

Y el hijo de Roberto, Agostino, piloteaba hasta 1991 un avión ultraliviano patentado antes de 1970. La máquina está en buenas condiciones pero tiene demasiado uso. Es gracioso comprobar cómo la mayoría de los directivos del grupo rechaza la invitación a subir por miedo a pasar al otro planeta. Hay quienes afirman que Agostino Rocca no era avaro sino prudente. Y lo argumentan con la siguiente anécdota:

Hace muchos años, Giuseppe Vianini, padre de Andrea Vianini, el corredor que se accidentó en 1968 y quedó paralítico, le pidió a ese Rocca más de un millón y medio de dólares.

Ambos eran milaneses y fascistas. Agostino quería a Giuseppe y decía de él:

—Vianini es el mejor vendedor que conozco: es capaz de venderle una heladera a los esquimales.

Agostino le habría prestado un poco menos que la plata que necesitaba Giuseppe. Y Vianini se la tuvo que devolver... con los intereses correspondientes.

En 1991, la historia se volvió a repetir, aunque los protagonistas, las circunstancias y la suma de dinero eran diferentes.

Andrea Vianini, el hijo de Giuseppe, vive gracias a la cuota de chatarra que le vende a la poderosa Siderca. Esta fábrica de tubos consume aproximadamente 20 mil toneladas de chatarra por mes. Y al ex corredor le dieron una cuota de apenas 500 toneladas mensuales. Meses atrás, Andrea tuvo un desfase financiero de unos cuantos miles de dólares. Un domingo a la noche, le pidió a Agostino que le prestara 8 mil.

El vicepresidente de Techint y heredero del imperio le dijo:

—Me siento orgulloso de que recurras a mí.

Y se los dio de inmediato. Tampoco lo apuró para que se lo devolviera, a pesar de que Vianini tardó más de lo prometido.

Sin embargo, también le cobró los intereses de plaza.

Agostino, el mayor de los hijos de Roberto y el que se quedará con la conducción del grupo apenas muera su padre, es el típico producto de la sangre de sus antecesores.

Tiene 47 años, está casado con una milanesa de buena familia y mantiene a tres hijos. Licenciado en Administración en Milán, hizo su correspondiente master en los Estados Unidos y trabajó para la consultora Mc Kinsey. Se incorporó a Techint en 1977, recién cuando se sintió maduro para hacerlo. Apenas llegó a la organización, se adaptó a un esquema del que nunca podrá escapar. Un amigo que lo conoce bien aseguró:

—*Agostino ha sido preparado para trabajar, pero no para vivir.*

Es cierto: este hombre trabaja, a buen ritmo, más de 15 horas por día, pero es incapaz de mostrar un gesto de ternura.

Muchos creen que esa aparente dureza fue potenciada por la desgracia personal de haber concebido a dos de sus tres hijos sordomudos. Se trata de chicos que ya transcurrieron la adolescencia y a los que su padre les inculcó una disciplina rígida para que se adaptaran a la sociedad sin quejas ni lamentos.

—*La madre, Daria, ha dedicado su vida a esos chicos. Agostino, en cambio, le ha tributado su vida al trabajo.*

La sentencia anterior pertenece a otro amigo, pero no es del todo justa. Porque el licenciado usa parte de su tiempo, además, para pilotear aviones y escalar la montaña, habilidad, esta última, que también mamó de su padre y de su abuelo. Algunos afirman que cuando está de mal humor, Agostino toma su ultraliviano para ir hasta la Isla Martín García y volver de inmediato. Y otros juran que en una oportunidad quedó colgado de una pared de montaña, con el precipicio bajo sus pies... durante 16 horas.

Sin embargo, no hay por qué pensar que el heredero de Techint es un loco de la guerra.

Adora la música clásica y la ópera. Bebe champagne cuando se presenta la ocasión. Mira a las mujeres con la intensidad natural de cualquier Rocca varón. Maneja su propio auto. Hace aerobismo como todo buen hijo de vecino. No es petulante. Sabe escuchar. Es un poco aburrido, pero no insoportable. Vive cuatro días en el piso 11 del edificio Kavanagh, y los fines de semana se dirige a Martínez, donde duerme en una casa pegada a la de su padre. Los que hacen negocios con él dicen que Agostino es tan recto, que a veces peca de ingenuo. Y que no hace nada sin la venia de su padre ni el encuadre de las reglas no escritas del holding.

La mayoría de los hombres de empresa lo admiran, como admiran a Techint los funcionarios, los legisladores y hasta los sindicalistas. Un político de descendencia italiana que tuvo la oportunidad de conocer al staff principal de este conglomerado y a los más importantes directivos del grupo Macri dio una clase magistral cuya síntesis es la siguiente.

—Techint y los Rocca son la Italia del Norte, cuyos hijos son fríos, lógicos, científicos, concretos, positivos y serios. Milán es tecnología, servicios, alto nivel... y la Bolsa. Los Rocca viven en el barrio de Brera, donde hay una universidad: es el corazón de la cultura.

SOCMA y los Macri son la Italia del sur, cuyos hijos son parecidos a los porteños: gritones, cancheros, prepotentes, poco serios. Roma es la ciudad de los carabineros, los ministerios, las putas, la corrupción... y el Vaticano.

Se trata de una mirada cruda y maniqueísta, pero tiene alguna base de realidad. Los Rocca se juntan con la aristocracia italiana de la Argentina en el Círcolo Italiano, mientras que los Macri concurren al último boliche de onda con su ministro preferido.

Los Rocca detestan aparecer en fotos, al tiempo que Mauricio Macri posa como si fuera Arturo Puig.

Sin embargo hay algo en lo que son idénticos: no se perderían jamás ninguna de las ventajas que les ofrecen los funcionarios del Estado argentino por nada del mundo.

Techint lo demostró contundentemente en 1987, al conseguir que la contratara directamente para construir el gasoducto *Loma de la Lata.*

Javier González Fraga, entonces asesor del directorio de Empresas Públicas, rebautizó a ese proyecto *Loma de la mano en la lata.*

Fue el primer caso de presunta corrupción en el que se vieron involucrados hombres del gobierno de Alfonsín y también peronistas.

Lo siguiente es la versión completa de este interesante caso.

A principios de 1986, el entonces secretario de Energía, Conrado Storani, llamó a licitación nacional e internacional para la construcción del gasoducto cuyo tendido arrancaría en Neuquén y terminaría en Bahía Blanca. Desde siempre se argumentó que la obra era urgente, porque de ella dependía que la Argentina no se quedara sin gas en invierno, y que muchas familias no se enfermaran o murieran de frío.

Sin embargo ese llamado fue cuestionado e impugnado por el entonces presidente de la Unión Argentina de la Construcción (UAC), Roberto Sanmartino.

Sanmartino es uno de los hombres clave del grupo Techint. Integra los directorios de la mayoría de las empresas de la organización. Es también el piloto del conglomerado en el negocio de las privatizaciones. El empleado de Rocca pidió y consiguió la anulación de ia convocatoria a licitación por entender que el breve tiempo entre el llamado y el cierre de la licitación violaba la ley de Compre Nacional.

Es el mismo hombre que piloteó el lobby para que en marzo de 1987 un consorcio encabezado por Techint, integrado también por Sade (Pérez Companc) y Sideco (Macri) y una empresa mexicana explotara el mismo negocio, pero *por adjudicación directa del gobierno radical.*

No era un proyecto más. Involucraba cerca de 500 millones de dólares. Se la consideraba la obra pública más grande desde la restauración democrática.

Hubieron tres pedidos de informes cuestionando la entrega directa. Uno fue presentado por el senador nacional Arturo Jiménez Montilla. Otro por los diputados nacionales Elías Sapag y Héctor Zavaley. El tercero por un grupo integrado por Miguel Monserrat, Oscar Alende, Luis Manrique, Eduardo Vaca, Alberto Aramouni y Guillermo Estévez Boero. Estos fueron cada uno de los cuestionamientos.

* Que la adjudicación directa no sólo violaba la ley de contabilidad sino que hacía poco transparente el negocio, al no tener la posibilidad de elegir otros contratantes, otra calidad y... otros precios.

* Que era inconcebible que se ocultara el pliego de adjudicación con los detalles correspondientes.

* Que era muy llamativo que hubiera una cláusula por la que el Estado le pagaría un premio a Techint y sus socios de... *18 millones de dólares* si se entregaba el gasoducto 10 semanas antes de la fecha de entrega prevista, es decir, del 15 de mayo de 1988.

* Que no se tuvo en cuenta una propuesta del gobierno de Neuquén por la que se habrían ahorrado 250 kilómetros de gasoductos que representaban 80 millones de dólares menos en cañerías.

El consorcio debía culminar la obra en 438 días, pero lo hizo en 359. Dio trabajo a 4 mil personas, quienes lograron laborar a un ritmo de 5 kilómetros de cañería por día. Todas estas circunstancias hicieron que el presidente Alfonsín y su ministro de Obras y Servicios Públicos más el secretario de Energía, Jorge Lapeña, presentaran el asunto como un logro impresionante.

Techint, SADE, Sideco y la empresa mexicana ganaron el premio de los 18 millones de dólares.

Se lo llevaron aunque no terminaron de armar el montaje de las estaciones compresoras y dejaron unas cuantas válvulas sin la potencia necesaria para hacer pasar el gas.

El socio mexicano no tenía experiencia en este tipo de obras, pero su presencia en el consorcio garantizaba legalidad. El motivo: un convenio de cooperación entre Argentina y México borraba como por arte de magia la sospecha por la contratación directa.

Cuando González Fraga se internó en Gas del Estado y dictaminó que Loma de la Lata era "un curro" fue llamado de inmediato por Facundo Suárez, entonces jefe de la SIDE, para dar las explicaciones pertinentes.

—*¿Es cierto que denunció corrupción?* —le preguntó Suárez, días después de que González Fraga usara exactamente esa palabra por su teléfono pinchado. Dicen que desde ese momento, en la ficha del experto en finanzas que guarda Inteligencia lo califican como hombre de una empresa alemana.

Una compañía que supuestamente peleaba con Techint por la construcción de *Loma de la (mano en la) Lata*.

Santa María, la mesa de dinero del grupo Techint, habría sido la encargada de pagar los sobornos a funcionarios y políticos tanto radicales como peronistas para conseguir el negocio. También empresas que habían perdido querían participar; no pudieron, y dejaron de quejarse. En el libro donde se publica esta denuncia se detalla que los pagos fueron realizados en 1987, que superaron los 11 millones y medio de dólares y que un alto porcentaje de ese monto fue abonado un mes antes de las elecciones de setiembre. Pero Arnaldo Muneli, miembro del directorio de Santa María, lo negó, en conversación con el autor de este libro.

El segundo gran caso de supuesta corrupción que salpicó a Techint se denomina *Petroquímica Bahía Blanca*. La última declaración pública que hubo sobre el asunto fue realizada por el entonces ministro del Interior, Julio Mera Figueroa. Al salteño se le escapó, en un reportaje concedido a la *Revista 30*, la publicación mensual de *Página 12:*

—No se siguió investigando, porque si seguíamos caían los empresarios también.

Una semana después fue obligado a renunciar.

Y ningún periodista se atrevió a preguntarle por qué había dicho lo que dijo.

Es hora de desentrañarlo desde el principio hasta el fin.

La historia del Polo Petroquímico Bahía Blanca (PBB) es similar a la del país: *está llena de malentendidos, frustraciones y abortos.*

Fue proyectado en diciembre de 1971 a un costo de 250 millones de dólares. Se puso en marcha recién en 1982, cuando todavía no estaba terminado ni el 50 por ciento del proyecto, pero con una inversión de 1.250 millones de dólares. Es decir: cinco veces la presupuestada originalmente.

La primera demora importante se produjo entre 1973 y 1974. Las tratativas por la eventual venta de PBB a la italiana Montedison paralizaron por dos años las obras. La segunda aconteció con el golpe de Estado de 1976 y fue todavía más irracional e inexplicable: los militares iniciaron nuevos estudios de factibilidad que duraron 24 meses y llegaron a la misma conclusión original. La única diferencia fue que ahora la mitad de la obra que faltaba costaría 750 millones de dólares, y que, además, *las privadas fueron autorizadas a diferir el pago de los impuestos* por el equivalente al 50 por ciento del capital que pusieran en el proyecto.

La tercera postergacion fue responsabilidad, en su mayoría de compañías privadas. La razón: pusieron el dinero exento de impuestos, pero dejaron de invertir con capital de riesgo.

PBB es una compañía mixta. El 51 por ciento corresponde al Estado y la participación está dividida así:

* 17 por ciento para Gas del Estado.
* 17 por ciento para YPF.
* 17 por ciento para Fabricaciones Militares.

Y el 49 por ciento es de los siguientes capitalistas privados con esta distribución:

* 21,23 por ciento para Ipako.
* 10,62 por ciento para Electroclor.
* 9 por ciento para Iton & Compañía Argentina.
* 5,5 por ciento para Indupa.
* 1,6 por ciento para CIDASA.
* 1 por ciento para Isaura.

Hasta que irrumpió el escándalo mencionado al pasar por Mera Figueroa, el Polo Petroquímico Bahía Blanca estaba formado por:

* Una planta madre de etileno con capacidad para producir 200 mil toneladas anuales. El etileno es un producto químico básico. Con etileno se hacen desde cañerías hasta cintas para cine pasando por autopartes y electrodomésticos.
* Y distintas plantas satélites, como:

1) Una de polietileno de baja densidad y que maneja Ipako.
2) Una planta flotante productora de polietilenos modernos.
3) Otra planta de polietileno que hizo Petropol.
4) Otra de policloruro de Vinilo.

La planta flotante se había incorporado *con carácter transitorio,* hasta la instalación definitiva de las demás. Por una razón que todavía nadie explicó, quedó como base permanente. Este último hecho produjo un desfase en la demanda de etileno. Es decir: *de repente alguien se dio cuenta que se debía ampliar la planta madre de etileno, ya que la demanda era de aproximadamente 300 mil toneladas anuales y sólo producía 200 mil.*

En 1984, en los inicios del gobierno de Alfonsín, Argentina debía importar 80 mil toneladas de etileno, por aquel error de cálculo. Fue entonces cuando PBB inició un estudio con la intención de agrandar la planta madre para incrementar la fabricación de las 200 mil originales a 300 mil.

Pero alguien calculó que iba a ser poco, y después de gastar miles de dólares en el proyecto se decidió pensar en otra fábrica igual a la existente, con una capacidad de fabricación de 200 mil toneladas.

A fines de 1988 el gobierno radical llamó a licitación para concretar este último proyecto. Se presentaron tres grupos extranjeros asociados con argentinos. En todos los casos, estaba claro que los extranjeros ponían en juego parte de su capital, y los nacionales, su capacidad de lobby. Fueron preseleccionados dos grupos:

Uno era la Unión Transitoria de Empresas *Linde-Mc Kee-Sade.*

Otro *Lummus-Techint-CTIP.*

El proyecto fue denominado NEXPRO y tenía un costo aproximado de 250 millones de dólares.

El presidente de PBB era entonces Murat Eurnekián, tesorero de la Unión Industrial Argentina (UIA) y hermano de Eduardo Eurnekián, el dueño del pulpo periodístico integrado por *El Cronista Comercial, Cable Visión, América TV, Radio América y el vespertino Extra.*

Eurnekián resolvió, en circunstancias extrañas, adjudicarle la impresionante obra al consorcio integrado por Sade (Pérez Companc). Sólo que omitió un pequeñísimo detalle:

La cesión fue concretada cuando ya no era titular de PBB, porque el presidente que lo había nombrado, Raúl Alfonsín, acababa de entregarle oficialmente la banda a Carlos Menem.

La Comisión Evaluadora de PBB que recomendó otorgar NEXPRO no a Techint sino a Pérez Companc presentó un informe con fecha 18 de julio de 1989, que basaba la decisión en los siguientes presupuestos:

* La certeza de que *Linde-Mc Kee-Sade* (desde ahora lo llamaremos Grupo Uno) conocía más a PBB por haber trabajado uno de los consorcistas en la construcción de la planta original.
* Que la oferta del Grupo Uno era de 240 millones de dólares, mientras que la de *Lummus-Techint-CTIP* (al que denominaremos

Grupo Dos) superaba los 288 millones. Es decir: resultaba más barata en más de 48 millones de dólares.

* Que el suministro técnico del Grupo Uno también era menos caro que el del Grupo Dos, y con una diferencia de 6 millones de dólares.

* Que el financiamiento que ofrecía el Grupo Uno tenía diverso origen y por eso era más flexible y mejor que el del Grupo Dos, que venía atado al Convenio de Asociación Particular con Italia. Es decir: mientras que SADE contaba con créditos para comprar equipos de alta tecnología en diferentes países, Techint sólo debía someterse al precio y la calidad de los equipos italianos.

* Que el Grupo Uno se comprometía a entregar la planta dos meses antes que el Grupo Dos.

* Que la oferta de financiación del Grupo Dos le generaba a PBB un gasto adicional de casi 10 millones de dólares.

La comisión evaluadora de PBB calificó a la oferta del Grupo Uno con un 9,2 y un concepto de *muy buena*. Y le puso a la del Grupo Dos un 7,6, y la consideró sólo *buena*.

Apenas asumió Menem, la Sindicatura General de Empresas Públicas (SIGEP), el organismo que controla y monitorea las compras y licitaciones de compañías del Estado, dictaminó que Eurnekián había adjudicado NEXPRO al Grupo Uno sin consenso del resto del directorio de PBB, y anuló la transacción de inmediato.

Pero además, encargó a sus técnicos que volvieran a estudiar el proyecto de ampliación de la planta.

La urgencia de Eurnekián para poner en marcha el proyecto siempre había resultado sospechosa a los peronistas.

Un diputado nacional, vecino de Bahía Blanca, Dámaso Larraburu, había presentado un amplio pedido de informes. Sus números no coincidían con los del presidente de PBB. La historia no le cerraba. Por eso se encontró con Murat Eurnekián y le pidió explicaciones.

Lo que según Larraburu dijo Eurnekián es que todos los créditos del exterior, y también, por supuesto, el italiano, vienen con un 10 por ciento de coima incluido... coima que se destinaría a los funcionarios que pilotean la operación.

Si lo que asegura el legislador es cierto, se debe aclarar que Eurnekián no pudo quedarse con su 10 por ciento correspondiente, ya que la SIGEP "bochó" la operación.

A Alfonsín lo reemplazó Menem y el lugar de Eurnekián en PBB lo ocupó Jorge Geraiges, un personaje en el que hay que detenerse antes de continuar con la cronología de la historia.

Se trata de un ingeniero mendocino que nunca entendió nada de petroquímica, pero siempre mucho de negocios. Aterrizó en la empresa mixta por recomendación de su íntimo amigo José Luis Manzano, quien hasta ese momento era su jefe, ya que Geraiges trabajaba de secretario en el Congreso Nacional. Gritaba a los cuatro vientos que su padrino político no era sólo Manzano, sino también Eduardo Bauzá, quien en ese momento ocupaba el cargo de ministro del Interior.

El *Turco* Geraiges vestía trajes de alpaca inglesa, manejaba un BMW y explotaba la concesión de dos grandes hoteles en Reñaca, Chile, antes de convertirse en el mandamás de Petroquímica. El hombre se jactaba ante sus amigos que en la temporada de verano 1988-89 se había levantado por lo menos 150 mil dólares sin moverse demasiado.

A Geraiges se lo tenía como un insignificante ladero de Manzano hasta que consiguió PBB y se desbordó.

Entró a la empresa con unas ínfulas insoportables, y desde el primer día sus subordinados inmediatos le juraron venganza en silencio.

Dejaba colgados en el teléfono a los socios privados de la compañía, algo que no se había atrevido a hacer ningún general, ni siquiera en la época en que los militares se creían los dueños del planeta.

Pronto creyó que tenía una línea directa con Dios, y habitó una casa en el country Lagartos, sólo por no verle la cara los fines de semana a su comprovinciano José Dromi, quien en esa época "curtía" Highland, el country de los famosos.

Cometió toda clase de desprolijidades, y una de las más graves fue "hacer trabajar" parte de "sus ahorros" en la mismísima mesa de dinero de Petroquímica Bahía Blanca, un ente paraoficial que siempre funcionó mejor que la propia empresa.

Subido al caballo del poder y el dinero, Geraiges ordenó dar vuelta el dictamen de la comisión evaluadora que había aconsejado adjudicar NEXPRO a *Linde-Mc Kee-Sade* y arregló las cosas para dárselo a *Lummus-Techint-CTIP*, una de cuyas empresas es la protagonista de esta investigación.

A partir de ese momento se precipitaron una serie de hechos que jamás salieron a la luz. El más importante fue el siguiente:

Los sabuesos de la Secretaría de Inteligencia del Estado (SIDE), al mando de Juan Bautista Yofre, pincharon un teléfono clave y oyeron cómo Federico Zorraquín, presidente de Ipako, la privada con más acciones en PBB, le contaba indignado a un amigo que la transacción entre la petroquímica y Techint y sus socios incluía una compensación monetaria ilegal de varios millones de dólares.

Fuentes muy confiables precisaron que se trataba de hipotéticos 14 millones de dólares. Y que los destinatarios debían haber sido, entre otros, Geraiges y Manzano.

Yofre recibió la desgrabación de la conversación y se frotó las manos. Él pertenecía al subgrupo interno del gabinete de Menem denominado *Los moujaidines*. Se trataba de una alianza de secretarios de Estado para contrarrestar el poder de los "celestes" Bauzá, Dromi, Manzano y Eduardo Menem. Los moujaidines eran Yofre, el secretario de la Función Pública, Gustavo Beliz, y los entonces secretario Legal y Técnico de la Presidencia, Raúl Granillo Ocampo; de Información Pública, Jorge Rachid, y de Planificación, Moisés Ikonicoff. Todos ellos querían ver correr la sangre de los neorrenovadores a quienes calificaban globalmente de corruptos, y políticamente de oportunistas.

—*Manzano es una copia mejorada de* (Enrique) *Coti Nosiglia, y los demás son peores que los de la coordinadora radical* —concluyeron en una reunión conjunta.

Tata Yofre sentía que la información le quemaba en las manos e hizo lo que creía que correspondía: informar al ministro Bauzá antes de que estallara el escándalo. Algunos sostienen que tomó esa decisión para tratar de frenar la operación.

Casi inmediatamente después Zorraquín se entrevistó con el presidente Carlos Menem para sugerir, con suavidad, lo que había dicho con ira a través del teléfono. María Julia Alsogaray, quien había llevado al empresario al despacho del presidente, no se frotó las manos pero experimentó un cierto goce al escuchar la denuncia.

Tampoco ella nunca bancó a los poderosos celestes, los hombres a los que el periodista Daniel Capalbo llamó, en un rapto de genialidad, *Los mosqueteros del Rey...* Menem.

No se sabe si fue en esa misma reunión o unos minutos después cuando Bauzá entró presto con la carpeta de Yofre a ver a Menem y la presentó no como el caso más escandaloso de corrupción en la era del menemismo, sino como una campaña contra el gobierno, de los conspiradores de siempre.

Meses después, Yofre fue elegantemente desplazado de la SIDE, con la ayuda de Bauzá y el voto cantado favorable de Eduardo Menem, José Dromi y Manzano.

Pero eso no fue todo.

Porque el entonces diputado nacional Roberto Irigoyen exigió la creación de una comisión investigadora de los presuntos ilícitos cometidos en la adjudicación de NEXPRO al consorcio integrado por *Techint*. Y en sus fundamentos, que quedarán registrados en la historia del Congreso, escribió:

La opinión pública se ha conmovido con la información... que asegura que estaríamos en presencia de una verdadera corrupción gubernamental que alcanzaría a algún miembro de esta Honorable Cámara y...

Si este proyecto aparece en los futuros manuales escolares los padres deberán informar a sus hijos que el miembro de la Honorable Cámara al que se refería Irigoyen era José Luis *Chupete* o *Cototo* Manzano.

Otro diputado nacional, Alberto Albamonte, presentó un nuevo pedido de informes en el que exigió el esclarecimiento e investigación del hecho. Y unos meses después informó al autor de esta investigación que Manzano le había enviado "emisarios" para hacerle una "oferta".

—*¿Una oferta de dinero?* —se le preguntó.

—No —respondió Albamonte—. Me ofrecían la presidencia de una Comisión Investigadora de Ilícitos.

—*¿Y eso qué tiene de malo?*

—Que a cambio de la presidencia yo tenía que frenar... o no

profundizar, la investigación sobre Petroquímica Bahía Blanca —remató Albamonte.

El trabajo de Geraiges para asegurarse de que *Lummus-Techint-CTIP* se quedaría finalmente con NEXPRO fue titánico:

El *Turco* viajó a Italia, igual que Manzano, para garantizar el crédito para el inicio de la obra.

Estuvo con Karim Yoma, en España, para que el embajador sin cartera no le pusiera piedras en el camino a ese bendito préstamo.

Agitó en las narices de los desconfiados un papelito con la firma de medio gabinete. Un papelito en el que los ministros del Interior, Bauzá, y Jorge Triacca, de Trabajo, daban su consentimiento al otorgamiento del financiamiento italiano. El ministro de Defensa, Ítalo Lúder, no lo firmó. Lúder era responsable por el 17 por ciento de PBB que controla Fabricaciones Militares. Lúder abandonó el gobierno meses después, como la mayoría de los que se opusieron a la entrega inmediata de la Gran Obra Mixta.

Geraiges omitió, para descartar a la competidora de Techint, que ese consorcio también contaba con financiamiento a créditos blandos de distintas naciones, y también de Italia.

Presionó con insistencia y bastante mala educación al entonces vicepresidente del SIGEP, el ingeniero Nicolás Yanno, para que ese ente no obstruyera su camino y aprobara la irregular concesión.

Yanno es uno de los hombres que más entiende de petroquímica en Argentina. Asesoró a innumerables proyectos de esa industria. Participó en el proyecto de construcción de la planta original.

Yanno y sus subordinados no sólo firmaron el dictamen anulando la concesión del proyecto a la competidora de Techint, sino que llegaron a la conclusión de que la instalación de una nueva planta era absolutamente inviable.

Éstas son las razones que figuran en el dictamen de la SIGEP y que no fueron divulgadas a la opinión pública. Fueron pasadas del lenguaje de los dictámenes al idioma de los humanos.

* Levantar una planta madre de etileno sin construir sus plantas satélites, es irracional e inservible. *Es como instalar una fábrica de pilotos en un desierto, pero sin contar con el vendedor de materia prima para la tela ni los clientes que compren el producto final.* "El problema es que se trata de una fábrica de 250 millones de dólares", le explicó Yanno a un ministro que no quería entender.

* Era correcto que había una demanda no satisfecha de cerca de 90 mil toneladas de etileno. Pero si se abría una planta para producir 200 mil. ¿A quién se le vendía el resto? ¿Quién se hacía cargo de la capacidad instalada que no se utilizara?

* El crédito italiano no era suficiente para hacer rentable semejante inversión.

—Yanno: usted está poniendo trabas en la excelente relación entre los gobiernos italiano y argentino. Lo mejor es que levanten las observaciones y nos dejen trabajar —habría advertido Geraiges al miembro de SIGEP, antes de finalizar 1989.

Sin embargo Yanno le explicó que no se trataba de una postura personal. El conflicto creció. Yanno puso su renuncia a disposición de todo el directorio de SIGEP. Pero el directorio no la aceptó, y ratificó el dictamen por el cual la realización de NEXPRO resultaba delirante. Geraiges cayó con pena y sin gloria.

Pero Manzano recordará este asunto como el más bochornoso de su carrera política.

En mayo de 1990 aparecieron los famosos carteles que mandó a imprimir el ex secretario de Turismo, Omar Fassi Lavalle, en los que se podía leer

Lealtad al Presidente
pero no a los delincuentes

Tenían un agregado que decía, entre otras cosas:

José PETROQUIMICA Manzano.

Siete meses después del episodio, el brillante legislador todavía era percibido por la gente como poco honesto.

En una encuesta de esa época realizada en Mendoza por la consultora *Lynch, Menéndez & Nivel* Manzano fue considerado el dirigente menos honrado, después del coronel Mohamed Seineldín.

Y en otra consulta piloteada por el estudio *Hugo Kolsky* en la que se preguntó *¿Recuerda a figuras de la política que fueron mencionadas en referencia al tema de la corrupción?*, el 13 por ciento mencionó el apellido Manzano y lo asoció con el caso *Petroquímica.*

El de PBB fue, sin duda, un negocio de morondanga.

Porque el escándalo impidió que se adjudicara la obra.

Y por lo tanto no hubo crédito italiano.

De manera que entonces resulta imposible que tanto Manzano como Geraiges hayan cobrado un porcentaje de algo que jamás existió.

Pero una de las cosas más notables es que la mayoría de la sociedad no relacionó a este caso con la organización Techint.

Como tampoco asoció a este poderoso grupo con otra de las entregas más controvertidas que se hayan realizado en el marco de la política de privatización del gobierno de Menem.

Estamos hablando de la concesión de una buena parte del mejor negocio que tienen los ferrocarriles en todo el mundo: *el transporte, no de pasajeros, sino de carga.*

Todo comenzó en 1989, gracias al decreto 666 impulsado por Dromi.

El instrumento legal que permitió no la privatización sino la concesión de los trenes argentinos. La diferencia entre una y otra figura no es de forma.

Privatizar hubiera significado también cotizar a la empresa pública por su valor de libro. Y la valuación habría sido de por lo menos 30 mil millones de dólares. Es decir: los eventuales compradores habrían huido despavoridos.

El corredor ferroviario que le debía ser adjudicado a Techint tenía originalmente 785 kilómetros y se extendía desde Rosario a Puerto Belgrano. Pero una pequeña corrección en el articulado realizada por Dromi lo convirtió en un corredorazo de 5.200 kilómetros de vía.

Para que se entienda bien; el Estado cedió de repente, y a un solo consorcio, estas menudencias:

* Toda la red ferroviaria que alimenta al Puerto de Bahía Blanca y que abarca el sur de la provincia de Buenos Aires, el sur de Córdoba y Santa Fe.

* Es la parte de la pampa más rica. La zona de cultivo y venta de granos más importante de la Argentina. Un área que factura, en el peor de los casos, *más de 6 mil millones de dólares por año.*

Nada de esto es un delito ni resulta perjudicial si sirve para achicar el déficit público y neutralizar la corrupción en los entes públicos. Pero no resulta para nada bueno si con la transacción sólo se beneficia el concesionario y el resto de los argentinos se perjudica.

Existen varias razones que sustentan la última afirmación. Éstas son sólo algunas.

* En el apartado 32.9 del pliego de licitación del 18 de enero de 1990, el Estado *no fija el monto de las tarifas* sino que se limita a decir que deben tener un precio que permita *asegurar la ganancia* de la compañía privada, es decir, de Techint.

Se trata de la misma polémica que apasiona a los que discuten la privatización de ENTel. Los defensores de privatizar con prolijidad sostienen, y con razón, que si las tarifas de la ENTel pública hubiesen tenido el precio que ahora registra el servicio de *Telefónica y de Telecom,* esa compañía, en manos del Estado, no se habría fundido nunca.

Pero las tarifas de ENTel siempre fueron demasiado baratas, y demasiado políticas. Hasta que Techint tomó el ramal Rosario-Bahía Blanca, el presidente de la Federación Agraria, Humberto Volando, sostenía que él vendía el quintal de trigo a 30 mil australes. Y que para calcular su ganancia debía descontarle 15 mil australes de flete. O sea: de tarifa ferroviaria.

Volando reconocía que el nivel de la tarifa era óptimo, y se preguntaba:

—Si ahora que pagamos por el transporte un precio más o menos bajo no me queda limpio ni para pagar un kilo de helado. ¿Qué pasará cuando Techint fije las tarifas?

Héctor Casella, un investigador de la Asociación del Personal Superior de Ferrocarriles Argentinos *(APEDEFA)* tiene la respuesta:

—Pueden pasar dos cosas. Una: que se funda Volando y todos los pequeños productores de granos de la Argentina, ya que no podrán cargar su mercadería en camión, porque les resulta mucho más caro que el tren. Dos: que el gobierno se compadezca de los Volando y les subsidie la parte de la tarifa cara que no pueden pagar.

En cualquier caso, el concesionario no pierde un solo peso, y ni siquiera invierte capital de riesgo.

Estas observaciones no son ideológicas sino muy prácticas. Como fueron sensatos los reparos que hizo la SIGEP a la oferta del consorcio liderado por Techint, el 21 de noviembre de 1990. La Sindicatura consideró:

* que los 104 millones de dólares que ofreció Techint como inversión para mantener en condiciones las vías, maquinarias, equipos, comunicación y señalamiento, sólo alcanzarán para renovar la mitad de la red concedida.

* que resulta inconcebible que Techint y sus socios ofrezcan por cada vagón en alquiler sólo 7.683 millones de dólares cuando el precio mínimo es de 39 mil dólares.

* que la concesión a Techint de este ramal no servirá para bajar el déficit de esa parte de Ferrocarriles porque:

Antes de privatizar, para transportar 1,5 millones de toneladas anuales de carga se utilizaban 4 mil personas y una cantidad de combustible determinada. Por todo eso el Estado perdía 136 millones de dólares.

Después, Ferrocarriles Argentinos dejará de cobrar dinero por transportar granos, seguirá haciéndose cargo de las 4 mil personas, y como si eso fuera poco, estará obligado a pagar peaje cada vez que pase por la zona controlada por Techint.

Los expertos de la SIGEP recomendaron a la Comisión de Seguimientos de las privatizaciones:

* Que Techint aclare en el contrato cuánto personal proveniente de FA está dispuesto a tomar.

* Que se le exija aumentar el precio ofrecido por el alquiler de vagones.

* Que se le exija al consorcio la disminución del valor del peaje que le pretende cobrar a FA.

* Que se haga un nuevo contrato más sencillo, menos ambiguo y más ventajoso para el Estado.

El servicio y la explotación del corredor Rosario-Bahía Blanca fue tomado por Techint en noviembre de 1991. Las sugerencias de la SIGEP fueron virtualmente ignoradas.

Es necesario aclarar que Techint y sus socios no cometieron delito.

Sólo se aprovecharon de funcionarios con escasa vocación para defender los intereses del conjunto de la sociedad.

Cuando los problemas los tiene el grupo o cualquiera de sus integrantes, las defensas son prolijas, implacables, y las pérdidas resultan mínimas. Este fue el caso del controvertido juicio de divorcio que el ex marido le inició a Marcela Rocca, prima de Roberto Rocca y una de las accionistas del grupo, y que tuvo dictamen en abril de 1990.

Marcela Rocca es hija de Enrico Rocca.

Enrico Rocca era el hermano de Agostino y uno de los hacedores primeros de Techint. Murió en 1955 y dejó su fortuna a sus parientes directos.

Y José Ricardo Piñeyro es el ex marido de Marcela Rocca, un médico que conoce el grupo Techint como pocos.

Este juicio de divorcio debería haber permanecido en secreto. Sin embargo Piñeyro utilizó su amistad con el dueño del matutino *Página 12,* para divulgar el asunto y presionar así a Roberto Rocca, quien jamás quiso darle al médico lo que éste exigía.

Piñeyro pretendía demasiado.

Sostenía que a Marcela Rocca le correspondía el 30 por ciento de todo el patrimonio de la organización Techint. Aseguraba que eso era así porque el grupo era una verdadera Sindicatura de Empresas, y también porque desde antes de su muerte, Enrico había "arreglado" que se quedaría con un tercio de todos los activos.

El abogado de Piñeyro, Héctor Clienti, socio de Fernando De la Rúa reconoció ante el autor de esta investigación que:

* Piñeyro había valuado los bienes de Techint en todo el planeta en *18 mil millones de dólares.*

De acuerdo con la versión del leguleyo, a Marcela Rocca le correspondían más de 5 mil millones de dólares, y al querellante cerca de 2.500.

* Que si su cliente ganaba el juicio él cobraría por lo menos 400 mil dólares.

* Que no se divulgaron en *Página 12* los detalles más escabrosos porque lo consideraron inconveniente para su estrategia negociadora.

Clienti prometió más de una vez entregar una copia de la causa. También aseguró que se ocuparía de organizar una cita con Piñeyro para aclarar todos los detalles del caso.

Sin embargo, después de una conversación telefónica hostil, Piñeyro resolvió no concurrir a la cita. Y de paso ordenó a su abogado que no diera a conocer los detalles de la causa.

En el expediente había, entre otras cosas, fotos que probarían que el médico habría salido con otras mujeres mientras estaba casado con Marcela Rocca. En una enésima conversación, Clienti se disculpó e informó que la causa estaba en un juzgado de San Isidro, y que cualquiera que deseara podría consultarla.

Pero en el juzgado de San Isidro los auxiliares del magistrado Héctor Tanzi aclararon que las partes habían pedido reserva del expediente.

El 14 de noviembre de 1990 hubo una audiencia de conciliación.

En agosto de 1991, el pleito se arregló y todos quedaron contentos.

—*Lo que quiere Piñeyro es una renta que le permita vivir tranquilo* —dijo Roberto Rocca en una de las entrevistas exclusivas con el autor.

Clienti, por su parte, explicó que su cliente vivía muy bien hasta que se separó de Marcela Rocca, y sugirió que el juicio tenía por objeto, entre otras cosas, recuperar ese nivel de vida.

El escandalete no mermó en nada la economía, el poder y la influencia de la organización Techint.

3. *Si fuera dueño de Argentina*

—*Italia es mi madre, Argentina es mi esposa, y Siderca es mi hija* —pontificó con solemnidad Agostino Rocca, unos cuantos años antes de su muerte, ocurrida en 1978.

—*Si yo fuera el dueño de la Argentina* —se le escapó a su hijo, Roberto Rocca, el martes 23 de abril de 1991— *me gustaría que este país fuese exactamente como Siderca.*

Sigmund Freud definió el acto fallido como un pensamiento oculto y prohibido que sale a la superficie por la fuerza del inconsciente. En el momento en que Rocca cometió ese acto fallido, la monumental planta de Siderca se podía ver desde la ruta, y ya causaba impresión.

Siderca es el establecimiento más moderno, automatizado y limpio de la Argentina. Está entre las cuatro fábricas de tubos sin costura más modernas del planeta.

Cuando se ingresa a Siderca, se tiene la sensación de que se entra al primer mundo. Se genera la sospecha de que no hay hambre ni sufrimiento. Solo eficiencia, computadoras, producción y bienestar.

Siderca es como la Argentina: como la Argentina Año Verde.

Se encuentra en Campana y el terreno donde está emplazada tiene nada menos que 300 hectáreas. Doscientas de ésas están cubiertas.

Los tubos sin costura que producen son de una altísima calidad. Para dar una idea clara de lo que significan, se debe decir que esos tubos son *el corazón* del proceso de perforación de los pozos petroleros. El proceso de perforación tiene un costo que oscila entre los 900 mil y los 6 millones de dólares. Si uno solo de esos tubos se rompiera, la demanda de cualquier petrolera nacional o extranjera sería suficiente para destrozar la imagen de Siderca y hacerla desaparecer.

Tiene un laminador de acero, denominado LACO 2, que es el más moderno del mundo.

Posee una enorme máquina de captación de humo cuyo costo real fue de 6 millones de dólares. El resultado es que genera un grado de contaminación igual a cero.

Cuenta con un *puerto propio* por el que sale el 50 por ciento de toda la exportación.

Hay un sistema interno por el que la planta goza de aire, agua y electricidad aunque afuera se produzca el apocalipsis.

Tiene también una playa de mineral, otra playa de productos terminados, una planta de reducción directa de acero, una zona de almacén general y talleres, una fábrica de oxígeno, otra de cuplas para unir los tubos, una central de servicios industriales y otra central termoeléctrica.

Su capacidad de producción es de 600 mil toneladas de tubos por año.

La demanda es altísima y ahora está vendiendo un poco más de lo que fabrica. Por lo tanto: es una de las pocas empresas de la Argentina que tienen sobrevendida su producción.

Gracias a esa venta ingresan entre 400 y 500 millones de dólares por año. El 86 por ciento de su clientela es el resto del mundo.

Entre sus clientes más importantes se encuentran las más grandes petroleras rusas, chinas, norteamericanas, árabes y alemanas.

Cada una de ellas tienen en la planta de Campana un galpón donde trabajan técnicos de Shell, Arabian Oil Company y otros clientes que controlan *la calidad del producto desde el principio hasta el final.*

La planta tiene a su alrededor canales donde caen todos los efluentes. Estos son recogidos y van a una laguna de tratamiento que los purifica. Así el agua regresa al río Paraná sin contaminarlo.

Siderca da trabajo directo a 5 mil argentinos y mantiene indirectamente a más de 25 mil.

De los 5 mil empleados directos más de un 30 por ciento son profesionales y técnicos y nadie puede entrar a la fábrica, ni siquiera como personal de limpieza, sin tener un mínimo grado de especialización.

Hay 10 aulas para capacitación, 8 talleres y un centro emisor de video que transmite películas a cada rincón de la planta. Este centro es más grande que cualquiera de los estudios de televisión de los canales abiertos de la Argentina.

Mantener a este monstruo cuesta entre 5 y 6 millones de dólares por año.

Al padre de Roberto Rocca, Agostino Rocca, se lo considera un prócer en Campana.

Campana, en realidad, era un pueblo fantasma hasta que llegó la antecesora de Siderca, Dálmine Safta, en 1949.

El primer barrio de Siderca fue construido en 1954. Sus casas fueron vendidas al personal y sus primeros propietarios las convirtieron en suyas en 1971. Hoy viven allí desde operarios hasta gerentes.

Cuando los Rocca aterrizaron allí, no había ni 10 escuelas. Ahora Zárate tiene 35 y Campana 32. La mayoría de ellas fueron donadas por los dueños de Techint.

Además de la espectacular planta, hay también un hotel, un club y una institución de fútbol llamada Villa Dálmine, entidad por la que los Rocca hicieron ingentes esfuerzos para que ascendiera a Primera A, aunque nunca lo lograron.

Si una bomba o un terremoto imaginarios hicieran desaparecer a Siderca, las localidades de Zárate y Campana no durarían mucho, la economía de la provincia de Buenos Aires sufriría un golpe mortal y el impacto se registraría en el índice del Producto Bruto Interno de la Argentina.

El escándalo de SOMISA sería una bendición del cielo al lado de las consecuencias que traería aparejada la muerte de Siderca.

Pero la hija de Agostino Rocca, además de su potencia y su belleza, tiene una historia secreta e inédita que no fue incorporada a su biografía oficial.

La primera parte de esta rutilante historia es *Siderca Argentina, Sociedad Anónima Industrial y Comercial; no sería una empresa nacional sino una compañía mayoritariamente extranjera.*

El problema, en este caso, no es la soberanía.

No se trataría, precisamente de un conflicto ideológico, sino muy práctico: durante muchos años, Siderca habría estado contrariando leyes y normas. Resoluciones como las que impiden a firmas extranjeras obtener beneficios y créditos del Banco Nacional de Desarrollo, subsidios, exenciones de impuestos y promoción industrial.

En el complejo y prolijo cuadro de la Organización Techint que el propio dueño, Roberto Rocca, entregó al autor en su primer encuentro, se afirma que la propiedad de Siderca Argentina está distribuida de la siguiente manera:

Un 10 por ciento de Inversores Extranjeros (IE), que no serían otro que los Rocca. Y un 90 por ciento de capital supuestamente nacional conformado así:

* 24 por ciento bajo el rubro "otros". Se trata de pequeños accionistas o gente que apuesta en la Bolsa a favor de esta pujante compañía.
* 58 por ciento correspondiente a la *Santa María Argentina*, la mesa de dinero del grupo Techint.
* 8 por ciento a la empresa *Aroin Argentina*. Esta firma es también propiedad de los Rocca.

Hasta aquí no hay ninguna razón para sospechar que *Siderca no* es una empresa argentina. Pero todo comienza a desmoronarse cuando se analiza con detenimiento la nacionalidad de los distintos accionistas. Este es el análisis simplificado.

* El 10 por ciento de los Inversores Extranjeros no está en discusión.
* El 24 por ciento de los *otros* accionistas argentinos tampoco.
* Pero Santa María Argentina *no es completamente nacional* sino que tiene:

1) Un 44 por ciento de inversores extranjeros.

2) Un 48 por ciento del capital que es propiedad de una sociedad llamada *Agustín Rocca y Cía. Argentina*. Pero esta empresa, a su vez, tampoco es totalmente nacional, sino que tiene un 48 por ciento de

Inversores Extranjeros, un 4,5 por ciento de accionistas de *Santa María* y un 47,5 por ciento de accionistas de la firma *Aroin Argentina.*

Para decirlo claro: el 58 por ciento de participación de *Santa María en Siderca tiene un 93 por ciento de capital extranjero.* O sea, solo *la participación de Santa María extranjeriza en un 54,5 por ciento a toda la propiedad de Siderca.*

* Ahora falta desdoblar la propiedad de *Aroin Argentina.*

1) El 52 por ciento de Aroin es propiedad de *Agostino Rocca y Cía. Argentina,* que, como ya se aclaró, tiene por lo menos un 48 por ciento de inversores extranjeros puros.

2) El 48 por ciento restante de Aroin es, directamente, de inversores extranjeros.

Por lo tanto: *Aroin, en vez de aportarle a Siderca el 8 por ciento de acciones nacionales, le está aportando un 3,84 por ciento de capitales extranjeros.*

La última cuenta que se debe hacer para descubrir la verdadera nacionalidad de la empresa Siderca es:

PARTE EXTRANJERA

10 por ciento de lo declarado oficialmente.

54,2 por ciento derivado de las acciones de *Santa María.*

3,84 por ciento derivado de *Aroin.*

Total: 68,14 por ciento.

Para no complicar más las cosas: casi el 70 por ciento de la propiedad de Siderca es de inversionistas extranjeros. Y estos inversionistas extranjeros, radicarían sus empresas en países como Panamá o Bermudas, para no pagar dos veces el impuesto a la utilidad, según admitió sin inconvenientes el propio Rocca.

Si se hace el mismo ejercicio con todas las empresas del grupo Techint que figuran en el documento entregado por Rocca, no sólo se comprobará que ninguna de ellas es mayoritariamente nacional sino que se concluirá que a medida que se ubican más abajo del cuadro, la participación extranjera crece más.

El 21 de noviembre de 1986, el Banco Nacional de Desemvolvimiento Económico e Social (BNDES) de Brasil, el equivalente al BANADE argentino, le negó a una empresa de *Bunge & Born* un préstamo de más de 15 millones de dólares. La causa: los sabuesos detectaron que la firma no era brasileña, sino que pertenecía, en su mayor parte, a inversionistas extranjeros. Con mucha delicadeza los directivos del BNDES le devolvieron a la empresa de B & B todos los papeles, con la aclaración que para esos créditos tienen prioridad las empresas nacionales.

La segunda parte de la rutilante historia de Siderca, hija de Agostino Rocca y la compañía más moderna de la Argentina, es que uno de los beneficios que consiguió como empresa nacional *fue bajo mecanismos controvertidos que le permitieron ahorrar varios millones de dólares.* Los hechos:

En 1954 se instaló en Campana Dálmine Safta, la fábrica de tubos para perforación de pozos de petróleo. En 1962, también en

Campana, el mismo grupo Techint constituyó Siderca S.A. En 1964, ambas firmas se fusionaron con el nombre de Dálmine Siderca S.A.

Dálmine Siderca presentó un plan de ampliación de la planta con el objetivo de multiplicar la producción de acero y también de tubos. Ese plan fue aprobado en julio de 1965 por el gobierno de Arturo Illia, uno de los presidentes que más gustaron a Roberto Rocca, para llevar adelante el plan, Siderca gozaría de beneficios promocionales inventados por el decreto 5.038 de 1961.

Se trataba de un régimen de promoción para *empresas nacionales (y no extranjeras)* que levantaran nuevas fábricas siderúrgicas o realizaran ampliaciones.

Los beneficios no eran pocos:

* Siderca no tenía que pagar derechos aduaneros o recargos cambiarios sobre las maquinarias, accesorios, repuestos o materias primas que importara.
* Tampoco debía abonar impuestos a los réditos.
* Se desvalorizaba aceleradamente su activo fijo, por lo que casi no pagaba impuestos sobre ese rubro.
* Se le concedían avales para financiar la compra de bienes de capital y pedir créditos al exterior.
* Se la exceptuaba de pagar impuestos a los sellos, a la ampliación del capital y también a la emisión de acciones.
* Tampoco debía pagar los impuestos derivados del costo del asesoramiento técnico para el proyecto.

Sin embargo, y a pesar de todo, Siderca *no amplió su planta, como lo había anunciado.*

Pero en 1982, Dálmine Siderca S.A. volvió a la carga y presentó un nuevo plan de inversiones. Este plan fue aprobado por el decreto 2.727 del mes de octubre de 1983. Es decir: días antes de que el presidente de facto Reynaldo Bignone saliera por la puerta trasera de la Casa Rosada.

Este plan de inversiones, que tuvo un costo aproximado de 600 millones de dólares, fue el que permitió a Siderca transformarse en una de las cuatro fábricas de tubos sin costuras más modernas del planeta.

Pero el decreto que autorizó esa ampliación tuvo una sugestiva particularidad: en vez de basarse en el proyecto promocional *general y específico para todo el sector siderúrgico*, creado por el decreto 619 de 1974, se basó en el viejo decreto 5.338 de 1961.

No hay que ser secretario de Industria para responder por qué se acogió a un decreto y no a otro: el de 1961 tenía muchos más beneficios impositivos que el de 1974. Además de esa, no hay ninguna otra razón lógica que explique esta sugestiva modificación: *el proyecto de ampliación que Siderca presentó en 1982 no tenía nada que ver con el que propuso y se la aprobó en 1965. El antiguo, por ejemplo, preveía la fabricación de altos hornos. El último contempló la reducción directa del acero.*

En 1988 el diario *Wall Street Journal*, consideró al grupo Techint como una organización "aprovechadora de subsidios", explotadora del gobierno y causante de las dificultades económicas argentinas. Al desmentir esa denuncia con su firma, Roberto Rocca negó que la gran planta de Siderca se haya levantado gracias a préstamos oficiales y a tasas subsidiadas. El ingeniero explicó que Siderca fue posible gracias a:

* créditos de proveedores extranjeros más agencias internacionales.
* représtamos.
* 10 por ciento con créditos en moneda local y con tasas de interés de mercado.

Lo que no dijo Rocca es que:

* También la construyó con 186.009 millones de dólares de deuda externa. Una deuda privada que, en una buena parte, fue transferida a toda la sociedad a través de los ya famosos bonos denominados seguros de cambio.
* El controvertido instrumento con que se acogió a la promoción industrial le permitió ahorrarse más de 200 millones de dólares. Cuando importó bienes de capital por 300 millones de dólares dejó de pagar derechos aduaneros y tributos por 100 millones de dólares.

Y todavía, gracias a esa bendita promoción, Siderca no abona impuestos a las ganancias.

* El interesante decreto aprobado en octubre de 1983 también permitió que subsidiarias de Siderca en San Luis como *Matelcentro* y *Metalprom* no pagaran el Impuesto al Valor Agregado (IVA) para la compra y la venta, con lo que consiguió un 13 por ciento más de rentabilidad sobre la facturación.

Tampoco mencionó Rocca, en su desmentida, que la sociedad transfirió a Siderca mucho dinero gracias a los *sobreprecios* que estuvo pagando durante años YPF por sus excelentes tubos sin costuras. Este milagro fue posible gracias al Régimen de Compre Nacional. Este régimen impedía, virtualmente, la compra de los mismos tubos a compañías extranjeras. El 24 de mayo de 1987, el entonces presidente de la petrolera Shell, señor Jacques Shraver, *consideró que los tubos que vendía Siderca se pagaban en Argentina 2 veces y media más de lo que le costaría a la Shell, su importación desde los Estados Unidos.*

La tercera parte de la historia de Siderca es el relato minucioso de lo que sucede dentro de la fábrica, contado por los operarios Ángel Recúpero y Luis Alberto Tabares, quienes integran la comisión interna de Siderca desde hace 17 años.

Recúpero tiene 38 años, es casado y ama a su hija.Tavares tiene 29, también es casado y debe mantener a dos varones. Los testimonios de ambos ocupan una hora y media de grabación. Esta es la reconstrucción fiel de sus palabras:

El salario promedio de un empleado especializado múltiple, la categoría más poblada, era de 600 dólares en setiembre de 1991. Se trata del mejor sueldo de todas las fábricas nucleadas en la Unión

Obrera Metalúrgica (UOM), cuyo promedio no superaba entonces los 300 dólares mensuales.

Pero ese salario no alcanzaba para cubrir ni la mitad de la canasta familiar de San Nicolás, que superaba los 1.200 dólares.

Ambos operarios dividieron la relación con la empresa en tres etapas. La primera: desde 1973 hasta 1976, cuando llegó el golpe de Estado. La segunda: desde el 24 de marzo de 1976, hasta el 10 de diciembre de 1983, en que sobrevino el gobierno de Alfonsín. La tercera: desde ese momento hasta ahora.

Sobre la primera etapa, dijeron:

* Que de los 220 desaparecidos que tuvo la UOM en todo el país, 75, o sea, el 17 por ciento, fueron empleados de Siderca.

* Que todo comenzó en abril de 1979, no por un problema político, sino salarial. Ellos venían cobrando en negro algunos extras. Y pretendían que se los blanquearan.

De un día para el otro, el pago en negro se retiró, y provocó una reacción masiva y espontánea de la mayoría de la gente.

El conflicto fue durísimo. La primera asamblea no fue presidida por los delegados, *sino por un grupo de oficiales del Ejército con ametralladoras y bayonetas.* Los militares concedían el uso de la palabra. Y algunos de los activistas trataban de hacer equilibrio entre lo que debían reclamar y el cuidado de la propia vida.

Pocos cometieron el pecado de apasionarse demasiado.

Uno de ellos se llamaba Juan José *Colorado* Torrente. A otro se lo conocía como Pascual Gordillo.

La primera asamblea pasó, luego vinieron las reuniones de los activistas en el vestuario de la acería. Eran encuentros atípicos, de no más de 30 empleados. Acudían, si se animaban, dos por cada sector. Antes de entrar, los paraba un subteniente para pedirles los nombres, los documentos e interrogarlos convenientemente.

Protagonizaron tres días de huelga general, y las reivindicaciones fueron obtenidas.

Cuando terminó la segunda jornada de paro, Torrente salió de la planta junto a dos de sus compañeros, cruzó la avenida Mitre, enfiló para su casa, en el centro del barrio Siderca, dejó al último operario en su domicilio y... nunca se lo volvió a ver en este mundo.

A Gordillo le pasó exactamente lo mismo, sólo que unos días después. Fuentes empresarias miran a esa época con otro cristal y con menos detalles. Opinan que entonces Siderca era "una cueva de subversivos". Afirman que la prueba de esto es que antes de lo de Torrente, a Magrini, gerente de Personal, guerrilleros no identificados le pegaron un tiro en el medio de la cara.

—Venía en su auto desde Zárate. Se le puso otro coche a la par. Lo reventaron. Lo inutilizaron. Magrini tuvo que dejar de trabajar. Y ahora tiene medio rostro de plástico.

Por esos oscuros años, el dueño del imperio Techint, Agostino Rocca, visitaba Siderca tres veces por semana, en un vistosísimo Farlaine amarillo, cuya rimbombancia pudo haberle costado la vida.

El coraje con que afrontó esa etapa le hizo ganar el respeto de muchos obreros.

Los oscuros años de la dictadura marcaron a fuego la cultura de Siderca. Y en ese sentido, se puede admitir que la planta, como fantasea Roberto Rocca, es una radiografía en miniatura de la Argentina. Así como todavía existen operarios que confunden a los dueños de la empresa con el propio Lucifer, hay gerentes que todavía reciben información exclusiva sobre sus empleados del cuerpo de inteligencia de Campo de Mayo y de la propia Secretaría de Inteligencia del Estado (SIDE).

Mucho tiempo después del final de la guerra sucia, en abril de 1991, el encargado de la seguridad interna de la planta seguía de cerca, aunque con disimulo, los pasos de tres supuestos activistas del Movimiento Todos por la Patria (MTP). Un grupo de militantes de ese partido fue el que atacó el regimiento de La Tablada en enero de 1989, y lo pagó con su vida. Este gerente de Siderca volvió a ver subversivos por todos lados, desde aquella navidad de 1989 en que un curita de Campana, invitado por las máximas autoridades de la empresa, levantó su copa y dijo más o menos así:

—*Agradecemos la invitación a esta gran fábrica, pero debemos aclarar que nos oponemos a la explotación de los obreros por parte de la patronal.*

Roberto Rocca estaba presente. Algunos dijeron que estuvo a punto de descomponerse.

La segunda etapa de la relación entre Siderca y sus empleados se inició con la democracia y la reconversión de la planta, que terminó en una automatización que enorgullece a sus hacedores y una expulsión de la mano de obra que entristece a sus trabajadores.

Recúpero lo explica así:

—*En 1974 trabajábamos en Siderca 7 mil personas. Éramos 5 mil de la UOM, más 2 mil contratistas. Yo, que tenía el mismo puesto que ahora, ganaba 1.600 dólares. Y la fábrica producía 350 mil toneladas de tubos por año. Ahora somos nada más que 5 mil: 3.300 metalúrgicos y 1.200 efectivos. Pero además, con la automatización, de la que no renegamos, ellos fabrican 650 mil toneladas de lo mismo.*

Son 300 mil toneladas más con 1.300 empleados menos. Y como si esto fuera poco, cada uno de los que en 1974 se llevaba 1.600 ahora no gana más de 600 dólares.

Recúpero es secretario de Organización de la UOM Campana, y jura que ni él ni el sindicato se opone a la reconversión:

—*Pero queremos que también nos reconviertan los salarios* —remató. Él y su compañero de trabajo, Luis Tavares, consideran que si la Argentina fuera como Siderca, sería un país bastante injusto.

—*No es mentira que Siderca es mejor que cualquier fábrica europea. Pero también es verdad que un obrero de Siderca que gana 600 no tiene nada que ver con uno italiano que gana 1.800.*

—1.800 dólares en Italia no valen mucho más que 600 acá —se le apuntó a Tavares.

—*Con esa plata un obrero italiano vive bastante mejor* —insistió Recúpero—. *Pero además, Roberto Rocca no conoce las necesidades de los argentinos... Él baja de su avión que viene de Europa, se sube a su auto, llega a Siderca y confunde el mundo con ese pedacito que ve.*

De inmediato Tavares se ofreció a mostrarle a Rocca y sus gerentes otras realidades, a saber:

* Es bueno tener una casa propia en el barrio de Siderca. Pero no es bueno que por cada casita los compañeros tengan que pagar una cuota tan alta como el 25 o el 28 por ciento de su sueldo, durante 15 años.

* Está bien que el personal estable reciba premios por productividad y regalos para fin de año. Lo que no está bien es que a los contratistas se los trate como obreros de segunda, porque genera indisciplina, y es muy injusto. Y también está pésimo que haya obreros de tercera: son los de la UOCRA, los que hacen la obra civil, los que rompen un piso, levantan una pared, y son expulsados de inmediato.

Ni Rocca ni los que manejan Siderca son unos ogros que gozan despidiendo gente. Es sabido y reconocido que la reconversión siderúrgica produce el mismo fenómeno en todo el mundo: las máquinas reemplazan a los hombres y hacen el trabajo más rápido; este proceso aumenta y se acelera cada vez más; la única posibilidad que tienen los operarios del sector es especializarse cada vez más o cobrar la indemnización para abrir un quiosquito. Recúpero y Tavares son conscientes de eso.

—*No hay despidos masivos, pero cuando empezás a hacer la cuenta te das cuenta que son realmente muchos* —explican—. *Un día echan a uno por indisciplina. Otro día convencen a otro de jubilarse anticipadamente. Así se va vaciando la planta, y nosotros nos vamos quedando sin argumento.*

En marzo de 1990 indemnizaron con 65 mil dólares a un supervisor al que le correspondían sólo 50 mil.

En abril le entregaron el 60 por ciento de la indemnización a uno que se había robado material de la planta.

Pero el 19 de junio de 1991, a las tres de la tarde, se armó una batahola de marca mayor.

No hacía mucho directivos de Siderca habían presentado un plan de reestructuración. Una alternativa que consistía en eliminar puestos de trabajo a cambio de indemnizaciones. Muchos sectores de la planta aceptaron. Los de Laco 1, no.

—*A partir de este momento imponemos las nuevas tareas* —informó secamente el jefe de personal.

—*Nosotros no estamos dibujados, así que entramos en paro* —dice que respondió Recúpero.

Al otro día despidieron a 104 personas. Los empleados replicaron con el detenimiento de la línea de producción. Se trató de una medida dura: hace perder a Siderca ritmo de trabajo, cantidad de tubos a producir; es una decisión que duele en el bolsillo.

Los directivos pegaron igual de fuerte: suspendieron a las 570 per onas de esa planta por falta de trabajo.

Si el Ministerio de Trabajo no hubiera dictado de inmediato la conciliación obligatoria, 104 operarios habrían ido a parar a la calle.

El conflicto terminó en un empate: la UOM logró la reincorporación de todos, y Siderca se ahorró los salarios de una semana de huelga.

Con conflictos o sin ellos, cualquier obrero metalúrgico daría mucho de lo poco que tiene por trabajar en Siderca y no hacerlo en Acindar, la otra siderúrgica privada, o SOMISA, que hasta fin de 1991 seguía siendo estatal.

Acindar estuvo a punto de cerrar en 1991.

También durante 1991 SOMISA despidió con la elegancia del retiro voluntario a 6 mil operarios de los 14 mil que trabajaban en la planta. Recúpero dice que Naldo Brunelli, el místico y mítico secretario de Organización de SOMISA y secretario de Prensa de la UOM Nacional, sabía desde mayo de 1986 que su empresa iba y debía ser privatizada. Le achaca no haberse sentado a negociar una salida menos compulsiva que la que ordenó el interventor Jorge Triacca.

—Si nosotros no hubiéramos acompañado la reconversión desde 1984 Campana hace tiempo que se habría convertido en otro San Nicolás —explicó Recúpero, resignado.

El último mito que Recúpero y Tavares derribaron juntos es el que sostiene que Siderca perdió, durante el ejercicio de 1990, 120 millones de dólares.

—Corrijo: se perdieron... de ganar 120 millones por mes —dijo. *Podemos admitir que ellos computen el costo del salario como muy alto y también que son caras las tarifas de luz, gas y electricidad. Pero nada indica que Siderca pierde. Lo que pasa aquí es otra cosa. Lo que pasa es que Siderca subsidia a otras empresas del grupo Techint que andan mal, como Cometarsa y Propulsora,* remató.

Al momento de cerrar la investigación, al directorio de Siderca lo integraban entre otras, las siguientes personalidades:

* Roberto Rocca como presidente, aunque sin ninguna función ejecutiva.

* Su hijo Agustín Octavio Francisco Rocca como vicepresidente primero, aunque en realidad es el conductor de todo el grupo Techint.

* Su otro hijo Pablo Rocca, como vicepresidente ejecutivo y verdadero conductor de la compañía.

* El señor Alfredo Lisdero. Este hombre, aunque gozaba de licencia, es el mismo que está procesado por el fraude del Banco de Italia contra el Banco Central. Idéntica persona que integra el directorio de Loma Negra y que ocupa u ocupó una silla en la mesa de decisiones de Sideco, la compañía de Macri.

* Arnaldo Musich. Ex embajador argentino en los Estados

Unidos. Musich saltó a la fama al recomendarle a Videla "limpiar el bisturí" manchado con sangre de la guerra sucia. Él explicó al autor que se trató de una metáfora que se debe entender como una expresión de deseos para que el gobierno militar se fuera cuanto antes. Amigo personal de Roberto Rocca, fue sancionado con una tarjeta amarilla después de publicar en *La Nación* una nota contra el plan económico del ministro Sourrouille. El presidente Alfonsín calificó a ese artículo de terrorista. Y el entonces candidato a presidente César Angeloz amagó con devolver un cheque de cerca de 200 mil dólares que la organización había donado para la campaña pero no lo devolvió. Musich no consultó a nadie de Techint antes de escribir su tremenda columna.

* Hilario Testa. Este señor es uno de los entonces ingenieros jóvenes que llegó con Roberto Rocca para levantar el imperio que pensó Agostino Rocca. Testa, confesaron fuentes muy confiables, era el verdadero delfín de Rocca padre. Algunos dicen que el prócer siempre confió más en Testa que en su hijo Roberto. Pero eso es parte de otra novela.

Una de las últimas grandes actividades de Siderca en 1991 fue presentarse en una licitación a la que convocó Ferrocarriles Argentinos. Se trataba de la venta, por parte de la empresa del Estado, de medio millón de toneladas de chatarra. Su competidora de siempre, Acindar, también concursó para conseguirla. La tonelada de cualquier tipo de chatarra cuesta cerca de 82 dólares en el mercado internacional. Somisa la suele comprar —total paga el Estado— a 120 dólares.

El precio que ofrecieron ambas compañías siderúrgicas por la chatarra de FA fue vergonzante. Era evidente que estaban arregladas, porque una ofertó 30,50 dólares y la otra 30,65. Por suerte, una auditora privada que revisa las compras y las ventas de las compañías públicas detectó la maniobra. Si esas auditoras hubiesen operado desde hace 40 años el Estado se habría ahorrado miles de millones de dólares.

Propulsora Siderúrgica Argentina Sociedad Anónima no es la preferida del grupo Techint. Sin embargo, alrededor de ella hay otra historia que merece ser contada.

Lo primero que hay que decir de esta empresa es que tiene la misma particularidad que Siderca Argentina. Es decir: *parece una firma nacional, pero no lo es.*

En este caso su fachada indica que:

* Un 20 por ciento de las acciones son de Inversores Extranjeros.
* Un 4 por ciento corresponde a pequeños accionistas atomizados.
* Un 23 por ciento se lo lleva *Santa María.*
* Un 5 por ciento es de *Rocca y Cía.*
* Y un 48 por ciento es de *Siderca Argentina.*

Si se analiza en el cuadro una por una a cada compañía accionista se verá que cada una de ellas aporta lo siguiente:

1) El 23 por ciento de Santa María es un 19 por ciento de acciones extranjeras.

2) El 5 por ciento de Rocca y Cía. es en realidad un 3,5 por ciento de acciones de inversores extranjeros.

3) Y el 48 por ciento de Siderca Argentina es nada menos que el 32,7 por ciento de capital no nacional.

Ahora, la suma sencilla:

Parte extranjera

20 por ciento de inversores extranjeros puros

19 por ciento proveniente de *Santa María.*

3,5 por ciento proveniente de *Rocca y Cía.*

32 por ciento correspondiente de *Siderca Argentina*

Total: 74,5 por ciento.

De acuerdo al documento entregado por Roberto Rocca, Propulsora Siderúrgica Argentina es todavía menos nacional que Siderca Argentina.

Pero esto, al lado de lo que viene, es solamente un detalle.

Propulsora es la segunda empresa que más vende del grupo Techint.

Tiene una facturación de entre 200 y 250 millones de dólares anuales. Fabrica nada menos que 660 mil toneladas de acero.

Ocupa un territorio de 78 mil metros cuadrados.

Da trabajo directo a 1.460 seres humanos.

Propulsora empezó a operar en 1970, pero nació, en realidad, en 1968, cuando el Banco de Desarrollo, con la venia del ministro de Economía, Adalbert Krieger Vasena, le otorgó un crédito promocional, *de aquellos que se les daba a las compañías nacionales,* para construir una planta de acero integrada. Es decir: con los elementos para cubrir las distintas etapas de fabricación del acero.

Por el régimen número 5038 de promoción de la siderurgia, Propulsora se comprometía a hacer:

* acero, durante los primeros dos años.
* una planta para fabricar chapa laminada en caliente, durante los dos años siguientes.
* otra planta para la fabricación de chapa en frío.

Toda esta batería de datos viene a cuento por dos motivos.

Uno: los generales y presidentes de facto Marcelo Levingston y Alejandro Lanusse se opusieron a que se levantara esa planta integrada. Ambos pretendían que sólo SOMISA lo hiciera. Roberto Rocca consideró a esta actitud del gobierno lisa y llanamente una expropiación, y no estuvo demasiado desacertado.

Dos: Propulsora, en vez de empezar por el principio, haciendo acero, empezó por el final, fabricando láminas de chapa en frío.

Esto último no es un mero detalle. Porque para esa primera etapa, Propulsora firmó un convenio de privilegio con el Estado por el cual, y sólo hasta que empezara a fabricar chapa en caliente:

* podía importar esa chapa en caliente sin pagar el arancel correspondiente,
* o podía comprarle la chapa en caliente a SOMISA a un precio que muchos consideran vil.

Este convenio era válido sólo *para la primera etapa del proyecto.* Pero como la segunda ni la tercera etapa nunca se llegaron a realizar, *Propulsora siguió adquiriendo chapa en caliente a un precio de morondanga.*

Es decir: su beneficio transitorio se convirtió casi en eterno, y jamás terminó de levantar la planta integrada.

Pero eso no es todo.

El precio de la chapa en caliente importada sin gravámenes es de 310 dólares. Y es la misma chapa que se puede vender en frío a 460 dólares la tonelada en el mercado interno. De hecho, SOMISA la vende a ese precio y Propulsora también.

Pero por ese bendito convenio firmado hace más de 20 años SOMISA *le debe vender a Propulsora* chapa en caliente por... ¡260 dólares la tonelada! Esta compra a precio irrisorio provoca dos fenómenos diferentes:

* Uno es a favor de Propulsora. En el mundo occidental y cristiano se los denomina *superrentabilidad.* Es porque la compañía del grupo Techint gana *más de 150 dólares* por tonelada de chapa que vende al mercado interno, cuando en el planeta nadie cobra más de 100 dólares.

La superrentabilidad de Propulsora provocó, entre otras consecuencias, el virtual cierre de *Adabor,* una siderúrgica de la competencia. Adabor no contaba con el mismo beneficio. Por eso, cuando importaba, debía pagar un arancel de aproximadamente el 22 por ciento. Cuando esa empresa estaba casi muerta, Techint le dio el último golpe al comprarle su tren de laminación más importante. Así cayó Adabor, y sus clientes pasaron a manos de Propulsora.

* Otro es en contra de SOMISA. Porque la fábrica del Estado pierde 150 dólares por tonelada de chapa que vende casi regalada. Algunos contadores de SOMISA se ocuparon de calcular la pérdida anual que provoca este detalle.

Sería de entre 80 y 100 millones de dólares al año.

Equivale al 80 por ciento del déficit operativo de la empresa pública.

80 millones por 20 años son 1.600 millones de dólares. 100 millones por el mismo tiempo equivalen a 2 mil millones de dólares.

—El que diga que en la Argentina no se puede hacer plata no sabe de lo que habla.

Esa oportuna frase de 19 palabras fue pronunciada por el entonces viceministro de Economía, Adolfo Canitrot, cuando llegó a sus manos el expediente Propulsora y cayó en la cuenta de esa considerable transferencia de dinero desde el Estado a la compañía privada.

Por eso citó en su despacho nada menos que a Carlos Tramutola y Sergio Einaudi.

Tramutola, 47 años, casado, con hijos, ingeniero. Se lo considera el hacedor del boom exportador que le hizo ganar a Siderca cientos de millones de dólares. Trabajó en la petrolera Esso antes de dedicarle 23 años de su vida a la organización Techint. Lo conocen la mayoría de los presidentes, ministros y secretarios de Estado que pasaron por la Casa de Gobierno desde 1970 hasta ahora. Carlos Menem, apenas asumió, le ofreció hacerse cargo de la empresa pública que más le apeteciera. Dijo que no con una sonrisa. Ahora tiene una consultora de Planeamiento Estratégico cuyo cliente más grande es Techint.

Sergio Luis Einaudi, 51 años, italiano, casado con una argentina, un hijo. Se trata del lobbista más astuto, más cordial, más seductor y más simpático que jamás haya pasado por un despacho público. Hijo de Roberto Einaudi, uno de los que llegaron a la Argentina con Agostino Rocca. Sobrino nieto de Luiggi Einaudi, escritor y ex ministro del gobierno al que se le adjudica el milagro italiano. Primo hermano de otro Luiggi Einaudi que fue secretario de Estado del presidente Ronald Reagan. Es el hombre que "cierra" todos los negocios de las distintas compañías. El que conversa con funcionarios y los ablanda.

—*El que hace el trabajo sucio* —explicó con sinceridad un hombre cuya empresa le vende chatarra a otra de las compañías del grupo, llamada Cometarsa.

Durante la primera reunión, acontecida en el quinto piso del despacho del Ministerio de Economía, y relatada por un testigo presencial, Canitrot pretendió ser claro y duro.

—*Es inaceptable que ustedes* (Propulsora Siderúrgica Argentina) *sigan gozando de esos beneficios. Desde ahora van a tener que pagar el 10 por ciento del arancel de las chapas de acero* (en caliente) *que importen. Pero además, voy a abrir el comercio para que cualquier empresa pueda comprar chapa caliente en las mismas condiciones que lo hacen ustedes. Ustedes necesitan un poco de competencia... No pueden seguir con este monopolio. Así nadie puede importar ni competir con sus precios. Propulsora se queda con demasiada renta. Me parece injusto.*

Dicen que Tramutola se enfureció:

Fuentes muy seguras relataron que mientras negociaban, el viceministro les aplicó una puñalada en la espalda. Mejor dicho: les fijó, por decreto, un arancel del 10 por ciento a las chapas en caliente que importara Propulsora. Las mismas fuentes agregaron que tanto Tramutola como Einadu se sintieron traicionados por Canitrot, a quien consideraban un verdadero amigo.

Sin embargo, ambos dejaron el afecto de lado y consiguieron de inmediato que un juez dictara la orden de no innovar. Es decir: de anular el decreto que hacía a la firma de Techint pagar la chapa al mismo precio que cualquiera. Economía apeló a través de sus asesores y, como sucede en estos casos, no consiguió absolutamente nada.

Einaudi tocó de nuevo la puerta del viceministro recién cuando los intereses de Propulsora quedaron suficientemente resguardados. El astuto italiano no deseaba que se prolongara el pleito en los tribunales. Quería negociar, negociar, negociar...

Y habría empezado la conversación así:

—*Decime, Adolfo: ¿Cuántos abogados tenés vos en el ministerio?*

—Vos lo sabés bien.

—*Claro que lo sé. Vamos a ver. Tenés a esta chica* (hablaba de la asesora Esther Maracali) *que trabaja en cincuenta expedientes distintos y que encima gana una miseria... Tenés a la hija del general* (la licenciada Cáceres Monié) *que es buena pero que además tiene que atender los asuntos del Banco Central. ¿Sabés cuántos abogados tenemos nosotros?* —preguntó Einaudi, siempre en su cocoliche característico.

—No me lo digas —se lamentó Canitrot.

—*Te lo voy a decir, para que te des cuenta. Son más o menos 14. Y son todos de primera categoría. Tipos que cobran mucho por defendernos y que además se dedican solamente a este asunto de porquería. ¿Me vas entendiendo?*

—Te entiendo perfectamente. Ahora decime qué querés. Explicame para qué viniste —balbuceó el funcionario convenientemente desmoralizado.

—*Vine a decirte que nosotros* (Techint) *no te queremos joder. Que te queremos hacer una buena propuesta. Pero no es una cosita así nomás... Es algo grande, grande, grande.*

La oganización Techint, a la que le interesa el país, había decidido incorporarse al ambicioso proyecto de integración entre Argentina y Brasil. Lo haría de un modo muy particular: Propulsora financiaría —con ayuda del Estado— la terminación de un alto horno de una planta denominada Tubarao. La compañía brasileña le vendería a Propulsora chapa en caliente, al mismo precio de siempre.

—¿Y yo qué gano? —preguntó Canitrot, como si el Estado fuera Él mismo.

—*Pero Adolfo, me estás volviendo loco... ¿Vos querés la integración con Brasil o no querés la integración con Brasil?* —contraatacó Speede Einaudi.

—Sí. Yo quiero la integración. Lo que no quiero es que vos sigas sin pagar un mango de impuestos por la chapa que comprás —retrucó Canitrot, recién caído del catre.

Einaudi no se dio por vencido y se la pasó ofertando nuevas propuestas. Una de ellas era casi la misma que la anterior, pero con un agregado: Techint construiría en Puerto Madryn una planta para fabricar acero esponja, una clase de metal que sirve para hacer otros aceros. La oferta concreta era: la nueva compañía de Techint le vendería a SOMISA tantas toneladas de acero esponja baratas como toneladas de acero caliente le comprara a Tubarau, sin arancel ni impuestos.

Un asesor muy cercano a Canitrot recordó que, además de todo eso, Techint pretendía participar en la auditoría y observación de la estatal SOMISA, como paso previo a la privatización.

Todo este gran acuerdo no se concretó por varios motivos. Pero el más importante fue que los directivos del Banco Mundial que analizaban la privatización de SOMISA consideraron que hacer participar a Propulsora de la auditoría, era como regalarle todos los secretos para luego ganar la licitación para su compra.

Cuando Canitrot quiso retomar las riendas del asunto para impedir de una vez por todas que Propulsora siguiera captando dinero del Estado debido al bendito convenio de 1970, el candidato Angeloz le pegó entre ceja y ceja a Sourrouille y su equipo, al pedir públicamente la renuncia del ministro de Economía.

Es útil aclarar que Propulsora sigue gozando de ese beneficio. Y que SOMISA, la empresa pública perjudicada por el mismo mecanismo, será vendida a la privada que haga la mejor oferta.

Esta puede ser una pregunta estúpida, pero...

¿Quiénes estarían en condiciones económicas y técnicas de comprar SOMISA? Adivina adivinador: *todos los caminos conducen a Rocca.*

4. Contrabando, fraude y extorsión

El 19 de enero de 1991, después del mediodía, Marcela Alejandra De Luca, argentina, 26 años, hija de Héctor Ángel y de María Dackoub, soltera, DNI 17.411.736, alfabeta y en uso de sus facultades mentales, denunció a Roberto Einaudi, uno de los hombres más influyentes de la organización Techint, por los delitos de contrabando, fraude contra el fisco, y por girar a su cuenta en Suiza no sólo el dinero proveniente de la presunta subfacturación, sino la plata originada en un crédito que el Banco Nación suministra a las pequeñas y medianas empresas para construir silos y comprar máquinas.

La señorita de Luca fue durante mucho tiempo la secretaria privada de Einaudi en una exportadora de cereal denominada *Agromanía* y ocupó el mismo puesto en Propulsora. Ella sostiene en su denuncia que Agromanía también pertenece al conglomerado Techint.

Einaudi es miembro del Comité Ejecutivo del holding y uno de los empresarios más conocidos del establishment. Meses después de la tremenda denuncia, este hombre acusó a la señorita y también al abogado que la patrocinaba, Horacio Vega Lecich, del grave delito de extorsión. El italiano argumentó que quisieron cobrar por su silencio —que no fue tal— la interesante suma de 680 mil dólares.

El defensor de la señorita, Vega Lecich, fue requerido en repetidas oportunidades para aclarar este oscurísimo episodio. Se negó, a través de su secretaria, con la excusa de que él jamás hablaba de causas que no estaban cerradas. Fernando Archimbald, ex juez y asesor sui géneris de la SIDE, es el caro y prestigioso apoderado que defiende Einaudi. Archimbald también se quedó mudo cuando se le solicitó información sobre el estado del caso.

Ahora no queda más remedio que sumergirse en el farragoso pantano del expediente original, cuyo desarrollo es más rico que la conversación con algunos abogados y más apasionante que el más apasionante de los casos que haya defendido Petroccelli en su serie de tevé.

Einaudi fue sobreseído en el asunto que involucraba un crédito del Banco Nación.

Pero para no perder el eje de la historia hay que pintar al empresario acusado.

Einaudi llegó a la Argentina en 1967 o 1968, según recuerda un amigo, italiano como él, aunque milanés. Se integró de inmediato a Propulsora, y al poco tiempo ya era el jefe de los lobbistas de Techint.

Ni bien pisó la Argentina, sentenció:

—No hablo más el italiano. Si me voy a radicar en la Argentina tengo que hablar sólo español.

Logró un cocoliche dudoso pero simpático y se adaptó tan bien a este país que terminó casándose con una argentina alta y morocha que se llama Analía, la que le dio un hijo tan simpático como él.

Cuando se le pidió un hecho contundente que demostrara cómo es Einaudi en realidad, el amigo milanés susurró.

—Sergio es, sobre todo, turinés (De Turín, Italia).

—¿Y eso qué significa? —se le preguntó.

—En mi país hay un refrán que dice:

Turinese: falso e cortese.

El amigo de Einaudi opinó que era seductor y ambiguo, como un buen ejecutivo encargado de las Relaciones Públicas. Y también informó con seguridad que Roberto Rocca, el dueño del grupo Techint, quiere a Sergio como a un hijo.

De Marcela De Luca sólo puede decirse que se trata de una muchacha de armas tomar, como se comprobará de inmediato a través de su alegato. Y que su comportamiento legal no fue muy distinto al que Marcela Tiraboschi tuvo en relación a su ex pareja, el locutor Cacho Fontana. No se sabe si esto último se debe a la personalidad de Vega Lecich, apoderado de ambas: lo cierto es que en ambos casos los denunciados son presentados como hombres impiadosos y de pocos escrúpulos.

La señorita dejó sentado, en su primera declaración, todos estos hechos:

* Que estaba ahí para demandar a Einaudi por el cobro de sueldos e indemnizaciones que no pagó después de haberla despedido.

* Que empezó a trabajar en Propulsora en 1987 como asistente y que de inmediato Einaudi le exigió que laborase también para Agromanía amenazándola con despedirla de la otra compañía si se negaba.

* Que entonces no sólo cumplió funciones en ambas firmas, sino que también sufrió distress, debido a que debió atender dos intereses distintos.

* Que luego desempeñó tareas importantísimas y cruciales para Propulsora, lo que determinó el pedido de un aumento de sueldo que, por supuesto, fue rechazado.

* Que el señor Einaudi le pagaba al principio "un extra" fuera del sueldo oficial de Propulsora, pero que después *"las extras fueron siendo más mezquinas hasta desaparecer en el tiempo"*.

* Que no obstante siguió desempeñando ambas tareas bajo presión, con la esperanza de conseguir un aumento más adelante.

Hasta aquí, el reclamo de la señorita De Luca no pasaba de ser un juicio laboral común y silvestre. Pero a partir de ese párrafo se convirtió en una denuncia de marca mayor. Fue en el preciso instante en que comenzó a detallar sus tareas, algunas de las cuales eran:

* Las presentaciones ante los bancos con los cuales giraba Agromanía, como Banco Río, City, Boston, Nazionale del Lavoro y Nación.

* El manejo de los créditos otorgados por el Banco Central a Agromanía por prefinanciaciones a la exportación.

De Luca declaró que los tramitaba desde su inicio, pasando por la negociación de la tasa de interés, el plazo y el cierre de cambio hasta su cobro efectivo. Explicó que además se encargaba de cancelar esas prefinanciaciones, después de embarcar la mercadería que se exportaba.

* La comunicación con el despachante de Aduana para gestionar la documentación necesaria ante el Banco Central.

* Las ventas de granos al Uruguay y Paraguay, que incluían emisión de fax con condiciones, instrucciones de pago, banco interviniente y el seguimiento del ingreso de los dólares.

El punto siguiente es el que se parece a una bomba de tiempo. Dado lo delicado de la acusación se transcribe en forma textual. La que habla es De Luca:

"...y me encargaba de las exportaciones por vías no convencionales al Parguay, dado que por vía legal era imposible competir. En la última operación de este tipo que interviene, setiembre de 1990, se declararon 300 toneladas. La firma compradora fue Orocuí S.A., *integrante del grupo* Esteve Traiding. *Las divisas por las 300 toneladas declaradas ingresaron al City Bank* y por las 600 toneladas restantes, directamente fueron giradas al Banco Credit Swiss (Lugano, Suiza) en la cuenta Relazione Titulare número 302-922 atención Señor Daniel Conan. *Esto significaba permanecer hasta altas horas de la noche esperando en la oficina que el despachante de la empresa me avisara que ya cruzaron frontera y que no existía peligro..."*

Hay poco para agregar a semejante elocuencia. No parece necesario aclarar que mientras relataba con cierta indignación todo lo que la hacían trabajar acusó distraídamente a Einaudi de contrabando por facturar menos de lo que exportaba. Pero no se detuvo allí:

También narró con minuciosidad cómo le pedía semillas prestadas a otras compañías cerealeras como *Continental Grain* para no perder el crédito del Banco Central para la prefinanciación. Y no se olvidó de detallar su especial relación con un inspector de la Aduana de apellido Cabrera. Es decir: nada más y nada menos que el funcionario del Estado que se encargaba de autorizar cada exportación "no convencional" que concretaba Agromanía. De Luca confesó que era ella la que debía explicar a Cabrera por qué razón Agromanía "facturaba tan bajo" sus ventas al exterior.

La otra gravísima denuncia que alentó De Luca con su conflicto laboral hizo que interviniera el fiscal federal Roberto Amallo. La secretaria anunció su intervención para conseguir créditos del Banco Nación destinados a empresas como Agromanía, y contó:

* Que la tramitación tuvo "singulares características" que la hicieron comprometerse "más de lo debido".
* Que entre esas singularidades se encontraba la fabricación de "una máscara" ilegal para respaldar el pedido de Agromanía al banco oficial.
* Que el crédito específico para comprar maquinarias fue conseguido en base a documentación de equipos *que ya habían sido comprados y pagados al contado mucho antes.*
* Que Agromanía se quedaba con la plata del crédito de la siguiente manera: apenas el Banco Nación entregaba el efectivo al concesionario vendedor, directivos de la cerealera iban al concesionario y se quedaban con el botín.

Ante el estupor del secretario del juzgado, Marcela De Luca agregó:

—*Más trabajosa resultó la obtención de créditos (Del Banco Nación) para la construcción de silos.*

La niña grande aseguró que se le pidió a la empresa Cirigliano el envío de una factura proforma para cotizar la construcción de los silos. Aseguró que Sergio Cirigliano hijo, en persona, le entregó esa factura que luego ella utilizó como documento para solicitar el crédito al Nación. Recordó que la presentación fue en enero de 1990 y en mayo la entidad oficial hizo efectivo el crédito, previo recibo de otra factura actualizada.

—*Como los silos no se iban a construir* —remató la dama— *se hicieron imprimir nuevas facturas de Cirigliano en una imprenta de Bolívar.*

Para que se entienda bien: De Luca denunció que personal de Agromanía falsificó una factura de venta de la firma Cirigliano a quien no iban a contratar, para que el banco público hiciera efectivo el préstamo. La multifacética secretaria declaró también que se encargó de distraer, frenar o demorar al perito del Banco Nación, un ingeniero agrónomo que debía constatar en el terreno la marcha de la construcción de los silos. Ella explicó textualmente:

—*Fui en reiteradas ocasiones al Banco Nación casa matriz en Buenos Aires y logré convencer al ingeniero agrónomo que no realizara el viaje a las instalaciones de Agromanía* (en Entre Ríos). *El inspector no fue y los silos no se construyeron.*

El préstamo oficial ya había sido efectivizado. Marcela Alejandra dijo saber adónde fue a parar.

—*Los fondos habidos de esos créditos* —le aclaró al juez Blondi— *fueron girados a Suiza en una cuenta corriente en el Bank Swiss.*

Ella admitió que lo sabía porque había participado personalmente de la gestión.

Cada párrafo del testimonio de la joven es una incriminación. Cada palabra una queja. Obsérvese la carga de dramatismo que conlleva el remate de esta parte de la declaración.

—(Debido al gran trabajo que tenía siempre a las órdenes de Einaudi) *mi físico y mi mente dijeron no a tanto esfuerzo y pagué con la salud* (con salud) *toda la actividad desplegada... Caí enferma, víctima de todos los años de tensiones y esfuerzos realizados para ambas compañías* (Agromanía y Propulsora), *cuyas secuelas serán motivo de otra acción* (judicial), *cuyos derechos desde ya me reservo.*

Lo que no se reservó fue la narracion completa y prolija de la guerra de telegramas que se inició apenas cayó enferma. Estas son las batallas más importantes.

* 11 de octubre de 1990. De Luca comunica a Agromanía su enfermedad, a través del telegrama número 1181.

* 30 de octubre de 1990. Agromanía le envía otro en el que desconoce que la señorita sea empleada de esa compañía.

* Primer día de noviembre del mismo año: la afectada intima a sus patrones a que admitan entonces que Agromanía sólo existe nominalmente, que es subsidiaria de la Propulsora "y por lo tanto satélite de la organización Techint". Obviamente, ratifica que su jefe era Einaudi y, por supuesto, se da por despedida.

* 6 de noviembre: Agromanía aclara a De Luca que ésta es una sociedad sin vinculación con Propulsora y que tampoco tiene nada que ver con lo que ella denomina Organización Techint.

Dos días después de navidad, exactamente el 27 de diciembre de 1990, entró en acción el fiscal federal Amallo, quien le pidió a De Luca que aclarara y ratificara todas las denuncias.

De Luca no sólo las ratificó, sino que ofreció mayores precisiones, se declaró pura de toda pureza e informó que sólo cayó en la cuenta de que estaba haciendo cosas que no debía, cuando su abogado patrocinante le aclaró que eran graves delitos. De ninguna manera olvidó mencionar al sujeto que le había obligado a caminar por la mala senda. Es decir, su jefe, Sergio Einaudi. Y deslizó, como quien no quiere la cosa:

—*Todas las operaciones* (ordenadas por Einaudi) *contaban con la aprobación de la oficina legal de la organización Techint, que estaba instalada en el edificio donde* (ella) *cumplía sus funciones.*

Marcela De Luca trabajaba en el piso 24 del edificio de Leandro Alem 1067. Las oficinas de Techint están en el piso 15 de la misma torre.

El apoderado de la empleada dejó sentado además —y con la clara intención de vincular legalmente a todas las compañías— que abogados de Agromanía como Cordo, Gorostiaga y Horacio De las Carreras eran a la vez miembros del directorio de Techint.

El asunto se ponía cada vez más espeso.

El propio responsable del Banco Nación, Hugo Santilli, tuvo que atestiguar por escrito para aclarar su responsabilidad en el tema de los créditos. Cuando todo parecía transformarse en un frenético ida y vuelta de papeles, apareció el condimento justo que transformó a la causa en un caso de espionaje.

Fue cuando el apoderado de Propulsora, Martín Recondo, *acusó a Marcela Alejandra De Luca de grabar clandestinamente conversaciones telefónicas de Einaudi; de haberlo hecho para probar la vinculación societaria entre Propulsora y Agromanía y de haberle pedido al empresario la suma de 680 mil dólares a cambio de su silencio.*

Esta combinación de iniciativas, en el lenguaje de los hechos se llama extorsión.

Recondo escribió, para darle más potencia a sus argumentos:

—*Intima* (mos) *a que en un plazo de 24 horas restituya a Leandro Alem 1067 piso 15 la totalidad del material documental y contable que, según vuestras manifestaciones, obrarían en vuestro poder, que ha sido ilegítimamente extraído de los archivos privados de las oficinas del doctor Einaudi, así como las grabaciones clandestinas que obran en su poder. En caso de que proceda a la inmediata restitución nos comprometemos a no ejercer ninguna acción judicial contra usted.*

Y tiempo después, para inculcar más dramatismo a esta comedia de enredos, el propio Einaudi se presentó de oficio para querellar no sólo a su ex empleada, sino también al reconocido Vega Lecich, por el delito de extorsión.

La declaración de Einaudi está avalada por su apoderado Fernando Archimbald. Es una pieza maestra de la ciencia del derecho. Por considerar que se trata de un documento valioso para ser analizado por los miles de abogados penalistas que aman estos asuntos, se la reproducirá casi completa. Se aclara que es posible alguna involuntaria diferencia entre los signos de puntuación del original y los de esta versión.

Es la siguiente:

"Tengo claro —arranca Einaudi— que la existencia de extorsión que denuncio podría ser irrelevante respecto a la investigación y delitos que se le atribuyen a la víctima de tal extorsión (Es decir: a él mismo).

De Luca y Vega Lecich podrían ser extorsionadores y de (ese) hecho no se derivaría necesariamente mi inocencia. Sin embargo el caso que nos ocupa reviste características muy particulares.

Los extorsionadores me imputan falsamente una serie de delitos de cada actividad lícita que el suscripto (Einaudi) despliega:

Se me atribuye contrabando si tengo una cuenta en el exterior; Defraudación fiscal.

Si saco un crédito, lo hago mediante falsificación de documentos y así sucesivamente.

Esta metodología permite (abrir) varios frentes que obligan al extorsionado a dar explicaciones siempre mortificantes y en desmedro de su imagen pública en los ámbitos más diversos...

...El hecho de que el doctor Vega Lecich fuera un destacado penalista, que frecuenta programas televisivos de audiencia masiva, me fue comunicado como parte del programa extorsivo.

Teniendo (la comunicación) el doble propósito de intimidar a la víctima (Einaudi) por la posible divulgación de las causas que se promueven en su contra con su connotación siempre infamante y sospechosa (y de) evitar un vigoroso despliegue de actividades jurisdiccionales en orden de evitar cualquier imputación pública a falta de ser investigativo.

A continuación Einaudi detalla los hechos que probarían la extorsión.

* ...adviértase que no bien el suscripto se negó a pagar los 680 mil dólares, se promovió en su contra una demanda laboral... o los supuestos salarios impagos patrocinados (no por un abogado laboralista sino) por un penalista.

* El penalista... autoincrimina a su clienta (Marcela De Luca) a fin de dar verosimilitud al ilícito y de poder actuar con legitimación en su defensa, y logra convencer al juez laboral, que remite las actuaciones a la justicia penal federal.

* Luego (Vega Lecich) en lugar de promover la defensa de (su clienta) se dedica a procurar pruebas de cargo (contra Einaudi) pretendiendo actuar como habitual querellante.

* Otra causa que forma parte del programa de los extorsionadores es... que mientras más personas involucre, más desprestigio (hay) más necesidad de dar explicaciones a más gente (aunque todos los hechos conduzcan a confirmar la versión de Einaudi de que los silos fueron construidos).

* También deberé soportar (Einaudi) sin justificación objetiva la mortificación moral y el desprestigio público que los extorsionadores me tenían prometido.

El hombre de negocios pasa ahora a detallar su calvario con rigurosa minuciosidad.

Advierta vuestra señoría que en sólo cuatro meses de extorsión he debido:

a) Soportar amenazas extorsivas de De Luca y su letrado.

b) Dar explicaciones a la organización Techint con motivo de la escandalosa diligencia notarial cumplida el 8 de noviembre de 1990 ante el señor Agostino Rocca (hijo de Roberto), vicepresidente de la organización. (La diligencia fue impulsada por Vega Lecich para probar el vínculo entre Agromanía y Propulsora.)

c) Dar explicaciones al departamento legal de Techint y ante diversos funcionarios cuyo testimonio fue requerido para la investigación.

d) Declarar como imputado en una falsa causa de amenazas invocada por De Luca en mi contra.

(Se refiere a las supuestas amenazas de hacerla despedir de Propulsora si no trabajaba para él en Agromanía).

e) Enviar representantes ante el juez laboral dando explicaciones sobre la supuesta actividad delictiva que sin prueba alguna se me atribuye.

f) Dar explicaciones a funcionarios del Banco Nación acerca de la insólita investigación desatada por una ex secretaria mía y al sentido de las amenazas telefónicas de De Luca a los empleados del banco.

g) Soportar la tensión personal y familiar que este contexto provoca. Cabe pues imaginar el amplio potencial extorsivo que tiene para (Einaudi) el saber que los próximos meses deberá afrontar nuevas declaraciones ante un número mayor de personas, ante las cuales deberá explicar esta penosa situación mientras los extorsionadores utilizan la injusticia como involuntario instrumento de sus siniestros propósitos.

Cabe también imaginar que la metodología utilizada permite a los extorsionadores generar una multiplicidad de investigaciones hasta forzar a la víctima entre el pago del monto extorsivo (la bicoca de casi 700 mil dólares) y la tortura moral y el descrédito derivados de tener que afrontar con los costos económicos y moral consiguientes a la defensa de la inocencia en los más variados ámbitos.

En mayo de 1991, el juez Néstor Blondi y después de numerosos trámites comprobó que Agromanía había construido silos en Gualeguaychú, tal como lo había adelantado ante los directivos del Banco Nación. Ante esa constatación, el fiscal Amallo aconsejó a Blondi el sobreseimiento de todos los inculpados.

El 4 de junio su señoría resolvió sobreseer a todos y no procesar a ninguno. Pero otras actuaciones siguen su rumbo y buscan ser esclarecidas. Presunto contrabando. Hipotética defraudación al Estado. Supuestas amenazas. Eventuales extorsionadores.

Roberto Rocca ha pedido que se separe la ética del grupo Techint. Ha solicitado con altura no se la confunda con la ética de los hombres que integran la organización.

Pero tanto él como Amalia Lacroze, Carlos Bulgheroni, Mauricio Macri y Jorge Born saben que a los imperios los construyen y los derrumban los hombres de carne y hueso, y no los sistemas computarizados.

Sergio Einaudi es un importante engranaje en la maquinaria de Techint. Y muchos opinan que está lejos de ser el sujeto que armó la imaginación de su secretaria privada con la ayuda de su apoderado.

Uno de los que seguramente piensa eso es el ex presidente del Banco Central, Javier González Fraga, quien mantuvo con el hombre de negocios algunos encuentros memorables.

Uno de ellos, quizá el más ilustrativo, tuvo lugar en el primer piso del Banco Central.

González Fraga debía enfrentar a una especie de club de acreedores de la entidad oficial.

Se trataba de grandes empresas que habían sido beneficiadas por un mecanismo denominado "prefinanciación de exportación de capital", otro de los instrumentos que sirvieron para transferir dinero desde el Estado a unos pocos privados.

El mecanismo era el siguiente:

Una compañía argentina exportaba, por ejemplo, la construcción de un gasoducto en Venezuela. Esta compañía argentina seguramente ganaba la licitación internacional, porque ofrecía al país extranjero que debía pagar la construcción un plan de financiación muy ventajoso. Una vez adjudicada la obra, la empresa tocaba el timbre del Banco Central y conseguía el dinero al contado.

—*Mientras la empresa se gasta toda la guita que el Central emitía para cubrir el dinero que adelantaba... Un dinero que recién le sería devuelto a los 10 años... o que directamente pasaban a los balances como deuda incobrable* —recordó una vez, González Fraga, ante un interlocutor ocasional.

En setiembre de 1990, el entonces director del BC, Roque Fernández, calculó que esa entidad había perdido nada menos *que 67 mil millones de dólares* desde 1980 hasta ese momento. Fernández no difundió la cifra al voleo, sino que adjudicó las pérdidas a distintas razones y diferentes áreas.

El funcionario calculó en más de 37 mil millones de dólares el déficit debido a la manipulación de la moneda de distintos ministros de Economía y titulares del Banco Central. Concluyó que eran 10 mil millones de dólares los que se habían esfumado gracias a la Ley de Entidades Financieras impuesta por Martínez de Hoz, y que contemplaba que el Central *bancara* a bancos y financieras privados y públicos fundidos. Explicó que más de 12 mil habían desaparecido por financiar a los gobiernos a través de la emisión de moneda sin reservas que la respaldara. Finalmente, aseguró que casi 2.300 millones perdidos correspondían a un rubro denominado *Financiamiento al Comercio Exterior*.

A ese agujero negro fueron a parar la mayoría de las *prefinanciaciones para la exportación de bienes de capital* de las que se quejaba González Fraga. Y lo más sugestivo es que muchos de esos créditos fueron otorgados a naciones insolventes como Nicaragua, Cuba, Bolivia, y varias de Asia y África, *justo en la misma etapa en que Dante Caputo necesitaba el voto de esos países para convertirse en el secretario general de la Asamblea de las Naciones Unidas.*

Hay un punto que une la denuncia de Roque Fernández con el crucial enfrentamiento entre González Fraga y las grandes empresas que acudieron ese día a su despacho del primer piso del Banco Central. *El punto es que esas compañías querían que se les diera el anticipo por exportaciones que ya se habían aprobado.*

La suma de todos los anticipos que exigían las compañías superaba los 2 mil millones de dólares. Si González Fraga se los otorgaba, la contrapartida iba ser el regreso a la hiperinflación de julio de 1989.

Hay otro punto en el que se relaciona Einaudi con toda esta cuestión: él había llegado al despacho de González Fraga más temprano que el resto, y por eso tuvo el privilegio de tomar un café más íntimo, antes de la multitudinaria reunión con las empresas.

Se conocían desde hace mucho. Ambos eran brillantes y audaces. No había ninguna razón para no hablar suficientemente claro.

—*Decime qué pensás* —lo atajó el funcionario del Central—. *Decime cómo hago para cortar la financiación sin ganarme la enemistad de todos ustedes.* Dicen que Sergio Einaudi se acomodó en su silla y dijo:

—*Te voy a contestar lo mismo que me dijo mi tío Luigi cuando yo tenía 10 años y le pregunté cuál había sido el secreto de su éxito.*

A su tío, Luiggi Einaudi, se lo considera uno de los autores del milagro económico de Italia después de la guerra. Uno de los hombres que más hizo por controlar la inflación.

—*Mi tío me dijo que la fórmula de su éxito fue el hecho de decir no. No a todos. No, cueste lo que cueste.*

Cuentan que González Fraga quedó impresionado por aquella respuesta. Era una reflexión que iba en contra de los propios intereses de Techint.

También Adolfo Canitrot quedó sumamente impresionado con la personalidad y la simpatía de Einaudi. Las discusiones y diferencias que tuvieron fueron innumerables. Las disputas se prolongaron durante tantos años que terminó filtrándose, entre ellas, el afecto personal.

La siguiente anécdota fue relatada, a medias, por un periodista de la revista *Apertura* y confirmada y ampliada después ante fuentes muy seguras.

Era verano y era de tarde.

Einaudi entró al despacho de Canitrot subiendo la voz, pero sonriente. Estaban enfrascados en alguno de los tira y afloja que involucraban a Techint con el Estado. El turinés mandó ésta:

—*¿Vos te creés que soy tan ingenuo de cometer el error de coimearte a vos? ¿Vos te creés que yo no entiendo cómo es la gente?*

Canitrot acompañaba la broma con cierta desconfianza.

—*Vos tenés el mismo defecto de todos los profesores universitarios: son incorruptibles* —dicen que continuó Einaudi, casi sin respirar. *Vos sos igual a mi viejo. A la clase de tipos como ustedes no los cambia nadie. Pero acordate, Adolfo, que yo a vos un día te voy a tentar y no me vas a poder decir que no.*

El funcionario largó la carcajada, y ambos rieron juntos hasta que pasaron al siguiente tema.

Unos días después, Einaudi lo llamó por teléfono para darle la buena nueva:

—*Tengo la coima justa para vos*: (Una beca como) *profesor de Economía Política en* (la universidad) *de Firenze.*

Antes de colgar, volvieron a burlarse de ellos mismos.

Canitrot jamás recibió esa supuesta prebenda. Einaudi tampoco le hizo jamás una oferta firme. Pero si el hecho se hubiera consumado, el hombre más importante del equipo de Sourrouille después del ministro, habría sido puesto en un avión en Ezeiza; habría sido recibido con honores por un directivo de Techint en el aeropuerto de Fiumiccino; habría manejado un auto puesto por la compañía y habría ocupado una finca de las que poseería el grupo en las afueras de Roma.

Porque así es como trata Techint a la gente que le interesa.

Quinta parte

Born, el heredero

1. *La decadencia del imperio*
2. *El síndrome del rehén*
3. *El destino me condena*
4. *Born: "Pienso que soy humano"*

1. *La decadencia del imperio*

—Tenga cuidado: Bunge & Born se está convirtiendo en un ente amoral... Cuando un monstruo como el que tiene en sus manos pierde la moral, no hay sistema que pueda evitar su caída.

La tétrica advertencia fue realizada en 1987 por uno de los gerentes de B & B al entonces número dos del grupo, Octavio Caraballo. Se lo dijo en San Pablo, Brasil, en una de las oficinas de la sede del holding. El gerente que hablaba con el patrón no era uno cualquiera. Tenía en ese momento 42 años. Le había dedicado más de 24 a Bunge & Born. Había empezado como becario a los 18 años. Había reorganizado la Casa Central en la década del setenta. Había sido designado para auditar el corazón del grupo. Y finalmente había sido enviado a San Pablo, para hacerse cargo de una de las compañías más modernas de la organización.

Era su último día en B & B. Se estaba despidiendo de parte de su existencia por siempre jamás. Caraballo lo escuchaba y asentía en silencio. Al salir de la reunión, el ex gerente se juramentó no volver a pisar nunca una oficina de esa multinacional.

Se llevó con él muchos documentos secretos de la organización.

Almacenó en su mente la experiencia de haber convivido con sus principales dirigentes todos estos años.

Y se abocó a la tarea de pulverizar, uno a uno, todos los mitos que se repitieron y se escribieron sobre el imperio Bunge & Born.

Esta es una lista incompleta de los dogmas que alimentaron la leyenda y que serán rebatidos con informaciones y pruebas contundentes:

* B & B es nacional en todas partes del mundo. Lleva puesta la bandera del país en donde funcionan sus negocios.
* Bunge es una máquina de hacer dinero que nunca deja de crecer.
* B & B siempre tuvo los mejores sueldos del país.
* Fue el pionero del management, es decir: de la técnica y la organización de las empresas.
* Cada uno de sus cuadros tiene puesta la camiseta del grupo.
* Ninguna compañía en la Argentina y pocas en el planeta tienen semejante mística.
* En Bunge jamás hay internas.
* Todo el mundo respeta las siguientes reglas: 1) No hablar de B

& B fuera de B & B, 2) no hacer negocios personales, 3) no seducir a la secretaria privada, 4) no tutearse, 5) no hacer negocios con el Estado.

* Se trata de una compleja organización que nadie conoce profundamente y sobre la que nadie tiene derecho a hablar o escribir.

Gonzalo Fernández Madero, encargado formal de las Relaciones Institucionales, es uno de los fogoneros que alimentan el mito. Por eso me dijo una mañana de abril de 1991, con cierta suficiencia:

—*Puede escribir lo que quiera. No creo que haya nada que nos afecte demasiado. Nosotros* (Bunge & Born) *estamos más allá del bien y del mal.*

Lo que sigue es información de esta tierra, le compete a los humanos y derrumba el mito de que Bunge es argentina en Buenos Aires, brasileña en San pablo, norteamericana en New York, española en Madrid e inglesa en Londres.

A principios de 1986, una compañía de B & B con sede en Brasil, la minera Cimbagé, pidió al Banco Nacional de Desenvolvimiento Económico e Social (BNDES) 15 millones de dólares para financiar un importante proyecto. El BNDES es el equivalente del BANADE en Argentina. Se ocupa de dar créditos baratos a firmas con propuestas de industrialización. Tiene una sola y excluyente condición: sólo presta dinero a empresas nacionales.

Cimbagé se había presentado como una sociedad brasileña. Pero la abogada María Joaquina Amazonas Pontual, junto a un equipo de sabuesos y auditores, no sólo detectó que se trataba de una firma extranjera, sino que la mayoría del capital era controlado por los cuatro dueños de B & B, quienes giraban el dinero al exterior.

Tres de esos cuatro dueños son Jorge Born, Juan Born y Octavio Caraballo. Joaquina Amazonas les envió a ellos un prolijo informe con las siguientes comprobaciones:

* Cimbagé tiene un 58 por ciento de las acciones que pertenecen a Moinho Fluminense, un 15 por ciento de la firma Vera Cruz y un 18 de la sociedad Sambra.

* Pero Mohino no parece ser una firma brasileña. Hay tres razones poderosas que lo prueban. Una: el 80 por ciento de sus accionistas son extranjeros. Dos: ese grupo de accionistas cedieron a Jorge Born y a Caraballo su voz y su voto. Tres: estas dos últimas personas jurídicas responden a un control común que no se maneja desde Brasil.

* El resto de las acciones de Cimbagé no tienen un control único. Es decir: el poder de decisión del resto nacional está atomizado.

La notita de Joaquina lleva fecha 21 de noviembre de 1986, y sorprendió a los mandamás del conglomerado. Pero los gobernantes de Brasil se sorprenderán aun más cuando se enteren que entre 1975 y 1984 todas las compañías de B & B que operan en ese país giraron dividendos al exterior por una suma superior a los 150 millones de dólares.

En realidad 1984 fue el año de mayor fuga. En los balances se puede leer que B & B Brasil ganó 44 millones de dólares pero envió al exterior 45 millones de dólares. De cualquier manera Fernando Collor de Mello no debería indignarse demasiado: durante el mismo período en que sacaron la plata de su país no dejaron de invertir en Brasil para sostener un capital activo de cerca de 500 millones de dólares.

La de la transparencia administrativa es otra de las leyendas que, en honor a la verdad, se debe rebatir con urgencia.

Bunge & Born no tiene, como cualquier empresa del mundo, una sola facturación que registra las entradas y salidas de todas las compañías del grupo. Tiene varias y son muy complejas.

Una de ellas contabiliza el total de las ventas, pero no registra las transacciones de las firmas del grupo entre sí. El mecanismo es: Molinos *no le vende* a Centenera, sino que le *traslada* sus productos. Y cuando una de las compañías se funde, no va a convocatoria de acreedores, como es lo habitual. Tampoco se declara quebrada. *Sencillamente le vende una parte de sus acciones a otra firma de Bunge & Born.*

El árbol societario de la multinacional es un rompecabezas que debe entenderse así:

Primero: Los Born y los Hirsch, las dos ramas familiares que comparten, casi por igual, cerca del 70 por ciento del poder real de todo el grupo, tienen, en los papeles, *no más del 25 por ciento de las acciones de cada una de las compañías.*

Segundo: Ni los Born ni los Hirsch necesitan más, ya que el 75 por ciento de las acciones restantes están atomizadas entre pequeños dueños que ni siquiera se conocen.

Tercero: Ambos grandes accionistas tienen perfectamente identificados a todos sus socios pequeños para prevenir su eventual unión y su consiguiente desplazamiento.

Cuarto: Ambos grandes accionistas tienen acuerdos con empresas y bancos para prestarse acciones y mandatos en asambleas críticas.

Una de las firmas que ya debería haber pedido convocatoria de acreedores es la prestigiosa Grafa. La fabricante de guardapolvos, delantales, sábanas y servilletas.

Grafa fue capitalizada, por otras empresas de B & B, con aproximadamente 50 millones de dólares, a fines de 1988. Y en setiembre de 1991, fuentes muy seguras afirmaron que se habría vuelto a endeudar en cerca de 20 millones de dólares. Con este cuadro, y si se sigue la lógica anterior, no será difícil que, por ejemplo, Atanor o Molinos Río de la Plata compren el 25 por ciento de esa sociedad fundida. Pero las cosas se podrían llegar a complicar, ya que Grafa, a su vez, sería dueña de una pequeña parte de las acciones de su "salvadora".

Este laberinto administrativo es uno de los motivos por los que Jorge Born (JB) fue desplazado de la conducción del grupo. Pero Grafa fue la razón más contundente por la que JB se enemistó con el gobierno de Raúl Alfonsín, cuando se incubaba la primera hiperinflación de la Argentina.

La textil de B & B había pedido prestados 16 millones de dólares a la Corporación Financiera Internacional, el ente del Banco Mundial que da crédito a las empresas privadas. Los expertos financieros de Grafa habían cambiado los dólares por australes, por consejo de la administración radical. El dolarazo del Lunes Negro 6 de febrero los dejó patas para arriba.

Fue el entonces vicepresidente primero de Bunge en la Argentina, Néstor Rapanelli, quien pidió auxilio al ministro de Economía Juan Sourrouille, amenazando con sutileza empresaria:

—Grafa está a punto de cerrar... No queremos perjudicar al gobierno en medio del proceso electoral pero... ¿Habrá alguna forma de resolver este problema?

Sourrouille explicó que trataría de instrumentar una solución, pero jamás la llevó a cabo. Born nunca pudo perdonar ese hecho. El ministro, sin embargo, interpretó que B & B recuperó la pérdida días después, mediante el aprovechamiento de "las turbulencias de la plaza cambiaria". El aprovechamiento se daría del siguiente modo:

B & B cobraba del Banco Central, y por anticipado, dólares en concepto de prefinanciación de exportaciones. A esos dólares los convertía en australes mientras las tasas de interés eran altas. Luego cambiaba la moneda nacional por dólares justo en el momento de la devaluación.

—Así habrán hecho una buena diferencia —dijo Sourrouille en su casa, una tarde de setiembre de 1989.

Pero ni los enjuagues financieros ni el marketing pueden contra la contundencia de la realidad que indica un considerable achicamiento del grupo en la Argentina y también en el mundo.

En este país, hace tiempo que B & B apenas supera los mil millones de dólares anuales de facturación: menos del 10 por ciento de lo que vende en todo el mundo.

En 1976 B & B facturaba el equivalente al 30 por ciento de toda la cosecha de algodón y el 25 por ciento de toda la cosecha de granos.

Ahora no factura más del 10 por ciento en ninguno de ambos rubros.

Hasta hace 10 años portaba la corona del mayor productor mundial de fibras textiles y del más grande fabricante de fideos, harinas y aceites de todo el planeta. Ahora está perdiendo posiciones año tras año.

Casi 20 años atrás, B & B era la multinacional que poseía la red de comunicación privada más importante del mundo. Eso permitía a sus altos cuadros saber la cotización de cada compañía en las bolsas más importantes del mundo, y, obviamente, el precio de los granos en los distintos mercados. Hoy, a esa red, la posee cualquier empresita.

En 1990 el Bunge-Brasil perdió cerca de 150 millones de dólares. *Fue el primer año de balance negativo.*

Un ex alto directivo que tuvo la oportunidad de ver cómo el

imperio se expandía, declaró, para explicar claramente semejante retroceso:

—*Bunge & Born cayó hace tiempo. Cayó antes que las ideas comunistas. Cayó antes que el muro de Berlín. Nadie se enteró porque sus responsables hicieron un esfuerzo tremendo para ocultarlo. Pero la verdad es que no se adaptó a los nuevos tiempos. No supo pasar de ser una empresa familiar a una organización profesional.*

Después se ofreció a recitar, uno por uno, los hechos objetivos que prueban su decadencia. Éstos son apenas algunos de los que mencionó:

* *El hecho de no haber separado a la familia del holding:* fue una decisión que estuvo a punto de ser concretada antes del secuestro de los hermanos Born, en 1974. Se pensó en ceder el manejo ejecutivo de B & B a un grupo de profesionales, de managers *muy bien pagos.* Se estudió la posibilidad de que los principales accionistas se retiraran de la organización y descansaran en sus mansiones para contemplar el crecimiento de su riqueza.

* *La multiplicación de los herederos:* El aumento de los sucesores no sólo atomiza las acciones, sino que complica el manejo cotidiano de la organización. Cada año ingresa a las diferentes empresas del conglomerado entre 20 y 30 parientes directos de los Born y de los Hirsch. No es fácil trabajar con cada uno de ellos. Un empleado de segunda línea, dijo al autor:

—*Por más que se hagan los disimulados, todo el mundo los trata como posibles herederos, y se crea un clima de temor que no resulta muy profesional.*

* *El complejo sistema de decisiones:* Una decisión estratégica pasa por demasiada gente y muchos niveles. Hay una gran cantidad de información cruzada. Por ejemplo, si al vicepresidente ejecutivo en Argentina se le antoja levantar un nuevo molino harinero tiene que avisarle al gerente mundial del Área Alimentos. Es posible entonces que este último crea más conveniente hacer la inversión en España. Los que deciden, finalmente, son los principales accionistas. Y a veces lo hacen de acuerdo a la simpatía con determinado responsable de área.

* *El relajamiento de la disciplina empresaria:* Hasta la muerte de su líder, Mario Hirsch, ocurrida en 1987, cualquier empleado que tuviese un negocio al margen de la organización era despedido y humillado. Lo mismo sucedía con quien utilizara la "chapa" de B & B para tramitar asuntos personales.

Ahora, muchos altos gerentes tienen sus propias oficinas de negocios, y ni siquiera se cuidan de contarlo ante sus subordinados.

* *El resquebrajamiento moral de sus cuadros:* Desde su fundación en 1884 hasta que festejó su centenario, había orden de despedir, sin excepción, a cualquier empleado jerárquico que saliera con su secretaria. Todavía no se había inventado la figura jurídica del acoso sexual, pero el asunto era tomado como un signo de desequilibrio

que podía repercutir en el espíritu de la empresa. Una empresa en la que los miembros del directorio ni siquiera se tuteaban, a menos que se conocieran desde muy pequeños.

Pero en la nueva era, el responsable ejecutivo de B & B en Brasil, Horacio Freyre, habría abandonado a su esposa y entregado su amor a su asistente privada. Y Juan Romano, ahora gerente de Alba, habría llevado a su secretaria hasta el altar. Lo último tomó estado público ya que la plana mayor de la organización debió asistir a la fiesta. Lo de Freyre fue la comidilla de todo el establishment brasileño, la legítima esposa visitó las oficinas de la empresa y protagonizó un pequeño escándalo.

* *La falta de objetivos y de premios y castigos:* El sistema de dirección por objetivos fracasó, desde que los gerentes, por miedo, anotaban en los formularios que debían entregar a sus superiores, que la mayoría de las metas habían sido cumplidas, aunque no era la verdad. La carencia de premios y castigos fue consecuencia directa de la falsa creencia de que todos los cuadros directivos ya tenían su premio por solo integrar el staff de Bunge & Born.

* *La batalla inútil entre las Dos Repúblicas:* Se trata de las Repúblicas del Estado de Bunge & Born. Cada una de ellas tiene nombre propio y existieron desde hace mucho tiempo. Una es la de los Born y otra la de los Hirsch. Antes, las Repúblicas se peleaban para probar cuál resultaba más eficiente y conseguía los mejores resultados. Hasta hace 20 años, en Brasil, había un grupo denominado *Santista* y era manejado por los Born. Éste competía con otro llamado *Sambra*. Ambos tenían compañías gemelas. Los dos hacían harina y aceite. No se prestaban a los empleados. Se disputaban palmo a palmo el mercado. Se trataba de una batalla útil y redituable. Ahora la lucha entre las Dos Repúblicas se transformó en una interna de marca mayor, cuyo resultado más espectacular fue el golpe de Estado perpetrado por Octavio Caraballo, el representante de los Hirsch, contra Jorge Born III, en la asamblea extraordinaria de junio de 1991.

* *La desprotección progresiva de los empleados:* Antes B & B protegía a su gente. Cualquier empleado medio que se jubilaba sabía que no sufriría problemas económicos por el resto de su vida. A los gerentes más importantes no sólo se les entregaba una indemnización considerable, sino que se la colocaban en la mesa de dinero de Bunge para que no se desactualizara. Se trataba de una verdadera organización que ayudaba a los retirados, y los trataba como lo hace el ejército con sus jubilados.

Antes de despedirlos, la organización premió a Néstor Rapanelli con cerca de 100 mil dólares y a Orlando Ferreres con aproximadamente 60 mil. Ambos le dedicaron más de la mitad de sus vidas a la corporación. Los dos ocuparon altos cargos en el gobierno de Menem por orden de Jorge Born y de Caraballo. Estos hombres habrían interpretado la indemnización como algo parecido a una limosna.

Otro de los grandes mitos que sostienen la imagen de Bunge &

Born es que sus compañías en Argentina son las mejores de cada uno de los sectores. Se eligió para llegar a la verdad a *Molinos Río de la Plata*. Se trata de la firma que más factura. La que se ubica entre las 10 con mejor imagen entre los consumidores. Ocupa el 19º lugar en el ránking de las líderes y el tercer puesto dentro del sector Alimentación, detrás de Sancor y Cargill.

El testimonio público del señor Luis Vera, encargado de los asuntos gremiales en el Sindicato Capital de Trabajadores de la Alimentación, sirve para transformar la leyenda en algo un poco más real.

Vera reveló que hasta julio de 1991, la categoría más alta de operarios que trabaja en la planta de Molinos, en Barracas, cobraba 17 dólares la hora, cerca de 340 dólares por mes.

Aclaró que se trata de uno de los salarios más bajos de la Alimentación y aseguró que compañías como Suchard, Stani y Mayco, pagaban entre un 15 y un 40 por ciento más que Molinos o Fanacoa, otra de las firmas de B & B. Informó que Molinos Barracas, que hace yerba y arroz, tiene 150 operarios, pero que debería tomar a 50 más, por la cantidad de trabajo que hay. Cuando Vera y sus muchachos pisaron por primera vez el sindicato Capital y se pusieron a revisar las condiciones de trabajo de cada una de las compañías fueron también a Molinos, y detectaron que:

* Los baños no tenían las condiciones mínimas de higiene.
* La merienda había que tomarla a la disparada, y entre los camiones.
* Los que trabajaban en el mantenimiento de máquinas y manipulaban soldaduras no lo hacían con calzado de seguridad, sino con zapatillas. Vera reconoció que a partir de 1985 todo cambió, pero también recordó a ese año como el que marcó el rompimiento de otro de los grandes mitos del imperio Bunge: el que afirma que los sueldos se pagan siempre en fecha y si es posible, unos días antes del plazo. Se venía la Semana Santa y el jefe de planta, de apellido Frigeri, cometió el "descuido" de no entregar en tiempo y forma el pago de la quincena a los operarios.

La fábrica entera se paralizó hasta que aparecieron los fondos. Frigeri fue jubilado poco tiempo después.

Vera, además de tanta pálida, agradeció a Molinos por los siguientes servicios prestados:

* La existencia de una cancha de fútbol en la planta y la donación de las camisetas para el personal.
* Los regalos para el Día de la Madre, el Padre, el Niño, Navidad y Año Nuevo.
* El funcionamiento del comedor gratuito con "un nivel de comida respetable".
* El hecho de que se hayan colocado baños nuevos "después de tanta lucha". El compañero Vera también atiende los asuntos de Fanacoa, cuya planta se encuentra en la Panamericana. Se trata de una fábrica de mayonesa en la que trabajaban, hasta junio de 1991, 110 operarios, aunque se necesitarían 200. Vera explicó que el

ajuste en Fanacoa se inició en 1985, con la irrupción del Plan Austral. Detalló que a partir de ese momento se empezaron a despedir y jubilar anticipadamente muchos operarios, al tiempo que se reducían los jornales a la mitad.

El dirigente admitió que las condiciones de trabajo en Fanacoa son muy buenas, que sus salarios son bastante mejores que los de Molinos y que también hay premios que llegan hasta el 25 por ciento del sueldo para los que trabajan mucho y no faltan nunca.

Vera, antes de despedirse, volteó otra de las leyendas bungeboreanas: la que reza que de B & B no se va nadie nunca, por el prestigio de la organización y el amor a la camiseta:

—*El grueso de la gente no pasa de los tres años* —desmitificó el sindicalista—. *La verdad es que con estos sueldos, cualquiera se pianta para hacer una changuita.*

Otro señor que ayudó a correrle el velo al Bunge Perfecto es Roberto Gori, secretario gremial y de Interior de la Federación Argentina de Trabajadores de la Alimentación. Gori es la misma persona que demostró, con los papeles en la mano, cómo todas las empresas del sector habían aumentado desmesuradamente los alimentos en mayo de 1989. Es decir: cómo habían contribuido a generar la hiperinflación y también a impulsar al suicidio colectivo que significaron los saqueos, y que provocaron 15 muertos, centenares de heridos y casi 3 mil detenidos.

Gori mostró documentos que acreditan que los dirigentes de B & B se niegan —y con razón— a pagar abultadas indemnizaciones por accidentes de trabajo, pero que tampoco aceptan gastar dinero para prevenir fatalidades.

También explicó que, por ejemplo, en la planta Molinos de Avellaneda, hay un solo trabajador por horno. Agregó que es imposible que ese trabajador solitario pueda manipular el horno, en perfecta concentración, durante dos horas. Y concluyó que no es culpa del operario, entonces, si pierde la concentración y luego se fractura, se corta o se cae.

Gori aceptó que en esa planta, donde se hace rebozador y polvos para helados y postres, la mayor carencia no es la higiene y seguridad, sino al salario, e informó que Igar, la compañía del grupo Bemberg, pagaba mucho, pero mucho mejor.

El secretario de la Federación reveló que Molinos Avellaneda tenía, hasta julio de 1991, sólo 57 trabajadores efectivos y cerca de 50 operarios eventuales y contratados por agencia. Aclaró que a los últimos los cambian cada dos por tres, porque no son confiables. Aseguró que allí hay menos gente de la que se necesita y lo probó así:

—*Si fueran suficientes, los que están no tendrían que trabajar 12 horas por día, sino 8, como lo marca el convenio.*

Gori dijo que las horas extras eran realmente obligatorias, porque a quienes se niegan a trabajarlas se los despide. Finalmente, maldijo la crisis económica porque le provoca un efecto nuevo y nocivo a los muchachos de su gremio:

—Van a trabajar enfermos, con fiebres y estrés —se lamentó— *para no perder el premio por presentismo.*

El último estudio económico que realizó la Federación de Trabajadores de la Alimentación demostró que entre abril y julio de 1991 el conjunto de compañías que integran el sector, incluidas las de B & B, incrementó el precio de sus productos en un 68 por ciento. Y ratificó que, en el mismo lapso, el salario de sus trabajadores se mantuvo congelado.

—Eso demuestra que nuestros empresarios se quedan con una utilidad desmesurada, y la obtienen con la mitad del sueldo que no nos pagan —remató.

Lo que nunca se colocó en la categoría de mito es el funcionamiento del lobby del conglomerado. Las razones fueron múltiples. La primera es que su accionar, siempre se mantuvo en secreto... hasta que Jorge Born cometió la imprudencia de revelar que la organización había donado 3 millones de dólares a los partidos políticos para los comicios de 1989. La segunda es que sus resultados nunca fueron demasiado positivos. La tercera es que no contaría con un departamento específico que se ocupa de ablandar a funcionarios como Bridas, Macri o Techint, sino con un grupo de hombres que hacen lo que pueden para evitar que los formadores de opinión manchen el buen nombre de la multinacional.

En el reportaje exclusivo que sirve como broche de oro a la investigación, Jorge Born reveló que el principal lobbysta de B & B era él mismo y admitió que la organización suministraba ayuda no sólo a los partidos sino también a algunos amigos que se portaban bien.

Pero la verdadera historia supera con creces a esa declaración formal. Un ex secretario de Estado del gobierno de Menem que hasta hace poco recibió dinero sin comprobante de B & B o de alguno de sus directivos explicó que, hasta 1987, cuando Mario Hirsch todavía era el número uno, se cumplían sin excepción estas dos reglas de oro:

Una: no comprometer a la empresa en ninguna clase de negocios políticos. Dos: no participar en ninguna contratación directa o licitación convocada por el Estado.

Hirsch, como Amalita, solía utilizar su domicilio particular —la espectacular residencia de la avenida Libertador y Tagle— para arreglar grandes negocios o invitar a almorzar a los políticos que estaban de moda. Hirsch, a quien la mayoría de sus subordinados considera el último genio que pasó por B & B, movilizó a todo el personal doméstico para atender, en distintas oportunidades, a figuras como Ítalo Lúder, Antonio Tróccoli, Juan Carlos Pugliese, Federico Robledo y muchísimos de los militares en actividad o retiro que tuvieron alguna vez cierta cuota de poder.

Algunos de los que lo frecuentaron recuerdan que Hirsch nunca se cansaba de repetir estas diez palabras:

—Mi negocio no es el Estado. Mi negocio es el mercado.

El genio argumentaba que B & B no necesitaba contrabandear

porque el grupo tenía su puerto privado en Rosario. Ni tampoco necesitaba recorrer los despachos oficiales para postergar el pago de ningún impuesto, porque le salía más barato abonarlos que afrontar el desprestigio de no hacerlo. Un político de raza que lo conoció bien, definió al accionar de Hirsch y del grupo en esa etapa con una lección digna de una clase magistral.

—En la Argentina siempre hubo tres tipos de lobbys. Uno ofensivo, otro defensivo y un tercero de intereses. En Bunge & Born jamás se puso en práctica el lobbying de intereses. La empresa nunca citó al político Mengano o al funcionario Zutano para que le suba o le baje los precios. El lobby de la empresa era puramente ideológico. Citaba a todos los poderosos, a todos los formadores de opinión, y les recitaba el discurso de la libertad de precios.

En esa época, Hirsch los convencía, y el contador José María Menéndez se ocupaba de ablandarlos. Menéndez es el mismo que le entregó a los Montoneros la valija con los millones de dólares que sirvieron para liberar a los hermanos Born, la persona que contactó al grupo con los carapintadas y la que le inculcó a su jefe, Jorge Born, el odio profundo a los radicales de Alfonsín. El padre de Menéndez, a quien la historia lo trató un poco mejor, fue la mano derecha del ministro del Interior Benítez, durante el gobierno de Isabel Martínez No Me Atosiguéis.

Jorge Born III siempre consideró a Hirsch como un verdadero maestro. Y por eso cumplió con creces la regla de oro de evitar los contratos con el Estado. La compañía de computación Proceda Argentina fue desmantelada en 1989, después de que sus directivos intentaron hacer negocios con el Estado sin el permiso del jefe. Y también estuvo a punto de ordenar el levantamiento de la centenaria empresa de envases y hojalatas Centenera, sólo por no pagar una compensación monetaria ilegal a un par de concejales. Los ediles pedían dólares a cambio de no denunciar la supuesta contaminación que producía la compañía en la zona.

Está claro que Bunge no utiliza los mismos mecanismos de seducción de grupos que hasta hace poco dependían demasiado del Estado y de sus funcionarios, como Techint, SOCMA, Bridas, Pérez Companc, Pescarmona, entre otros. Pero esto no quiere decir que se mantiene completamente al margen.

B & B ayuda a sus amigos políticos más con medios logísticos que con dinero contante y sonante.

Si algún cuadro menemista, radical o de la UCeDé necesita el Lear Jet valuado en 5 millones de dólares para ir a pasear a San Pablo o hacer política en el interior del país no tendrá más que hacer una llamada al gerente que corresponda.

Si un amigo que urgido de votos precisa realizar un asado para 2 mil o 3 mil personas, B & B conseguirá la mejor carne, un vino aceptable y un lugar tranquilo para que nadie se sobresalte.

Si las Unidades Básicas que inician sus campañas de afiliación telefonean al sujeto indicado, tendrán más temprano que tarde harina *Blancaflor,* aceite *Cocinero,* mayonesa *Fanacoa* y fideos *Matarazzo* para repartir en los barrios carenciados.

En 1987, cuando altos directivos de B & B soñaron con ingresar en el gobierno de Alfonsín e intentaron "venderle" al equipo de Sourrouille su zarandeado Plan Econométrico que acabaría con todas las penas de los argentinos, tanto Orlando Ferreres como Pedro Sebess visitaron con asiduidad el quinto piso del Palacio de Hacienda para hablar con el viceministro, Adolfo Canitrot.

Ferreres era el autor intelectual del programa. Sebbes, el responsable financiero de B & B y al que se le endilga haberle hecho perder a todo el grupo, con el dolarazo del Lunes 6 de febrero de 1989, cerca de 100 millones de dólares.

Los tres se conocían muy bien. Canitrot había sido jefe de ambos en el Instituto Di Tella. El trato era distante, pero amable y cordial. De vez en cuando, el funcionario de Alfonsín era invitado a comer en el comedor que reserva B & B para los dirigentes especialísimos. Nunca hablaban de negocios particulares, sino de política económica. Ferreres siempre vaticinaba:

—*Nuestros números indican que el Austral no aguanta mucho más.*

Y Canitrot sonreía.

Entre sonrisa y sonrisa, los directivos de la multinacional lo invitaron a dar una charla selectiva y privada ante todos los gerentes de las distintas áreas.

Una charla selectiva y privada... con honorarios incluidos.

—*Yo nunca tuve un mango... y con el sueldo de secretario de Coordinación Económica me costaba llegar a fin de mes. Así que los mil dólares que me daban por hablar unos cuantos minutos me venían muy bien para equilibrar mi presupuesto familiar* —confesó Canitrot a un amigo.

El máximo esfuerzo de seducción que hizo B & B para conquistar a Canitrot fue en 1984, cuando integraba el staff de la Secretaría de Planificación. Consistió en una invitación a participar en el coloquio anual de IDEA, el ente que reúne al empresariado más poderoso de la Argentina. Se celebró en Misiones. Salieron de Ezeiza con el Lear Jet desde un hangar exclusivo. Lo pasearon por arriba de las cataratas del Iguazú un buen rato, para impresionarlo un poco.

Canitrot se impresionó, pero no se quedó tan pasmado como aquel mediodía en que entró a la residencia de Mario Hirsch, junto al ministro Juan Sourrouille, y el presidente del Banco Central, José Luis Machinea, respondiendo a una invitación exclusiva del más grande entre los grandes. Canitrot perdió el habla contemplando cientos de estatuas de panteras de ébano. Y tampoco abrió la boca después, porque los manjares que le sirvieron no se lo permitieron.

A Hirsch ese almuerzo no le sirvió para nada. Él quería saber cuál era la verdadera intención del equipo económico sobre el negocio ganadero. Sostenía que las vacas se convertirían en un boom en el corto plazo. Que los Estados Unidos consumiría cada vez más carnes rojas. Pero Sourrouille, Canitrot y Machinea, quienes acababan de ser colocados en la categoría de héroes por haber inventado el Austral, habían acordado no soltar prenda y menos dar pistas que descorrieran la cortina de su estrategia.

Hirsch se estaba aburriendo cuando se dirigió al entonces vicepresidente ejecutivo del grupo, Miguel Roig, como si fuera su secretario privado.

—*Miguel* —ordenó—: *recuérdeme que dentro de 10 minutos tengo que hacer una importante llamada.*

Roig sólo agachó la cabeza en señal de comprendido.

Los funcionarios no tuvieron la mínima duda de quién era el patrón. Después de la muerte de Hirsch el lobbyng se descentralizó, y cada una de las compañías tuvo permiso para manejar el suyo. Sin embargo, la coordinación general del grupo para ese tipo de trabajo quedó en manos de Gonzalo Fernández Madero, un hombre con excelentísimos contactos en el Estado Mayor Conjunto de las Fuerzas Armadas, pero con escasas luces para ablandar el corazón de la dirigencia política.

Fernández es el típico burócrata de B & B que no hace nada si no está escrito en el Manual de Procedimientos. Los gerentes que responden al nuevo Rey, Octavio Caraballo, sostienen que las relaciones públicas que realizó este hombre no fueron muy eficientes:

—*De otra manera no se puede entender cómo el grupo más honesto y transparente de la Argentina tenga esta imagen de ogro y de haberse enredado en negocios políticos* —exageró.

Es una imputación injusta. Porque todo el mundo sabe que el deterioro de la imagen de Bunge no fue provocado por Fernández Madero sino por el ingreso de la organización al gobierno de Menem. Incorporación que generó, entre otras cosas, el golpe de Estado interno en la organización. El *putsh* que conmovió al mundo empresario y del que todavía no se ha contado todo. Se incubó a mediados del año 1990. Fue piloteado por Octavio Caraballo, pero pergeñado por su tía, Elena Hirsch, viuda de Mario Hirsch y una de las mujeres más ricas y más bellas de la aristocracia argentina. Participó activa y secretamente un muy buen amigo de Elena, el abogado Alfredo Iribarren, el mismo que al principio defendió al señor Ibrahim-Al-Ibrahim, ex esposo de Amira Yoma acusado de lavar dinero proveniente del narcotráfico.

JB cayó durante una asamblea extraordinaria de junio de 1991.

Cayó porque los accionistas belgas, que manejan cerca del 20 por ciento de las acciones y actúan como árbitros en la interna de las Dos Repúblicas, jugaron esa vez a favor de los Hirsch.

Cayó porque el amigo de Menem no consiguió que su hermano Juan lo ayudara a convencer a los europeos que debía permanecer en el trono por lo menos un año más, para arreglar sus cosas.

Entre las razones que esgrimieron los ex amigos de Born y ahora flamantes incondicionales de Octavio Caraballo para explicar el desplazamiento figuran muchos de los hechos que se relataron más arriba para probar la decadencia del grupo en los últimos años.

Pero el motivo que fue presentado como casi excluyente fue lo que se menciona como una supuesta apuesta personal de Jorge Born al gobierno menemista.

Es hora de aclarar que eso no es cierto.

JB fue el que más se entusiasmó con la *alianza estratégica*. Ni su hermano Juan ni Octavio Caraballo aplaudieron la decisión del entonces número uno. Pero si de verdad hubieran querido evitarla, lo habrían hecho sin inconvenientes.

—*Ellos miraron la jugada desde la platea, y levantaron el dedo acusador recién cuando el plan B & B fracasó* —interpretó un vocero imparcial.

Otra de las líneas que bajó la usina de los arrepentidos es que la movida de JB fue compulsiva y poco meditada.

Nada más alejado de la verdad que esa interpretación.

Bunge & Born ingresó en el gobierno en uno de los momentos más importantes y cruciales de la historia de la economía argentina.

Alfonsín terminaba de renunciar anticipadamente, víctima de su propia soberbia y de la presión de los principales grupos económicos a los que subestimó. Hasta ese momento, tanto los grupos como los acreedores externos habían sido beneficiados por igual. Ni unos ni otros eran delincuentes u ogros: sólo habían aprovechado hasta donde pudieron los beneficios y subsidios otorgados por las distintas administraciones nacionales para ganar más dinero.

El subsidio más grande dado por el Estado a unas pocas grandes empresas privadas desde 1982 hasta 1989 superó los 7 mil millones de dólares, de acuerdo a la calculadora de José Machinea. Se trata de la transferencia de la deuda externa privada particular al Banco Central, de la que ya se dieron los detalles.

Pero para tener una idea cabal de cómo favoreció la política económica a los grandes grupos se debe tomar, por ejemplo, algunas cifras del Presupuesto Nacional 1987.

En ese documento oficial se puede leer con claridad que el Estado transfirió al sector privado 4 mil millones de dólares. Pero que los privados sólo invirtieron en el país 2.800 millones de dólares.

Esos 4 mil millones de dólares representaban más del 6 por ciento de toda la riqueza que podía generar la Argentina en un año.

Ese monto fue otorgado por el Estado a las compañías para que tomaran más mano de obra, se hicieran más eficientes, pudieran competir con transparencia y exportar con buenos resultados.

Ese regalo público de 1987 fue repartido en varios rubros, a saber:

* *Régimen de promoción industrial:* 1.300 millones de dólares.

Se suponía que debía servir para instalar nuevas fábricas. Se convirtió en un mecanismo legal para evadir impuestos.

* *Reembolsos de impuestos a las exportaciones industriales:* 252 millones de dólares.

Se suponía que debían servir para que la Argentina exportara más. Se convirtieron en un gran negocio para empresas como *Astilleros Alianza,* que consiguió exportar barcos nada menos que a Polonia, uno de los mayores vendedores de esos productos, sólo porque el Banco Central financiaba la transacción y convertía la oferta en un regalo para los polacos.

* *Régimen de quebrantos impositivos:* 252 millones de dólares. Es un mecanismo por el que las empresas trasladan al Estado y durante 10 años sus quebrantos impositivos.

* *Intereses de la deuda privada hecha pública:* 429 millones de dólares. En este ítem no figura el pago de capital.

* *Exención de derechos de importación:* 546 millones de dólares. Se trata de un sistema por el que las compañías no pagan gravámenes por las máquinas que importan. Se suponía que con él se habría de industrializar el país.

* *Subsidio obtenido directamente del presupuesto de la Administración Nacional:* 478 millones de dólares.

Se trata de préstamos que dependían de la arbitrariedad del gobierno de turno.

Esta brutal transferencia desde toda la sociedad hacia unos pocos no tiene nada que ver con el capitalismo sano, sino con otro de rapiña, que agotó la riqueza del Estado, ente que quebró exactamente al renunciar Alfonsín. Horas antes de la instalación del empleado de B & B Miguel Roig como ministro de Economía, tanto los grupos nacionales como los acreedores externos de la deuda argentina coincidieron que el Estado no daba más. Acordaron que había que achicarlo y comprar las empresas más rentables. Entendieron que se debía exportar mucho más para volver a recomponer las cuentas del país.

Las reservas estaban agotadas y no llegaban ni a 500 millones de dólares. Los saqueos, el hambre y la muerte revoloteaban por los grandes negocios de los empresarios argentinos.

Pero los grupos nacionales y los acreedores externos tenían además un serio punto de fricción. Discutían, nada menos, cuál de los dos debía pagar el precio de la transición del ajuste.

Los acreedores no querían interrumpir por nada del mundo el pago de los intereses de la deuda. Pretendían que el Estado ahorrara cortando de cuajo todos los subsidios al sector privado. Los grupos no deseaban dejar de ser beneficiarios de mecanismos como la promoción industrial y la prefinanciación de exportaciones.

Cuando Bunge & Born concretó la alianza estratégica, los acreedores, de la mano del embajador Terence Todman, se agarraron la cabeza.

Pensaron que ya no cobrarían la deuda.

Supusieron que las empresas argentinas continuarían mamando de la teta del Estado.

B & B entró a la administración peronista para pilotear el nuevo rumbo económico. Y Jorge Born pensó con razón que sus empleados Néstor Rapanelli, Orlando Ferreres y Pedro Sebess, apoyarían, como él exigía:

* *El mantenimiento de los reembolsos a las exportaciones:* era un mecanismo por el que los exportadores de cereales lograban

superrentabilidad tomando dólares baratos del Central y bicicleteándolos en el mercado financiero. El entonces presidente del Banco Central, Javier González Fraga, había denunciado que las grandes cerealeras ganaban 5 veces más por esa trampita que por la intermediación en la venta.

* *La no aplicación del Impuesto al Valor Agregado (IVA) a cualquier producto del país:* Born pugnaba por un aumento del Impuesto a las Ganancias. Y el Fondo Monetario, es decir, los acreedores, exigían IVA alto y urgente. El mandamás de B & B no sólo se oponía porque no le convenía gravar sus exportaciones. También se oponía porque el IVA es el único impuesto capaz de registrar todas las compras y las ventas al exterior que antes no eran controladas por nadie.

* *El no pago de los intereses de la deuda externa:* Born creía que por cada dólar de deuda externa que se pagara, los grupos nacionales perdían otro en eventuales apoyos a la exportación.

El señor Jorge Born pretendió controlar a sus funcionarios-subordinados. Hay pruebas de que continuamente les mandaba memorándums. De que confundía el Ministerio de Economía con una gerencia de Bunge & Born.

El diputado radical Daniel Ramos detectó la fuerte y directa injerencia de JB en el gobierno y para denunciarla presentó un pedido de informes. Ramos quería saber si efectivamente había existido una reunión secreta entre Born, Rapanelli y Ferreres. Y si además en esa cita se había discutido sobre la aplicación del IVA generalizado que tanto afectaba a las compañías de B & B.

Las autoridades no respondieron la solicitud de Ramos. Esta es una respuesta tardía:

El encuentro existió. Fue el 11 de octubre de 1989. Se desarrolló en la casa particular del ingeniero Rapanelli, Libertador 2609, piso 12. Además del dueño de casa y Ferreres, estuvieron Carlos Kaufman, el economista del grupo, y Guillermo Carracedo, quien se ocupaba de la compra y venta de granos.

La discusión fue fortísima.

Born sostuvo que para reemplazar el IVA generalizado se podía aumentar el impuesto a las ganancias. Proponía un gravamen del 6 por ciento a todos los activos de la Argentina.

Rapanelli le respondió que para recaudar lo que necesitaban sin IVA, el Impuesto a las Ganancias se debía multiplicar por 200 por ciento.

—*Está haciendo un cálculo equivocado* —susurró Rapanelli.

Born le levantó la voz adelante de todo el mundo, como jamás lo había hecho antes. Ferreres, después del grito, propuso que se fueran a conversar a otra habitación, y a solas.

Rapanelli y Ferreres no tenían otra opción que implantar el IVA. Tanto el FMI como el Banco Mundial lo exigían, y amenazaban con no prestar un dólar más a la argentina, si no lo concretaban ya.

En la habitación del departamento del ministro se dijeron de todo, menos bonitos.

El rencor entre ambos nunca fue superado.

Rapanelli le devolvió la gentileza del grito días después, al enviar a un inspector a clausurar una de las compañías más conocidas de B & B, *Alba*, por manejos extraños en la facturación de los proveedores.

Antes de pelearse con sus subordinados, JB había perdido en toda la línea. Es decir: González Fraga había cortado de improviso el subsidio del reembolso a las exportaciones; el gobierno había impuesto el IVA por decreto y también había anunciado que tarde o temprano se pagaría la deuda.

Fuentes bancarias que conocen las cuentas de la organización en la Argentina aseguran que Bunge perdió 120 millones de dólares desde que se incorporó al gobierno el 8 de julio de 1989 hasta que lo despidieron ante el riesgo de hiperinflación, en diciembre del mismo año. Llegaron a esos números sumando la liquidación anticipada de divisas por exportación y el hecho de haber apostado al austral cuando lo aconsejable era huir de esa moneda.

Los días de Jorge Born III estaban contados.

Los que no lo querían empezaron a recordar que en una reunión de accionistas se había pactado que el grupo no debía apoyar públicamente ni a Rapanelli ni a Ferreres. Que se había arreglado no dejar a Bunge pegado a Menem como institución. Que había que mantenerse al margen como hizo Acindar, cuando su presidente, José Martínez de Hoz, fue designado ministro de Economía.

De repente alguien se acordó que a los accionistas europeos nunca les gustó la idea de hacerse cargo de un polvorín como la Argentina.

De un día para el otro le cuestionaron a Jorge Born su supuesta pretensión de quedarse en el gobierno aún después de que lo hubieran echado; su plan de proponer un nuevo programa para el ministro Erman González; su desesperación para formar el Grupo Convivencia o Tutti Frutti con el objetivo de no perder influencia sobre Menem.

—Si el señor Born quiere hacer política debe alejarse de la empresa —se le escuchó decir entonces a una de las personas claves de la organización. En un año hicieron todos los arreglos para cargárselo con sutileza. Fue la primera vez que el número uno de B & B tuvo que dejar su sillón antes de que lo sorprendiera la vejez o la muerte. Fue la primera vez que el rey de Bunge & Born mantuvo la corona por tan sólo 4 años.

La dinastía de B & B empezó con Jorge Born, abuelo de nuestro hombre, quien se hizo cargo del reino en 1884 y lo abandonó a la fuerza en 1920, porque murió.

Siguió con Ernesto Bunge hasta 1927. Este señor mantuvo el cetro sólo 7 años porque eligió regresar a Bélgica para atender sus negocios.

Desde 1928 a 1956, es decir, durante 28 años, se hizo cargo del imperio Alfredo Hirsch. También abandonó por muerte natural.

Desde 1956 y durante 20 años reinó Jorge Born II. Fue

suplantado porque el rapto de sus hijos le quitó sentido común para manejar los negocios.

Desde 1976 hasta 1987 el emperador fue Mario Hirsch, hijo de Alfredo, y considerado el último hombre fuerte de la dinastía. Fueron más de 10 años en los que el grupo siguió por la buena senda.

El arribo de Jorge Born III es visto ahora, con el paso de los años, como la dificultad que tarde o temprano sufren las dinastías: *la carencia de un heredero lúcido; la falta de un hombre fuerte capaz de controlar y hacer crecer a un monstruo cada vez más grande y por lo tanto más difícil de domar.*

Así como el peronismo pareció desintegrarse con la muerte de su líder Juan Domingo Perón y la familia Macri entró en pánico ante el secuestro de Mauricio, porque significaba la desaparición del heredero y por lo tanto la continuidad coherente de la fortuna familiar, Bunge inició su descenso con la muerte del último emperador.

Esto último fue recitado por fríos directivos que no incorporan a su análisis el factor humano. Pero un ex empleado que fue además funcionario durante el plan BB dijo haberse conmovido cuando vio a Jorge Born unos días después de su desplazamiento.

—Estaba como apichonado. No sabía qué hacer con su vida.

No era para menos.

En un santiamén pasó de ser el hombre que manejaba negocios por más de 10 mil millones de dólares anuales a un accionista con poca voz y unos cuantos votos, y con derechos limitados a protestar cuando algo no le guste, una vez por año.

De la noche a la mañana perdió nada menos que:

* el bolsillo sin fondo que significa ser presidente de Bunge. La llave que le permitía viajar por todo el mundo, almorzar y cenar e irse de vacaciones a cuenta del grupo.
* la seguridad, el chofer, la tarjeta de crédito especial y especialmente las pleitesías que le rendían hombres que ahora se pegaron con cola al nuevo emperador, Octavio Caraballo.

Es decir, una buena parte de lo que fue durante muchos años de su vida. Pero el hombre que lo notó apichonado y muchos de los empresarios que sospechan que JB quiere recuperar su trono, no incluyeron entre sus especulaciones la razón principal por la que Jorge Born empezó a derrumbarse.

El motivo que modificó de manera profunda su vida, la de su padre, la de su hermano, e incluso llenó de desconfianza el vínculo aceptable que hasta ese momento tenían con los Hirsch.

La causa por la que jamás volvió a sentir y pensar con la lucidez y la claridad con que lo hacía antes.

Estamos hablando del secuestro. De aquel episodio cuya historia completa, detallada y verdadera, jamás fue publicada en los periódicos, las revistas ni escuchada en las radios, ni vista en los canales de televisión.

2. *El síndrome del rehén*

El secuestro de Juan y Jorge Born produjo desbarajustes múltiples y gravísimos en el holding de propiedad familiar más importante del planeta. Algunas de sus secuelas perduran en el tiempo.

Las más importantes y secretas fueron reveladas por hombres que durante mucho tiempo trabajaron en el corazón del grupo.

La primera noticia inédita es que Jorge Born (JB) jamás dejó de sospechar que la familia Hirsch nunca se puso triste con el rapto de él y de su hermano. De hecho, si los hubieran matado, los Hirsch se habrían quedado con el control casi total del imperio Bunge & Born.

Muchos años después del secuestro uno de sus raptores le aseguró a JB que el ministro de Economía muerto José Ber Gelbard había sido el autor intelectual del rapto y el hombre que aconsejó pedir a la familia exactamente 60 millones de dólares. También le recordó, aunque no hacía falta, que uno de los principales asesores y consejeros de Gelbard era Gustavo Caraballo, tío de Octavio, actual presidente del grupo.

60 millones de dólares no era ningún vuelto. Al desembolsarlos, los Born perdieron participación accionaria en la organización, y también perdieron poder de decisión, lo que afectó los negocios de la familia.

La relación entre los Born y los Hirsch nunca volvió a ser la misma.

Meses antes del rapto, tanto los miembros de la República de los Born como también los de la República de los Hirsch habían planeado seriamente alejarse de los cargos ejecutivos de la sociedad. Dejar la gran empresa en manos de profesionales. Incluso se hacían chistes al respecto.

—*Yo me voy a vivir a Punta del Este* —bromeaba Jorge Born.

—*Y yo a Miami* —chichoneaba Juan.

Se había planteado, por primera vez en la historia del grupo, modernizarlo y ponerlo a la altura de los tiempos.

El secuestro no sólo no lo permitió sino que afectó todo el funcionamiento del grupo, porque el padre, Jorge Born II, no tuvo ya más capacidad para decidir qué era lo más conveniente.

Mientras se prolongó el cautiverio, las discusiones en el directorio eran durísimas. Jorge Born II, padre de las víctimas, un hombre duro de dureza total, había votado, en una asamblea extraordinaria, por el no pago del rescate de sus hijos. Los Montoneros, que tenían gente infiltrada en la organización, se enteraron al otro día, y empezaron a amenazar de muerte a todos los gerentes.

La segunda línea de directivos tardó sólo 48 horas en pedir encarecidamente a Jorge Born que se aviniera a cumplir las exigencias de los raptores. Esos hombres tenían miedo.

—*Si no pienso poner un peso para que me devuelvan mis dos hijos, menos lo voy a poner para liberar a cualquiera de ustedes* —informó el anciano.

Al otro día Montoneros mató al gerente de Grafa, de apellido Muztak. La hija sintió cómo la sangre de su padre le salpicaba las manos y la cara. Durante muchos años quedó traumatizada. La de Muztak fue la vida que debió tributar la organización para que su jefe natural no sólo aceptara pagar el rescate sino las conocidas exigencias de poner un busto de Evita en las principales oficinas del grupo, entregar un millón de dólares en alimentos a distintas villas miseria y reconocer una serie de conquistas laborales que aún perduran en lugares como la planta de Sulfacid, San Martín 1758, Fray Luis Beltrán, provincia de Santa Fe.

Cuando el flamante gerente de Relaciones Industriales de Sulfacid aterrizó en la planta el 10 de octubre de 1988 y empezó a leer el convenio no lo podía creer.

Los 600 trabajadores de la empresa que fabrica lingotes de cinc tenían en un puño a la patronal.

Cada dos meses, los operarios recibían importantes cantidades de azúcar, leche, papel higiénico y yerba, tal como la cúpula Montonera lo había ordenado.

Desde 1974, la mayoría de los empleados habían iniciado una demanda judicial por el 34 por ciento de su salario. Ellos sostenían que debían trabajar 6 horas en vez de 8, porque su labor era insalubre. Sulfacid afirmaba que no, pero nunca acabó de solucionar el conflicto. Si los empleados ganan el pleito Bunge & Born deberá pagar cientos de miles de dólares por 18 años de horas extra no reconocidas.

El gerente de Relaciones Industriales que ingresó sorprendido en octubre de 1988 y se fue aterrorizado el 31 de agosto de 1989 fue testigo de infinitas vicisitudes. De sucesos que están lejos del B & B ideal que muestra la versión oficial.

Pero el más escandaloso tuvo lugar en julio de 1989, el día en que toda la planta quedó paralizada por una huelga en reclamo de mejoras salariales. Fue poco después del Estallido Social y los saqueos que ayudaron a acelerar la estrepitosa Caída de Alfonsín.

La Comisión Interna de Sulfacid era muy combativa, y los gerentes de Bunge le temían. Los delegados obreros exigían que no se descontara un adelanto de quincena que les habían otorgado en mayo para que la hiperinflación no los afectara tanto. El jefe de la comisión interna, de apellido Santillán, no respondía al Sindicato de Químicos de Rosario, y era inflexible. El gerente de Relaciones Industriales debió viajar de Santa Fe a Buenos Aires para plantear el problema en Sarmiento 329, las oficinas centrales del Grupo Químico de Bunge & Born. Lo hizo con crudeza:

—*Hay que descabezar a la comisión interna porque son capaces de tomar la planta y de romper las máquinas. Hay que poner seguridad para los jefes porque puede haber atentados.*

Los estrategas de Buenos Aires lo tomaron casi en broma. Uno de ellos, aconsejó:

—*Despreocupate, viejo. No te olvides que al ministro de Trabajo* (Jorge Triaca) *lo pusimos nosotros. Ahora le dictamos la conciliación obligatoria y asunto terminado.*

Pero el gerente insistía:

—*Mirá que Rosario y Santa Fe están envenenadas. Mirá que la gente de Inteligencia nuestra dice que puede estallar el quilombo en cualquier momento.*

La gente de inteligencia a la que se refería el gerente de Sulfacid era un coronel retirado de apellido González. Un "servicio" que por esos días recibía informaciones apocalípticas de la SIDE y del servicio de Inteligencia del Ejército.

Durante el tercer día de conflicto llegó a la planta el enviado de Triaca para dictar la conciliación obligatoria. Pero Santillán le arrebató el expediente y se lo rompió en la cara.

Horas después, el gerente industrial sufrió una serie de atentados. No sólo le rompieron los vidrios del auto y lo amenazaron de muerte por teléfono. También se le metieron en la casa y se la desvalijaron.

Fue a Buenos Aires y anunció a los estrategas que denunciaría el hecho ante los medios masivos de comunicación.

—*Eso sería una estupidez, y perjudicaría la imagen del ministro* (Néstor) *Rapanelli, y por ende el prestigio de Bunge & Born.*

El gerente abandonó a Sulfacid y Bunge un mes después, luego de comprobar que no le iban a dar un departamento, ni facilitar un vehículo ni aumentar el sueldo, como le habían prometido cuando ingresó. Además juró no pisar más los alrededores de la planta, porque sostiene que por allí todavía pulula el fantasma de Montoneros.

El rapto de los hermanos Born provocó que Jorge Born II fuera puesto a disposición del Poder Ejecutivo por el delito de publicar solicitadas en periódicos nacionales y extranjeros a favor de Montoneros pero además determinó que una banda de contadores en la que se mezclaban peronistas de derecha y simpatizantes de la guerrilla intervinieran el edificio de Sarmiento y 25 de Mayo, donde todavía funcionan las oficinas centrales.

—*¿Qué buscan estos ingenuos...? ¿El balance Montoneros a Caja?* —se preguntaban los altos directivos del grupo.

El primer día de intervención, los peritos le exigieron a Jorge Born II el organigrama del holding.

—*Bunge & Born no tiene organigrama* —respondió secamente.

Luego le pidieron los balances.

—*Bunge & Born no tiene ningún balance actualizado* —se excusó.

Cuando los hombres se fueron el emperador mandó a quemar todos los papeles del grupo de donde pudiera detectarse organigramas y especialmente el árbol societario de cada una de las compañías. Es decir: la Biblia que rezaba quién era el verdadero dueño de qué.

Los nueve meses de cautiverio produjeron en los hermanos impactos diferentes.

A Jorge lo salvó de la locura su intestino regular: como iba al baño todos los días, jamás perdía la noción del tiempo.

Juan siempre pareció el más afectado.

Una tarde, los Montoneros debieron romper una regla de oro que habían mantenido en todos los secuestros: tomaron a Juan y le hicieron ver, en vivo y en directo, que su hermano Jorge no había sido asesinado.

Pero Juan estaba en tan malas condiciones psíquicas que cuando lo miró, gritó:

—*¡Mienten!... Este no es mi hermano.*

Jorge lo tuvo que zamarrear y después de varias pruebas contundentes se convenció de que era efectivamente él. A los pocos días Juan tuvo un nuevo ataque de nervios, y los guerrilleros hicieron trizas la segunda regla de oro que jamás debe abandonar el raptor: permitieron, a través de un complejo mecanismo, que el médico de la familia se acercara a la "cárcel del pueblo" para atender al segundo heredero de los Born.

Pero Juan Cristian no se curó, y los raptores lo tuvieron que liberar, quedándose con Jorge II, quien se aguantó los 9 meses de cautiverio como un verdadero hombre.

JB explicó en el reportaje exclusivo que cierra la última parte de la investigación que los Montoneros no lo doblegaron ideológicamente, y declaró que uno de sus raptores, Rodolfo Galimberti, 43 años, casado con Dolores Leal Lobo, una mujer de 24 años y perteneciente a la alta sociedad, había demostrado ser un hombre de honor.

En algunas universidades neoyorquinas se empezó a estudiar un fenómeno llamado Síndrome del Rehén. Es la patología por la que un hombre en cautiverio empieza a tomar simpatía por el que lo encierra y se confunden afectiva e ideológicamente.

Pero Galimberti hoy no sería apenas un hombre de honor para Jorge Born, sino una mezcla de jefe de inteligencia y responsable de la custodia personal. Galimberti, para confundir al autor de la investigación, aseguró que era asesor de otro Jorge: del empresario árabe Jorge Antonio. Sin embargo fuentes de inteligencia del gobierno de Menem aseguraron que no sólo trabajaba para JB sino que estuvo por ser nombrado lobbysta oficial de Bunge & Born, decisión que se frustró debido al golpe de Estado interno que colocó a Caraballo como jefe absoluto.

Galimberti se encontró cara a cara por primera vez con Jorge Born el 12 de octubre de 1989.

Sucedió en el Hotel Lancaster. El presentador oficial fue Juan Bautista Yofre. La revista *Somos* fue la única que tomó nota de la impactante noticia. El ex titular de la SIDE reconstruyó detalles de la cumbre: Se la pasaron hablando del secuestro. Galimberti se presentó afeitado y con un impecable traje Príncipe de Gales. El ex responsable militar de la Columna Norte de la JP, la más poderosa organización armada que tuvo Montoneros, habló pestes de sus compañeros Eduardo Firmenich, Eduardo Vaca Narvaja y Cirilo Perdía, le prometió que haría todo lo posible para recuperar parte del dinero con el que se habrían quedado sus compañeros sin pensar ni un poquito en él. Antes de despedirse, el ex guerrero de la mirada de rayo láser miró a los ojos a la que fue su víctima y le preguntó:

—*¿Le puedo dar un abrazo?*

Antes de que JB respondiera afirmativamente, Galimberti lo apretó contra su pecho.

Los dos custodios de Galimberti y la media docena de agentes de la SIDE que vigilaban se sacudieron ante semejante gesto de amor. Pero no sería la última vez que el Tano Galimberti desplegara algo de su ternura. También lo hizo al besarle la mano y hacerle una reverencia un tanto exagerada al ex secretario de Justicia César Arias, en el restaurante *Lola.*

Los encuentros con su ex enemigo mortal Jorge Born y también con Arias formaron parte de un solo operativo.

El Operativo Recuperación Urgente de Parte del Botín de Montoneros en el secuestro de los Born.

Quizá Born sostenga que el ex guerrillero que contribuyó a llevar a la muerte a miles de jóvenes idealistas durante la década del setenta sea un hombre de honor ahora que pugna por reintegrarle parte de sus millones. La extensa declaración de Galimberti ante el fiscal de la Nación Juan *Pajarito* Romero Victorica fue el detonante que hizo que el juez Carlos Luft embargara los bienes de la familia Graiver, por considerar que David Graiver se había quedado con 17 millones de dólares que los *Montos* le habían dado para ser multiplicados.

Una fuente a prueba de desmentidas aseguró que de un momento a otro parte de esos 17 millones de dólares que ahora están incautados en el Banco Nación y que cada tanto se colocan a plazo fijo para que no se desvaloricen... serían definitivamente reintegrados a los Born con el permiso de la justicia.

Galimberti es un personaje extraño.

Alguien que trabaja para el ahora demócrata Aldo Rico, afirmó:

—*Desde la guerra sucia nosotros sospechamos que el tipo era buchón nuestro... o doble agente. Galimberti no es un servicio cualquiera. Yo estoy seguro que trabaja para alguna fuerza.*

El hombre de Rico agregó que su jefe se encontró dos veces con él y en ninguno de los casos el teniente coronel así lo había dispuesto.

—La primera vez caímos en la trampa de un tipo. Nos dijo que venía solo y resulta que en la mesa de al lado estaba este señor. La segunda fue en un cine de Avellaneda. Estaba por empezar un acto. Cuando el Ñato se enteró que lo quería ver dijo: "Esto es una trampa: yo de aquí me borro".

Las fantasías sobre las actividades de Galimberti llegaron hasta la hipótesis de hacerlo aparecer como funcionario sui géneris de la Secretaría de Inteligencia de Estado del gobierno de Menem, con 12 hombres a cargo y un par de Peugeot 505 con su correspondiente *Movicom.*

—Eso no solamente no es cierto, sino que es una barbaridad —negó rotundamente uno de los hombres de la SIDE más importantes después de su titular, Hugo Anzorregui.

Pero Galimberti supo blanquearse ante la sociedad. Y su blanqueo llegó al clímax al conseguir que el fiscal Romero Victorica asistiera a los festejos de su paquete casamiento, celebrado en la finca *Los Acantilados,* de Punta del Este.

Fue una noche inolvidable.

Ex guerrilleros que empujaron a la muerte a lo mejor de una generación se confundieron con prohombres de la justicia y la farándula. Apellidos ilustres de la aristocracia argentina y uruguaya se mezclaron con advenedizos del poder.

Jorge Born III no asistió, pero envió como representante a su hijo, Jorge Born IV, 29 años, cédula de identidad 6.512.735, taurino en el horóscopo occidental, nacido el 16 de mayo de 1962 en Bélgica, naturalizado argentino recién en 1980.

Todo eso es verdad, aunque usted no lo crea, y sucedió durante la noche del viernes 11 de enero de 1991. La reconciliación nacional se había consumado. Pero sería injusto afirmar que esta mixtura nació de un mero impulso o una pequeña casualidad. Porque se viene gestando desde 1988, con los primeros contactos entre Bunge & Born y los carapintadas. Y se alimentó definitivamente con la incorporación de ex Montoneros en el triángulo perverso que explica una buena parte de la delirante historia de la Argentina. Un triángulo perverso que tiene una explicación lógica:

Jorge Born, los Montoneros y los carapintadas tienen algo en común que no es abstracto ni delirante, sino concreto y muy potente: *los tres, en distintos momentos, se vieron a sí mismos como los instrumentos adecuados para sacar al país de su prolongada crisis y su crónica decadencia. Los tres, a través de distintas iniciativas, pretendieron trascender su ámbito natural para transformarse en los Salvadores de la Patria.*

Los guerrilleros lo manifestaron clara y tristemente en la década del setenta.

Los militares lo demostraron en Semana Santa, Monte Caseros, Villa Martelli y el último levantamiento de los hombres de Mohamed Alí Seineldín, el 3 de diciembre de 1990.

Jorge Born III lo reconoció el 1º de julio de 1989, en una de las primeras declaraciones públicas de su vida, al pontificar:

—*Y a los que no creen en nuestro compromiso con el gobierno* (de Menem) *sólo nos resta decirles que no nacimos para perder.*

Por otra parte, los tres aprovecharon momentos trágicos de la vida nacional para irrumpir en escena.

El hombre de negocios se presentó en sociedad cuando Alfonsín estaba a punto de renunciar, agobiado por la hiperinflación y cocinado en la salsa de su propia soberbia.

Los militares entraron en acción cada vez que la interna del Ejército se enrarecía.

Montoneros hizo su ingreso triunfal el 29 de mayo de 1970, al secuestrar primero y asesinar después al general Eugenio Aramburu cuando todavía la democracia era un sueño en pleno estado de ebullición social.

Finalmente, existen decenas de pruebas que demuestran no sólo que los tres se encontraron, sino que hablaron en secreto de la posibilidad de formular un nuevo proyecto para sacar a la Argentina de su postración, aunque ese proyecto no fuera conjunto.

El vínculo entre Jorge Born y los carapintadas es explicado por distintas fuentes que alientan dos hipótesis.

La hipótesis uno fue presentada por un hombre político que sirvió de nexo entre Born y Menem. Sostiene que el hombre de negocios "compró" el proyecto carapintada porque supuso que Aldo Rico y Seineldín podían tener éxito en la perpetración de un golpe de Estado nacional y popular contra el socialdemócrata Raúl Alfonsín.

El hombre político utilizó los siguientes argumentos para alimentar su hipótesis:

* Jorge Born fue convencido del presunto éxito carapintada por su compañero de colegio, amigo de toda la vida y empleado fiel José María Menéndez, 64 años, 5 hijos, varios nietos. El mismo hombre que trabajó más de 30 años en Bunge y se retiró del grupo como gerente general de Grafa. El miembro de la consultora *Lynch, Menéndez y Nivel.* Y el que fue utilizado por la organización para llevarle a los secuestradores la valija con los 60 millones de dólares que facilitaron la liberación de JB.

* Menéndez conocía y conoce al Ejército más que muchos jefes que pasaron por la fuerza. Organizó campeonatos de truco en los que participaron oficiales de la más variada graduación. Gestó encuentros de dirigentes políticos con carapintadas y caralavadas. Supo antes que nadie lo de la rebelión de Monte Caseros. Prestó dinero al teniente coronel Ángel León para que operara a su hijo de cáncer en Israel. Puso como tesorero de su consultora a Guillermo Fernández Gill, el hombre que le dio a Rico refugio en el country *Los Fresnos* y al que el militar recompensó dándole con sus votos una banca de diputado nacional.

* JB tuvo una cita clave con la cúpula carapintada en diciembre de 1989. Fue organizada por el ex interventor de YPF, Octavio

Frigerio. Estuvieron presentes, además de Born, Rico, Seineldín, el mayor Enrique Venturino y los doctores Enrique Grassi Susini y Nicanor Villafañe Molina. Un testigo presencial interesado en destacar la afinidad ideológica y afectiva de los protagonistas, asegura que Rico llamaba *Don Jorge* al señor Born.

* Todavía nadie desmintió la presunta utilización de un avión de Bunge, el Lear Jet matrícula LVL06, en la rebelión de Monte Caseros.

Sin embargo, un hombre que no es político sino académico,y que conoce a los militares tan bien como el contador Menéndez, planteó una segunda hipótesis.

Su hipótesis afirma que Born aceptó contactarse con los carapintadas para evitar que lo secuestraran de nuevo. Asegura que eligió tenerlos como aliados, por si venía una revolución sangrienta en la que pudiera estar en juego su cabeza y la vida de su familia.

El académico esgrimió estos datos de la realidad para sustentar sus razones:

* JB confió su seguridad personal al capitán Tomás Cundom y al mayor Oscar Hugo Vercellotti. Cundom habría sido el mismo que transportó a Rico en una avioneta desde Buenos Aires a Monte Caseros, provincia de Corrientes. Vercellotti intentó sacar a Rico de Magdalena durante la rebelión de Villa Martelli.

* JB luego tomó como custodio a Galimberti, lo que prueba su tentación de hacerse amigo de quienes lo secuestraron o lo podrían secuestrar cualquier día de estos.

Ambas hipótesis no son contradictorias y tienen algo en común: carecen del componente psicológico necesario que tiene como eje central aquel histórico secuestro.

A pesar de que al principio pareció todo lo contrario, Juan Born se recuperó casi definitivamente del impacto del cautiverio, y Jorge, aparentemente, no tanto.

Juan pronto volvió a mandar sus famosos télex desde cualquier parte del mundo hacia la Argentina sólo para enterarse, al instante, de cómo había salido Rácing, su equipo de fútbol favorito.

En cambio Jorge se empezó a reconcentrar cada vez más en sí mismo. Inauguró la costumbre de servirse de un entorno que, según fuentes muy seguras, no sólo compartió el reino del imperio mientras pudo, sino que lo cercó, y le pintó un mundo parcial, y le susurró al oído exclusivamente las cosas que el copropietario de Bunge quería escuchar.

Ese entorno tiene dos piezas clave.

Una se llama Alex Neish y la otra Alfredo Welch Miguens.

Neish es nada menos que el hombre que tuvo en su poder toda la información financiera y administrativa del grupo hasta que le dieron el golpe a Jorge Born.

Él tenía en su cabeza el funcionamiento de B & B en todo el mundo. Los que lo quieren sostienen que era el cerebro de Bunge. Y que su coeficiente mental es mucho más alto que el promedio normal. La responsabilidad y la presión que acumuló Neish le provocaron un aneurisma cerebral. Se le llegó a formar una especie de cebolla en el cerebro. Muchos temieron lo peor, pero se la hizo cortar antes de que sucediera lo irremediable. Neish era uno de los candidatos a presidir el holding, si los accionistas herederos hubieran decidido entregar el sillón del rey a un profesional no perteneciente a la familia.

Los que no quieren a Neish opinan que este ejecutivo fue y seguiría siendo una influencia nefasta para JB. Que se trata del hombre que le inculcó a Born una especie de pesimismo crónico:

—*Alex no sólo cree que la Argentina es un país de mierda. También piensa que el mundo es una verdadera porquería. Y esto es lo que le repitió al señor Jorge durante años y años* —reveló un ex gerente de una de las compañías de Bunge en Brasil.

Este gerente sostuvo haberse ido del grupo. Afirmó haber rechazado la propuesta de Neish de hacerlo ingresar en negocios paralelos al conglomerado. Juró que el cerebro de Bunge es una máquina de tramar conspiraciones. Y lo responsabilizó de haber designado a Horacio Freyre como responsable de Bunge Brasil.

—*¿Qué tiene de malo o de particular que Neish haya promovido a Freyre?* —se le preguntó.

Y el ex gerente respondió:

—*Para Neish nada. Para Bunge mucho. Porque todo el mundo sabe que Freyre es muy poco profesional. Que bebe demasiado en los cócteles. Que está envuelto en pequeños escándalos todos los días. Que habla con cualquiera de cualquier cosa del grupo. En fin: que no da la imagen externa que requiere la empresa.*

Lo de Alfredo Welch Miguens es distinto.

Se trata de un capitán de corbeta que ya pasó los setenta años y entró al grupo cerca de 1970 con dos misiones específicas: aceitar los contactos de la organización con la Marina y asesorar en los asuntos macroeconómicos a los principales ejecutivos de Bunge & Born.

Los que conocen su trayectoria dijeron que fue el ideólogo de ese engendro político denominado *Nueva Fuerza*, que llevó al comisario José Chamizo como candidato a presidente, auspició una propaganda con el cantito Los argentinos / queremos goles / porque los goles / son la verdad, y le hizo gastar a Bunge cientos de miles de dólares al cohete, además de comprometer a Jorge Born de pies a cabeza en el delirante proyecto.

El que fue su enemigo dentro del grupo lo define así:

—*Hay dos únicas cosas que Welch hace muy bien. Una es navegar, y algunos dicen que el señor Jorge se hizo especialista en náutica mirando cómo lo hacía su colaborador. Otra es haberse convertido, para Born, en lo mismo que representaron López Rega para Perón, o Miguel Vico y Ramón Hernández para Menem.*

Cuando se le pidieron precisiones sobre lo último, el vocero remató:

—*Está todo el día con él. Cuando vivían en San Pablo hasta le hacía de chofer, lo llevaba hasta la casa... no lo dejaba ni a sol ni a sombra. Y, por supuesto, Welch le trasmitía al jefe su resentimiento contra la Argentina.* Ni Neish ni Welche Miguens eran tan importantes antes del secuestro. Pero se hicieron casi imprescindibles para Jorge Born en la medida en que empezó a transformarse en un hombre desconfiado, hosco y bastante pesimista. Un día cualquiera, un amigo verdadero alertó a Jorge Born III sobre las consecuencias prácticas que sobrevendrían por la cercanía de ambos personajes. Y recibió esta réplica:

—*No me importa si son buenos o malos tipos. Me importa que trabajen para mí, en las cosas específicas que me interesan. Yo no quiero ángeles. Quiero gente que me pueda ser útil.*

Entre los errores que le achacan al Born pos-secuestro, se encuentran:

* *Su presunta debilidad:* Muchos no entienden por qué nunca desplazó a Walter Klein de la conducción de Bunge en Estados Unidos. Todos en el grupo saben que Klein heredó ese importante puesto de su padre, un hombre al que se respetaba mucho. Pero Klein juniors siempre fue considerado un ejecutivo indeciso y limitado.

—*El señor Born no se animó a contradecir al padre, cuando éste colocó en su lugar a su progenitor* —dijeron fuentes muy confiables.

* *El haber dejado vacantes puestos claves:* Antes del secuestro, en Bunge había una figura funcional denominada *Gerente de Producto.* Había, por ejemplo, un Gerente de Alimentos, que se encargaba de seguir los negocios de Bunge en esa área a lo largo y a lo ancho de todo el planeta. Eran útiles y contribuían a la organización. Se fueron muriendo de a poco. Y nadie nunca los suplantó.

* *Haber tomado decisiones confusas:* Entre 1985 y 1986 Jorge Born decidió que su hermano Juan no manejaría más el grupo en Argentina, y que Octavio Caraballo no sería el responsable directo de B & B en Brasil y Uruguay. Decidió tomar las riendas él mismo. Se convirtió en una especie de coordinador general de ambas regiones. Y generó una superposición de funciones.

* *Su predisposición a actuar solitariamente:* Antes del golpe de Estado de junio de 1991, los accionistas le enviaron señales criticando su tendencia al aislamiento y reclamando decisiones más colegiadas. Todo indica que él las ignoró olímpicamente.

* *Su presunta pérdida del manejo cotidiano de la empresa:* Todos reconocen que, aún después del cautiverio, el señor Jorge desarrollaba impecables estrategias para el mediano, el largo y el larguísimo plazo. Hay quienes juran haberlo escuchado hablar de cómo serán Argentina y el Mundo en el año 2050. Pero también señalan que mientras fue presidente, fue incapaz de manejar "el día a día". Y agregan que su obsesión por imponer el programa econométrico a los gobiernos de turno hizo que descuidara su responsabilidad ejecutiva.

La mayoría de las fuentes consultadas, además de hacer leña del Jorge Born caído, excluyen de su frío análisis las debilidades del ser humano. Apartan deliberadamente las características del hombre real, más allá del mito. Es tiempo de mostrar sin limitaciones, sus señas particulares.

3. *El destino me condena*

Jorge Born III, 57 años, casado, 4 hijos, Géminis en el horóscopo occidental y perro en el chino; número de contribuyente 664.875.017-00; con una fortuna personal que fuentes seguras calculan en más de 500 millones de dólares; con un intestino regular que lo salvó de enloquecer durante su cautiverio; austero, casi autista, desconfiado, calculador, sencillo; ojos color de miel y alto; con una cara en la que los sentimientos no se le reflejan, uñas siempre largas y patillas más crecidas de lo normal, es un hombre al que se le adjudican serios problemas de identidad.

Un individuo al que, a pesar de las apariencias, todo le costó demasiado. Sus problemas de identidad bien pudieron haber comenzado en la infancia, cuando algún compañerito de la escuela, seguro, le preguntó:

—*Che: ¿vos no sos judío?*

Hay dos versiones sobre el asunto. Una es la del genealogista Narciso Binayán. Él cree que sus ascendentes no lo eran. Otra es la de la autora del libro *The Argentine Republic*, Ysabel Rennie. Ella sostiene que tanto Jorge Born, abuelo del protagonista de esta historia, como su cuñado Ernesto Bunge, eran financieros belgas judíos.

Si la segunda alternativa fuese cierta, JB III representaría a tercera generación de judíos conversos. Si no lo fuera, sería lógico pensar que, además de las chanzas de sus amiguitos, habría sentido sobre sus espaldas la mirada castigadora de la clase alta argentina, así como su padre sintió el antisemitismo de los nacionalistas que pulularon entre 1943 y 1945.

A un altísimo ex empleado de Bunge que compartió con él muchos momentos íntimos, le sorprendió que Jorge Born III, a pesar de ser católico, jamás comulgara en misa. Sin embargo no se atrevió a computar esa particularidad como un signo que revelara problemas de identidad.

Pero sus dificultades identificatorias bien pudieron haber continuado en 1975, después del secuestro, con su exilio obligatorio a Brasil, y la mudanza de todo el grupo de la Argentina.

Lo que resulta difícil de entender es el siguiente dato inédito: *el hecho de que Jorge Born haya decicido hacerse ciudadano brasileño recién el 15 de agosto de 1985, como lo acredita su Cartera de*

Identidad registrada con el número 10.788.700. Habían pasado 10 años de su arribo al país del café y la caipirinha. La Argentina no era más un polvorín. La orgía de violencia y destrucción era parte del pasado.

Aunque su fiel empleado Gonzalo Fernández Madero lo haya definido como un ciudadano del mundo, este hombre de negocios parece un extranjero en todas partes.

Pero más allá de cualquier discusión semántica, no hay duda de que al señor Jorge nada le fue fácil.

La educación de su padre, Jorge Born II, lo marcó a fuego.

Jorge III era el primogénito y debía dar el ejemplo a sus hermanos. Tenía que ser un asceta y no jugar solamente con compañeritos millonarios, sino querer y atender a las necesidades de sus vecinos del barrio, aunque no tuvieran tanta plata como él.

Todos ellos vivían en un enorme predio, en San Isidro, a la altura de Libertador al 17.000. Ese predio tenía tres grandes casas. En una vivía JB II. Y en las otras sus hijos Jorge y Juan, aun después de casados. La decoración nunca fue ostentosa. Todos los vecinos de los chicos podían ingresar a la cancha de tenis e incluso a la pileta.

—La de los Born era una de esas casas en las que uno, que era bastante más pobre que ellos, no sentía la diferencia, y le daban ganas de quedarse horas y horas —relató un hombre que conoció a Jorge, pero fue más amigo de su hermano menor, Julio Born.

Otro sujeto que compartió muchas cosas con Jorge y con Juan recordó que el primer auto que tuvieron los hermanos fue un Volkswagen escarabajo. Y un ex directivo de la organización, completó:

—Apenas ingresaron a Bunge, ambos se compraron un Peugeot 404. En esa época era como el equivalente a un Sierra. Recuerdo que el padre les llamó la atención por la adquisición y les dijo algo así: "Ese es demasiado coche para ustedes. Todavía les falta muchos años de trabajo para merecerlo". Su rígido progenitor no le dejó otra alternativa que la austeridad y el sacrificio. El paso de Jorge Born III por el Colegio de Nacional Buenos Aires es una prueba de ese esfuerzo. No iba al turno tarde, como aquellos niños cuyas madres sufren por hacerlos levantar temprano. Iba a la mañana y sus calificaciones en sexto año fueron: Filosofía, 9; Educación Política, 8; Derecho e Instrucción Cívica, 8; Trigonometría, 9; Latín, 8; Zoología, 8; Inglés, 9; Historia del Arte, 9; Higiene, 7 e Historia, 7.

No sólo jugaba al tenis o al rugby, como los niños bien. También se ponía la número 5 para darle a la pelota de fútbol, aunque un compañero de entonces recordó que como mediocampista era un buen futuro empresario. Tenía apenas 16 años cuando siguió otro de los mandatos de su padre: el antiperonismo visceral.

No terminó de gozar de sus vacaciones cuando lo mandaron a la Universidad de Pensilvania a estudiar Ciencias Económicas y Administración de Empresas. Entró a Bunge después de los 25 años, y no lo hizo como cadete, como sostienen algunos testimonios. Un empleado de aquellos años lo recuerda así:

—El padre iba llevando a Jorge, casi de la mano, por las áreas críticas del grupo. Lo ponía, como si fuera un soldado, un tiempo en Centenera, otro en Molinos. Con el tiempo tanto a él como a Juan le fueron dando simulacros de funciones ejecutivas. Los hermanos tenían la misión de sentarse al lado de los gerentes generales para aprender cómo decidían y de qué manera trabajaban.

Está claro que no había espacio para la rebeldía o la creatividad individual. Tampoco hay ninguna duda de que también, en el plano personal, cumplió el mandato familiar: casarse con una mujer de apellido patricio, para abrir las puertas de la aristocracia que, en ese entonces, estaba vedada a los comerciantes con apellido que sonara a judío.

Su padre se casó con Matilde Frías Ayerza, una mujer con apellido de alcurnia y una familia de escasos recursos. El padre de Matilde era el juez Frías, que vivía en Palermo Chico, enloquecía por la pelota paleta y llegó a fundar el Patronato de los Liberados, una cooperativa de presos regenerados que luchaban por sus derechos.

El protagonista de esta historia se unió en matrimonio con Inés Magrone de Alvear, una descendiente directa del presidente radical Marcelo Torcuato de Alvear.

Su hermano, Juan Cristian, contrajo enlace con Virginia Agote.

El otro, Julio, se casó con María Victoria Hueyo, apellido ilustre, si los hay.

Y la hermana mujer, Matilde Born Frías Ayerza, es viuda de Celedonio Vicente Pereda, un ex presidente de la Sociedad Rural Argentina.

Pero para no interrumpir la cronología se debe aclarar que tiempo después de ingresar a la empresa, el adulto Jorge Born no tardó mucho en darse cuenta de cuál era el verdadero lugar que ocupaba en la sociedad.

La aristocracia argentina lo miraba con recelo.

Para la alta sociedad brasileña, mucho más excluyente y cerrada que la nacional, Bunge & Born no era considerado uno de los grupos más poderosos del país, y sus dueños eran ignorados.

En Estados Unidos los Born siempre fueron vistos como unos latinoamericanos con mucho dinero y bastante hábiles para los negocios.

En Europa la imagen no era mucho mejor.

Todo ayudaba a hacer más fuerte la crisis de identidad.

Y para colmo, su aterrizaje en la organización se produjo en plena disputa entre las Repúblicas de los Hirsch y de los Born.

Testigos presenciales aseguraron que cuando Jorge Born III intentó convencer a su padre de alejar a la familia para hacer al grupo más profesional, fue olímpicamente ignorado. Y agregaron que, en el momento en que quiso combatir a los Hirsch, fue desautorizado. Estas muestras de impotencia fueron ilustradas con el siguiente ejemplo:

Un día Jorge Born III trató de hacer valer su condición de accionista para despedir a Jorge Kalladey, un protegido del entonces número dos del grupo, Mario Hirsch. Jorge Born I era el presidente de la organización. La decisión del accionista fue comunicada por los canales formales, pero Hirsch habló con el número uno y le dijo:

—*Tu hijo tiene demasiados humos. Y a Jorge no se lo puede echar.*

El padre asintió. Kalladey todavía sigue en el grupo, pero ahora como protegido del nuevo presidente, Octavio Caraballo.

En el fondo, Jorge Born III nunca pudo hacer lo que se le antojó, ni ser lo que se le dio la gana.

Cuando asumió como presidente en 1987, no sólo cargaba sobre sus espaldas con la sombra de su padre. También debía soportar el peso del fresco recuerdo de su antecesor, Mario Hirsch, el último emperador lúcido de la dinastía del imperio del doble apellido.

No le alcanzó la jugada de comprometer a la compañía con la suerte del gobierno para romper con el destino del típico heredero.

No fueron suficientes las largas y profundas conversaciones con la arquitecta Andrea Moroni para romper la tradición de la familia unida y perfecta.

Ni siquiera pudo sacudirse, aunque sea un poco, la impronta de la austeridad y la sencillez que algunos hombres vulgares confunden con amarretismo.

Así como en Brasil andaba en autos sencillos y prácticos como el Diplomata, el Monsa o el Landau, en Argentina se movía en un Peugeot 505 y hasta en Ford Falcon.

Si se lo tuviera que juzgar por cómo viste, nadie diría que Jorge Born III es un archimillonario. Sus empleados en Brasil explicaron que, en realidad, se viste como un americano y que jamás le vieron usar una corbata de estilo.

—*Usted no lo va a creer, pero se hacía hacer la ropa por el mismo modista que nos confeccionaba a nosotros* —informó un gerente de segunda línea. Born usó el mismo *Rolex* que le regaló su padre a los 18 años hasta que Mario Firmenich se lo robó, durante su cautiverio. Después lo cambió por otro de la misma marca, pero no de oro, sino de acero común y silvestre. En San Pablo, J.B. III vive en el barrio más exclusivo, denominado Jardín Europa, en un departamento de más de 1000 metros cuadrados. Sin embargo, no eligió esa residencia para aparentar, sino por razones de seguridad, y porque está muy cerca del edificio Serfina, la sede central de B & B en Brasil.

Jorge Born, cuando mora en San Pablo, juega tenis y navega junto a su empleado Welch Miguens. Sale a almorzar y a cenar muy de vez en cuando. Y no lo hace en lugares supercaros y superexclusivos, sino en restaurantes como *Manhattan* o *Ruvaiá*, los equivalentes de *Happening* y *Alexandra* en Buenos Aires.

Es incapaz de emborracharse o hacer una cosa fuera de lugar, excepto vivir como sus ancestros lo ordenaron.

El único de la familia que rompió la tradición prusiana de los Born fue el hermano menor, Julio, cuya vida completa merecería un capítulo aparte. Se trataba de un verdadero *bon vivant*, y jamás le prestó la más mínima atención al grupo Bunge & Born.

Su desinterés se debió a que desde siempre supo que, siendo el tercer heredero, jamás podría conducirlo, a menos que Jorge y Juan se murieran de repente.

La pasión de Julio Born no eran los negocios cerealeros, sino el golf, los amigos, las mujeres y el disfrute del campo. Como sus hermanos, tenía el buen tino de no hacer ostentación del dinero que manejaba, y no se oponía a que sus amigos compartieran con él el pago de la cuenta de un restaurante o una discoteca cualquiera. Pero había días en que invitaba, y entonces arrastraba a sus íntimos a los lugares más caros y más exquisitos.

El secuestro de sus hermanos lo obligó a exiliarse en Madrid, España. Fue, para él, un impacto tremendo.

En Buenos Aires jamás usó un auto importado.

Pero en Madrid se compró un Mercedes, se tiró encima toda la ropa que no se había puesto en más de 40 años y dejó de ocultar que tenía mucha, pero mucha plata.

Pero, en su caso, el dinero no le sirvió para nada, porque tuvo la desgracia de protagonizar un accidente y ver morir a su hija, quien entonces no cumplía 5 años. Toda su fortuna fue también inútil frente al cáncer de garganta que lo llevó al otro mundo en 1982, en el momento en que transitaba la mitad del camino de la vida.

Cuando a Juan o a Jorge le preguntan por aquel hermano ellos suelen decir:

—Julito era un tiro al aire.

Para enseguida cambiar de tema.

Es uno de los pocos asuntos que le hacen cambiar a Jorge Born II la expresión de su rostro. Los otros dos son ahora parte del pasado, y tuvieron como testigo preferencial al fiscal Juan Romero Victorica. Uno fue cuando debió reconstruir los episodios más intensos de su secuestro y reconocer los lugares en donde pasó su cautiverio.

—Parecía que en cualquier momento se iba a descomponer, pero cada vez que estaba a punto de sucumbir, se autocontrolaba, como si fuera una máquina.

El otro fue cuando lo llevaron a la habitación en la que soportó nueve meses su encierro. Jorge Born III se detuvo en un rincón y dijo:

—Desde aquí veo lo mismo que veía entonces. Ahí está el alero donde yo debía mirar fijo, cumpliendo la orden que ellos me dieron.

De pronto la dueña de la casa, una conocida actriz que prefiere dejar su nombre en reserva, dijo:

—Qué casualidad: mi marido me suele dar la misma orden.

Born y Romero Victorica se inquietaron. El fiscal preguntó, un tanto solemne:

—¿Podría aclarar a qué orden se refiere?

La actriz hizo una pausa de unos segundos, y remató con el siguiente chiste:

—*No a la orden de mirar el alerón, sino la de mirar el techo... ¡Todas las noches!*

Tanto el fiscal como el hombre de negocios comprendieron entonces que la mujer hablaba de su... deber conyugal. Entonces Born largó una carcajada, y Romero Victorica comprobó que se trataba de un ser humano.

También fueron humanos los hombres que fundaron Bunge & Born en 1884, y cuya historia oficial será contada breve y rápidamente, para no perder de vista cuáles fueron las verdaderas razones que lo convirtieron en el holding de propiedad familiar más importante del planeta:

En 1818 un señor alemán de apellido Bunge fundó en Amsterdam, Holanda, la Sociedad Bunge & Cía. Su hijo, Carlos Gustavo Bunge, la heredó y en 1851 se mudó, junto a toda su familia, a Amberes, Bélgica. Además de sus parientes, el hombre llevó consigo a la sociedad, que era próspera y compraba y vendía productos provenientes de las colonias holandesas. Carlos Gustavo Bunge trabajó mucho para colocar a la firma entre las más poderosas de Amberes. Pero fueron sus hijos mayor y menor, Ernesto y Eduardo Bunge, respectivamente, los verdaderos multiplicadores de los panes y los peces y los que convirtieron a la compañía en una de las más grandes comerciantes de granos.

En 1876, Ernesto Bunge, con 30 años y una flamante esposa, se radicó en Argentina. Lo hizo después de tener la seguridad de que se trataba de uno de los países donde se podían producir millones de toneladas de cereales. En 1880 fundó el Banco de Tarapaca y Argentina, cuyo objetivo era financiar a los productores que luego le venderían la cosecha a Bunge & Born.

En 1884, el mismo Ernesto Bunge creó junto a su cuñado Jorge Born, un comerciante de origen alemán, la exportadora de cereales Bunge & Born, dos nombres ahora tan conocidos como los de Adán y Eva.

Desde ese instante hasta ahora, la organización tuvo apenas 7 presidentes, mientras que durante el mismo lapso pasaron por la Argentina 39 jefes de Estado.

En 1889 inauguraron una fábrica de envases de hojalata, que luego se llamaría Centenera.

En 1902 nació Molinos Río de la Plata, la empresa más prestigiosa del grupo en Argentina. Molinos arrancó produciendo harina, algo que hasta el momento se había importado.

En 1924 se fundó Grafa, la conocida firma de fabricación de sábanas, toallas y guardapolvos.

Al año siguiente nació Alba, que produce y comercializa pintura.

En 1932 apareció Compañía Química y empezó a fabricar elementos como espirales para los mosquitos.

En 1950 se abrió Sulfacid, una planta en donde se fabrican lingotes de aluminio.

En 1967 alguien inventó Proceda, pensando en la electrónica y la computación.

En 1978 se inventó Cerámica Neuquén.

Durante el gobierno de Alfonsín B & B compró a precio regalado la fábrica de fideos Matarazzo, la química Atanor, la Petoquímica Río Tercero.

Sólo en Argentina, Bunge & Born factura un poco más de mil millones de dólares; emplea directamente a cerca de 15 mil personas; da de comer a más de 100 mil ciudadanos; posee más de medio millón de hectáreas y se mete repetidamente en la vida de los 33 millones de argentinos.

Cuando sus directivos comparan a Bunge & Born con Dios, porque está en todas partes, no están usando una metáfora.

B & B se interna en nuestra mesa con los aceites Cocinero, Lira y Gallo; la harina Blancaflor, los fideos Matarazzo, la mayonesa Rika, el arroz Máximo en todas sus variedades, la yerba Nobleza Gaucha; las tortas de Exquisita; la margarina Delicia.

B & B se mete en nuestra cama con sus sábanas Grafa.

Limpia nuestra vajilla con los detergentes Cierto y Vencedor, nuestro piso con las ceras Polycera y Lumen.

Blanquea nuestras paredes con pinturas Alba.

Nos protege de los mosquitos con los espirales Atanor.

Bunge factura más de 10 mil millones de dólares en los 80 países del mundo en los que tiene radicadas sus empresas y emplea a más de 60 mil almas en todo el planeta.

Todo eso se sabe y se admira.

Lo que se ignora es el método que emplearon sus hacedores para hacer tanto dinero en todos estos años.

El mismo gerente que dedicó 24 años de su vida a la organización, se fue dando un portazo y llevando muchos documentos comprometedores, explicó en exclusiva la lógica que demuestra por qué B & B es lo que es. Esta es la reconstrucción ordenada de su apasionante testimonio:

"Por empezar hay que aclarar que Bunge es, sobre todo, una empresa cerealera. Todo lo demás es relleno puro. Desde que fue fundada, la gran diferencia la hizo con la comercialización de granos, y las restantes compañías bien pueden considerarse creadas por una cuestión de imagen. Para que el mundo piense que se trata de un grupo industrial.

"Bunge & Born levantó su imperio bajando artificialmente el precio de la importación y subiendo de la misma manera el precio de la exportación. Con este mecanismo *paga menos impuestos en el país de origen, y también en el país de destino de la mercadería.*

"Pero Bunge también hizo dinero por la visión de sus fundadores. Por el sentido de la oportunidad para hacer negocios que tuvieron Ernesto Bunge y Jorge Born. Se trata de seres humanos que no se forman: simplemente nacen así.

"Ellos fueron los que eligieron, para crecer, no mercados transparentes y competitivos, sino cerrados, donde las compañías de

Bunge pudieran tener un poder casi absoluto para decidir precios y condiciones.

"¿Quiere ejemplos? Cómo no. En Brasil, hasta hace muy poco, había una resolución que impedía importar harina. Demás está decir que toda la comida brasileña es a base de harina. Pero además de esa resolución, existía otro decreto que prohibía instalar más molinos harineros en ese país. Todas estas circunstancias hicieron que Bunge se asegurara de por vida el 30 por ciento del mercado harinero de Brasil.

"En Argentina, hasta no hace mucho, tampoco se podía importar aceite, ni harina, ni fideos. Las empresas de Bunge podían poner el precio que se les antojara a sus productos porque no tenían competencia. Así crecieron durante todos los gobiernos.

"Otro de los mecanismos que permitió hacerse ricos a sus dueños es el de prefinanciación de exportaciones de sus cereales. Hay un estudio de la Continental que demuestra que las cerealeras en Argentina ganaron durante un año con ese sistema, cinco veces más que la utilidad que les corresponde por comprar y vender. El negocio, en este caso, es comprar dólares con los australes que le adelanta el Banco Central, pero hacerlo justo antes de la desvalorización de la moneda argentina.

"De cualquier manera, el dinero que le queda libre de impuestos sobre la operación de compraventa de granos hace que el grupo maneje una cantidad de efectivo impresionante. En la Argentina, ese efectivo podría calcularse entre 10 y 15 millones de dólares diarios.

Otros expertos desmitificaron dos ideas económicas que le sirvieron a Bunge para construir en Argentina una imagen de conglomerado impoluto.

Una es la idea de que si el salario baja los negocios de B & B disminuyen, ya que la estrategia de su crecimiento está basada en el consumo local y el mercado interno.

El espectacular crecimiento de las exportaciones de productos de las empresas Molinos, Grafa, Atanor, Compañía Química, Matarazzo y Petroquímica Río Tercero, desde 1984 en adelante demuestra que Bunge está abandonando paulatinamente el mercado nacional para zambullirse en los negocios del mundo.

Otra idea que robustece la imagen de empresa transparente es que no necesita del Estado para sobrevivir.

Eso es cierto y elogiable en la mayoría de los casos, pero no en todos. Los mercados cerrados que favorecen los oligopolios y los monopolios no fueron inventados por los privados, sino por funcionarios del Estado. Mientras que el gobierno radical implementó una política de precios máximos los gerentes de empresas como Molinos presionaron al entonces secretario de Comercio, Ricardo Mazzorín, para que fijara el valor de la yerba o la harina teniendo en cuenta a las firmas menos eficientes. Es decir: pugnaron para aplicar el precio más alto, en un nivel que evitara la quiebra de los molinos mal administrados y permitiera a los bien administrados como Molinos una rentabilidad *extra*.

También se debe señalar que si bien es cierto que B & B no se encuentra entre los grupos que más aprovecharon los subsidios del Estado para hacerse grandes, tampoco es mentira que dejaron de utilizarlos cada vez que pudieron.

En los registros oficiales figura la constancia de que 6 compañías pertenecientes a Bunge & Born, como Tapsal, Tensia, Alusan y Levinco, se beneficiaron con la promoción industrial, el conocido instrumento por el cual las empresas eludieron el pago de impuestos gracias a que el gobierno militar se olvidó de indexarlos.

A pesar de que en los manuales de procedimiento de Bunge & Born figura una cláusula por la que sus altos directivos no solo están obligados a no aprovecharse de ventajas injustas otorgadas por el Estado sino también a denunciarlas ante los funcionarios correspondientes, en el año 1986 la compañía utilizó como intermediarios a los senadores chaqueños Deolindo Felipe Bittel y Onofre Briz de Sánchez y también al diputado nacional Roberto García para una tarea muy particular. El trabajo consistió en presionar al Poder Ejecutivo para que le concediera a la planta Molinos Río de la Plata ubicada en Puerto Vilela, Chaco, la promoción industrial que estaba semiautorizada.

Los gerentes de esa planta habían amenazado con el cierre definitivo si no le concedían el beneficio. Los pedidos de informes de los senadores parecían tener razón de ser porque se trataba de su provincia. Pero el pedido de informes que rubricó el diputado por la Capital Federal y chofer de taxi Roberto García parecía haber sido redactado por plumas sobresalientes y pertenecientes a la empresa en cuestión.

Un ex directivo de la firma explicó que en este caso B & B utilizó toda su capacidad de lobby, no para aprovecharse del no pago de impuestos, sino para quedar empatada con su competidora, la empresa Bugatti, quien había conseguido la promoción un día antes de que se dispusiera a la indexación de impuestos, en setiembre de 1976.

Además de la promoción industrial, también figura en los registros oficiales la deuda externa que contrajo el grupo a través de sus firmas Grafa, B & B, Alba, Molinos, Compañía Química, Centenera, Cerámica Neuquén, Comega, Frumar, Grafalax, Vivoratá y Estramar, y que sumó, en su momento, exactamente 79.782.000 millones de dólares.

No es ocioso repetir que una parte importante de esa deuda privada fue transferida a toda la sociedad de un plumazo, a través de una resolución del Banco Central firmada en 1982.

A la prefinanciación de exportaciones, la promoción industrial y la deuda externa no las inventó Bunge & Born sino seres humanos con nombre y apellido que formaron parte del Estado argentino. Sin embargo, este grupo que siempre se cuidó de no aparecer incumpliendo la ley, se vio involucrado, a lo largo de sus 107 años de vida, en apasionantes affaires que le costaron varios cientos de miles de dólares por el daño que le hicieron a su imagen. Estos son los más paradigmáticos:

* *1919*. Un ex empleado de Molinos relató qué hacía B & B para ganar nuevos mercados. Entre las maniobras, citó la de comprar trigo más caro y vender harina más barata que su competidor local. El resultado de aquel mecanismo fue estupendo para Bunge en Argentina: 250 de los 300 molinos que operaban en esa época se fundieron ante la imposibilidad de competir en esas condiciones.

* *1970*. Es una de las etapas que marcan la peor imagen de B & B en el país.

Resultados, un semanario dirigido por el desarrollista Rogelio Frigerio acusó al grupo de "servir al capitalismo internacional". De paso reveló que, a pesar de reivindicarse como argentino, Bunge facturaba en el país sólo 375 de los 2000 millones que eran el total de todo el mundo.

Al mismo tiempo, el presidente Marcelo Levingston declaró que prefería defender a las empresas pequeñas y medianas, antes de favorecer a Bunge & Born, al que consideraba un gran monopolio.

* *1974*. En el país capitalista por excelencia, Estados Unidos, la compañía Bunge Corporation fue encontrada culpable en el llamado escándalo de Nueva Orléans. Una docena de agentes de Bunge fueron acusados y culpados de fraguar ventas de granos por más de un millón y medio de dólares. En su libro *El Poder de Bunge & Born*, los investigadores Raúl Green y Catherine Laurent explicaron el delito así:

Bunge cargaba en los camiones menos trigo que el declarado en el contrato de compraventa, previo soborno a los funcionarios de la Aduana encargados de controlar el peso. La trapisonda fue detectada casualmente. A su debido tiempo, uno de los empleados involucrados confesó que la mercadería sobrante no declarada era revendida a otros compradores. Todo ese chiste le costó a Bunge la expulsión de 13 de sus empleados de mayor confianza. El 29 de julio de 1975 el Departamento de Agricultura de los Estados Unidos le suspendió a Bunge Corporation las licencias de almacenamiento. Y el gran jurado de Nueva Orleáns dictaminó que la adulteración del peso y la cantidad de granos tenía una antigüedad de... ¡12 años! También interpretó que se habían falsificado documentos oficiales para encubrir los delitos. La sociedad debió gastar más de mil millones de dólares para blanquear su deteriorada imagen y regresar a la legalidad.

* *1978:* El departamento legal de la Aduana argentina acusó a B & B de ejercer contrabando documentado. Y cuatro años después, exactamente en agosto de 1982, *la misma Aduana retiró a la cerealera del registro de importadores y exportadores.*

Su número de registro era el 053889/3 y la acusación que figuraba en la causa 21789 era bastante grave. La Aduana había encontrado a B & B culpable de ejercer la siguiente maniobra:

Presentar en 1977 boletas de embarques de granos con fecha

anterior a 1975. Dar a los cereales, de esa manera, un valor menor al real.

Pagar entonces menos impuestos, por hacerlo sobre un producto de más bajo precio.

Desde 1978 hasta mediados de 1983 la compañía había conseguido con éxito bicicletear la causa a través de múltiples presentaciones que servían de trabas. El juez interviniente era Aristóbulo Aráoz de la Madrid. La causa estaba por proscribir cuando los abogados Osvaldo Albano, Graciela Chagra de Leone y Gabriel Spero, en representación de la Aduana, pidieron al juez de feria de invierno, Miguel Sarrabayrouse Barvagalló, el procesamiento de todos los involucrados.

Grande fue la sorpresa cuando el presidente de B & B, Mario Hirsch, el segundo hombre, Jorge Born, e importantísimos directivos como Jorge Kalladey y Guillermo Carracedo, recibieron una citación a los tribunales en su carácter de procesados por el delito de contrabando.

La cerealera interpuso recurso casi en el acto. La Secretaría de Hacienda tardó menos de un mes en darle autorización para volver a operar. El 28 de setiembre de 1983 la Corte Suprema no declaró a la firma inocente, sino a la causa proscrita. Pero antes apartó del juicio al fiscal de Cámara en lo Penal Económico, Orozco, en una medida no sólo inédita sino muy sugestiva. Orozco había sostenido con firmeza la denuncia de la Aduana. Su reemplazante, Héctor Cavallero, se encargó de no agitar el asunto nunca más.

* *1989*. Brasil, San Pablo. Días antes de que el plan BB se cayera en Argentina, exactamente en noviembre de 1989, se denunció que altos directivos de Bunge intentaron coimear a importantes funcionarios de la intendencia de San Pablo. La trama de la historieta fue la siguiente: Lubeca es el nombre de la inmobiliaria que depende de Molinos Santista, un equivalente de Molinos Río de la Plata, pero en Brasil.

Jerárquicos de Lubeca ofrecieron cerca de 150 mil dólares a funcionarios de la alcaldía paulista para *destrabar* la aprobación de un proyecto para construir lujosas viviendas al margen del río Pinheiro, muy cerca del exclusivo club de tenis al que hasta hace poco asistía, dos veces por semana, Jorge Born III.

El ambicioso proyecto se denominaba Panamby y preveía una inversión de cerca de 600 millones de dólares y contemplaba el emplazamiento de nada menos que 35 edificios residenciales.

Se trataba del plan de obra privada más importante de Brasil.

Panamby había sido presentado a la intendencia de San Pablo varios años atrás, cuando su titular era Janio Quadros. La durísima oposición de los ecologistas impidió su concreción.

Los ecologistas argumentaban, con razón, que si se deforestaba la zona, uno de los pulmones naturales de la ciudad, San Pablo pasaría a ser no una de las más, sino la primera localidad más contaminada del planeta.

Todo empezó en setiembre de 1989 cuando Luciano Girao, un

altísimo cuadro de Bunge Brasil, acompañado por el diputado provincial de la Nueva Derecha quadrista, Moisés Lipnik, visitaron a la intendenta izquierdista Erundinha para tratar de agilizar el expediente.

Pero la fogosa mujer los echó, y también los amenazó con el escándalo público.

Los directivos de Lubeca no habían ido a hablar de bueyes perdidos.

Habían ido a anunciar que al proyecto original le agregarían la plantación de 5 mil árboles y decenas de jardines de infantes.

Los hombres de Bunge & Born no se dieron por vencidos y fueron a ver al viceintendente, quien además era asesor de confianza de Erundinha. El hombre, llamado Eduardo Greenhalgh, terminó recibiendo, en medio de las conversaciones, tres cheques al portador.

Uno por 1.300.000 nuevos cruzados, otro por 900 mil y un tercero por 400 mil.

Los cheques no eran imaginarios. El entonces candidato de la Unión Democrática y Ruralista, Caiato de Castro, exhibió las fotocopias por televisión.

El ex gerente de Bunge que entregó 24 años de su vida a la organización reveló que Luciano Girao no tenía nada que ver con el affaire. Agregó que a Girao lo quisieron perjudicar por ser un hombre de confianza de Octavio Caraballo. Informó que entre los interesados en hacerle mal se encontraba Horacio Freyre, un leal a Jorge Born.

—*Lo de Lubeca fue una interna que se convirtió en externa* —interpretó la valiosa fuente.

* *1989*. Venezuela. El 26 de mayo el juez Guillermo La Riva López procesó y pidió la captura del entonces ministro de Economía de Carlos Menem y de Bunge & Born, Néstor Rapanelli. El supuesto delito: fraude contra el Estado y contrabando.

Todo comenzó el 13 de agosto de 1985, cuando la Gendarmería Nacional de Venezuela detectó que Gramoven (Grandes Molinos de Venezuela), de B & B y de la que Rapanelli era su vicepresidente, importaba trigo de baja calidad. Y que además se lo compraba a su hermana norteamericana, Bunge Corporation. El asunto empeoró cuando un grupo de profesores de la Universidad Central de Venezuela (UCV) reveló que una docena de compañías, entre las que se encontraba Gramoven, importaba trigo a un precio mucho más alto que el internacional y que, para hacerlo, se servía del dólar preferencial que le daba el Estado.

El 8 de octubre de 1986 la Comisión de Economía del Senado inició una investigación sobre las importaciones de trigo realizadas entre 1983 y 1986. Esa comisión calculó que el Estado, es decir, toda la sociedad, habían desembolsado 30 mil millones de dólares para subsidiar el dólar de las cereales.

Una semana después, el argentino de Bunge, Néstor Mario Rapanelli, fue convocado por los senadores para dar explicaciones.

El hombre dijo que Gramoven no había comprado el trigo caro y que los denunciantes estaban tomando precios demasiado baratos.

Pero el 7 de julio de 1987 el Comando de Operaciones Guardia Fronteras comparó los precios del trigo de Gramoven con los de las principales compañías de Europa y Estados Unidos. Los oficiales concluyeron que la cerealera de Bunge había comprado demasiado caro y terminaron su documento escrito con una frase patética:

—*Venezuela* (Gramoven) *compró trigo en las peores condiciones del mercado.* El 26 de mayo de 1989 Rapanelli fue procesado junto con su jefe inmediato, el presidente de Gramoven, Nicomedes Zuloaga.

El 18 de julio del mismo año *Página 12* informó la mala nueva en tapa. Una semana después, ocho legisladores nacionales presentaron sendos pedidos de informes para saber si el ministro Rapanelli era contrabandista y seguía prófugo de la justicia venezolana.

Zuloaga, quien entonces tenía 74 años y se lo tenía como uno de los hombres más ricos de Venezuela, pasó más de un mes en la cárcel de *El Junquito* mientras los abogados del funcionario argentino intentaban patear la pelota para adelante.

Rapanelli fue sobreseído poco después de su renuncia, presentada con dolor el 15 de diciembre de 1989.

Sin embargo, la justicia nunca desmintió que Gramoven adquirió trigo demasiado caro, y de muy baja calidad.

Competencia desleal. Monopolio. Adulteración del peso de los granos. Falsificación de documentos oficiales. Contrabando documentado. Soborno. Fraude contra el Estado.

Cuando se les pide una explicación sobre estos casos, los burócratas de Bunge opinan que el mundo está contra ellos y agregan que jamás les pudieron probar nada.

Lo mismo dijeron en mayo de 1990, cuando el subsecretario de Finanzas, Raúl Cuello, acusó a Bunge & Born, además de las cerealeras Cargill, Continental, Nidera y La Plata Cereal, de quedarse con un vuelto de cerca de 40 millones de dólares. Con una renta extra que no les correspondía.

En Argentina se acababa de generalizar el Impuesto al Valor Agregado (IVA), una de las medidas a las que Jorge Born se había opuesto, porque gravaba a la mayoría de los productos de Bunge & Born.

El subsecretario de Finanzas se jugó a fondo: envió una prolija carpeta a la Comisión de Defensa de la Competencia de la Secretaría de Industria y Comercio denunciando la maniobra por la que las cerealeras se hacían una buena diferencia. Como buen economista, la escribió en el lenguaje de los expertos. Esta es la denuncia completa, pero pasada al lenguaje de los humanos:

Cuello afirmó que Bunge y sus colegas le pagaban al acopiador de granos el 13 por ciento menos de lo que le debían abonar.

Agregó que por esa arbitrariedad, el acopiador le abonaba al productor un 12 por ciento menos por su producto.

El subsecretario de Finanzas remató que la ganga estaba en que

Bunge y los demás vendían los granos al exterior y le agregaban al precio el 14 por ciento del IVA, que en menos de 120 días le sería devuelto por el Estado argentino.

Al final de la operación, las cerealeras se quedaban con el 13 por ciento que debía embolsar el productor.

En agosto de 1990, el autor preguntó a Cuello por qué había sido él y no los productores los denunciantes de la maniobra:

—*Porque tienen miedo que las grandes les dejen de comprar* —respondió. Ese día el ex funcionario explicó el mismo "curro", pero en números imaginarios.

Primero detalló una operación legal, lógica y correcta.

* El productor le debía haber vendido el grano al acopiador a 100. De ese total, 13 debía depositarlo a la DGI, en concepto de IVA.

* El acopiador le debía haber vendido a B & B y sus hermanas el producto a 110. De allí, debía depositar 14,3 de IVA.

* Bunge y las otras debían haber exportado el grano a un precio de 121 y pagar su correspondiente IVA. Así habría obtenido un lógico margen de ganancia del 10 por ciento.

Después reveló lo que sucedió en realidad:

* Bunge y sus colegas le fijaron a los productores para su grano no el precio justo de 100 sino el injusto de 88,50. Luego arreglaron con el acopiador para que no se los venda a 110 sino a 97,35. ¡Pero de todos modos lo exportaron al precio más IVA de 121!

En la denuncia que prestó ante la secretaría de Comercio, Cuello acusó a los exportadores de haber eludido la ley de Defensa de la Competencia, y de haber obtenido ingresos extras y fraudulentos por casi 40 millones de dólares.

—*¿Cómo llegó a semejante cifra?* —se le preguntó en agosto de 1991, cuando ya lo habían renunciado.

El experto sacó un papelito y empezó a anotar. Esta es la síntesis de aquel jeroglífico:

En Argentina, hay 20 exportadoras de cereales muy poderosas. De ellas, las siete hermanas, entre las que se encuentra Bunge, exportan 8 millones de los 11 millones de toneladas que exporta la Argentina cada año. Se trata de más del 60 por ciento de la producción. Y equivale a cerca de 5 mil millones de dólares.

Los 5 grupos denunciados manejan el 30 por ciento del mercado de granos, aceites y sus derivados.

Los 5 grupos que actuaron en cartel para pagarle menos a los productores y quedarse con la renta extra habían exportado, en el primer trimestre de 1990, 330 millones de dólares.

Como se quedaron con el 11,3 que debían pagar de IVA, recibieron una renta extra de entre 38 y 40 millones de dólares.

La acusación de Cuello duerme en los cajones de los despachos públicos. También descansa en las bibliotecas de las casas de varios países el antiguo best-seller *Los Traficantes de Granos*. En ese libro, Dan Morgan cuenta la historia secreta de cómo levantaron parte de sus imperios Cargill, Continental y Dreyfus. También dice de la organización que nos ocupa:

—Bunge le da crédito al agricultor, le vende la semilla y le compra el grano. Y cuando la cosecha se ha levantado, Bunge le vende al agricultor la cuerda para que se ahorque.

Y agrega:

—Los exportadores (como B & B) *establecen el precio de la cosecha y lo hacen sobre la base de su exclusivo conocimiento del precio de los mercados europeos.*

Ahora la manera de relacionarse entre los exportadores y los productores se endulzó un poco. Pero el contenido del vínculo no es diferente al de principios de siglo.

Cuando este siglo termine, es casi seguro que en el grupo no brillará la estrella de los Born, sino la del descendiente directo de la República de los Hirsch. El hombre que se quedó con la corona, después del fulminante golpe de Estado interno de junio de 1991. El simpático, misterioso y calculador Octavio Caraballo.

Además de ser diez años más joven que Jorge Born, y de tener mayor voluntad para profesionalizar el imperio decadente, Caraballo no parece un revolucionario de los negocios. Es decir: se trata de un heredero, como la mayoría.

A continuación se presenta el árbol genealógico que explica por qué Caraballo está donde está.

Alfredo Hirsch, el alemán judío que incorporó su capital y su audacia en 1897 al imperio de B & B, se casó, hace muchos años, con una señora llamada Sarah. Él la amaba tanto, que a dos de sus campos les puso el mismo nombre de su legítima esposa.

Alfredo y Sarah tuvieron tres hijos: Adolfo, Leonor y Mario.

Adolfo Hirsch se casó con Sara Saavedra Lamas. No tuvieron hijos.

Mario Hirsch, hijo de Alfredo, es el último genio para los negocios que presidió al conglomerado entre 1976 y 1987. Él se unió en primeras nupcias con una Blaquier Unzué, y los entretelones de esa unión fueron sabrosos.

Emilio Hardoy, el escritor y columnista eterno del diario *La Prensa*, relató una anécdota que pinta toda una época.

Él conoció muy bien Mario Hirsch, porque compartió el banco del colegio secundario Nicolás Avellaneda. Llegaron a hacerse discretos amigos. Hardoy recuerda a Hirsch como un hombre brillante, capaz y resuelto. Como un sujeto que sabía qué hacer con su destino. Hardoy recordó también que el Avellaneda se convirtió, con el paso de los años, en una rara comunión solidaria entre chicos judíos con plata y niños bien con apellidos de alcurnia pero un tanto secos.

La anécdota que recuerda Hardoy aconteció en los años treinta. La madre de la novia de Mario Hirsch, Elisa Blaquier Unzué, se disponía a servir el té a sus distinguidas amigas. De pronto recibió la pregunta fulminante:

—¿Con quién va a casarse tu chica? ¿Cuándo tendremos el gusto de verla entrar en sociedad?

La muy despierta madre sabía que ninguna de sus capciosas amigas ignoraba quién era su pretendiente. También sabía que era el comentario de una buena parte de la alta sociedad, el hecho de que su apellido se mezclara con otro sin historia acreditada, y encima judío. Por eso tomó aire y dijo:

—Se va a casar con un muchacho muy bueno y muy trabajador que se llama Mario Hirsch.

Las exclamaciones de las damas no pudieron ser disimuladas. Entonces Elisa Blaquier Unzué, salió del paso así:

—No sé por qué se sorprenden tanto... Al fin y al cabo, María, que era de "lo mejor" de Jerusalén, se casó con José, que era apenas un carpintero judío. A Mario Hirsch y su esposa nunca les faltó nada, excepto una sola cosa: un hijo, un descendiente, la sangre de su sangre, el heredero.

En cambio la hermana de Adolfo y Mario, Leonor Hirsch, fue la única que parió y crió sucesores.

Leonor se casó con un señor de apellido Caraballo. Este señor no fue un hombre de negocios, pero llevó con orgullo durante muchos años en su pecho la medalla de campeón olímpico de natación. Se trataba de uno de los individuos menos populares pero más vistos de la Argentina. *Era el mismo sujeto que golpeó, durante décadas, el famoso y gran platillo que aparecía al comienzo de las películas de Argentina Sono Films.*

Leonor y el forzudo tuvieron dos hijos: Claudia y Octavio.

A Claudia, los negocios de Bunge & Born le interesan nada de nada. Ella ama a los caballos árabes y también a su esposo, un diplomático italiano que cada tanto la lleva a su país, seguramente para que no se deprima con los horrores de la Argentina.

Octavio, al que sí le interesan los negocios y fue preparado para eso, es prácticamente el único heredero genuino de la fortuna de los Hirsch.

Ya se dijo que ni Adolfo ni Mario tuvieron hijos.

Lo que no se informó es que Adolfo murió, y que su esposa le dio toda la participación en Bunge a sus sobrinos Octavio y Claudia.

Tampoco se aclaró que Mario Hirsch se casó en segundas nupcias con Elena Olazábal, con la que tampoco tuvo hijos.

Elena, a su vez, era viuda de un Saint, el de los chocolates Águila Saint. Este señor le dio tres hijos, pero a ninguno de ellos le interesa ni tienen participación en el conglomerado.

La elegante y hermosa Elena Olazábal influye en el grupo desde las sombras, actúa en sintonía con su sobrino Octavio y fue una pieza clave en el golpe de Estado que le hicieron a Jorge Born III.

Octavio Caraballo disfruta de sus campos, cree en la eficiencia, no habla con los periodistas y se viste mucho mejor que Jorge Born. Es el mismo hombre que escuchó, en 1987, de labios de un importante gerente que se iba de la empresa, asqueado de ciertos manejos:

—Tenga cuidado: Bunge & Born se está convirtiendo en un ente amoral... Cuando un monstruo como el que tiene en sus manos pierde la moral, no hay sistema que pueda evitar su caída.

4. *Born: pienso que soy humano*

El señor Jorge Born utilizó varios minutos de su valioso tiempo para responder 88 de las 91 preguntas que se le formularon por escrito. El cuestionario le fue enviado el 31 de marzo de 1991. El 15 de abril del mismo año fue contestado, pero desde Londres, Inglaterra, donde en ese momento se encontraba el hombre de negocios. Después de entregarlo, su colaborador, Gonzalo Fernández Madero, se confesó sorprendido por la decisión de su jefe, y advirtió que jamás JB se había prestado a una consulta tan prolongada y atípica. Fernández aclaró que al leerla se emocionó, y luego se dedicó a desalentar al autor de este libro en el intento de ver al entonces presidente de Bunge & Born.

Es importante aclarar que las preguntas fueron realizadas antes del golpe de Estado interno que lo desplazó y encumbró a Octavio Caraballo. Y que también resultó anterior a las declaraciones de JB en las que afirma haber aportado 3 millones de dólares para la campaña presidencial de Carlos Menem y 2 para Eduardo Angeloz.

A pesar de su esfuerzo por mostrarse serio y recatado, el señor Born revela aquí detalles de su vida íntima, de sus secuestros y de su comportamiento en el grupo, que resultan sorprendentes y ayudan a comprenderlo. Los interrogantes que se negó a responder por considerarlos frívolos fueron:

—¿Lloró últimamente? ¿Llora habitualmente? ¿Cuál fue la última vez que lloró?

—¿Fue alguna vez a un psicoanalista, psiquiatra, vidente o bruja?

—Algunos amigos suyos dicen que usted se enoja seguido, que le cuesta aceptar el punto de vista de los demás. ¿Es verdad esto?

Born ratificó que es humano; admitió que fue un tragalibros en la universidad de Estados Unidos; calificó a su ex secuestrador, Rodolfo Galimberti, como un hombre de honor; aceptó que toma mate a veces; no negó que su padre votó en contra de pagar rescate mientras él y su hermano estaban en cautiverio; tampoco desmintió su encuentro con Aldo Rico en diciembre de 1989; reconoció que asesoró financieramente a los guerrilleros para que no dilapidaran los 60 millones de dólares que pagó por su liberación; afirmó que ayudaba económicamente a (políticos) amigos; reveló que durante el Lunes Negro, 6 de febrero de 1989, la organización perdió cerca de 100 millones de dólares; dijo que privilegiaba el consumo personal de los productos de Bunge a los de la competencia; expresó que no tiene la intención de ser presidente de los argentinos, se definió como el principal lobbysta del grupo; explicó que no quiere a sus empresas y desmintió que Bunge & Born tenga su asiento real en paraísos financieros como Suiza o las Antillas Holandesas.

Este es el testimonio completo de otro de los mitos vivientes de la Argentina.

—¿Cuándo supo por primera vez que no sería un hombre común, que no sería como los demás?

—Nunca pensé, ni pienso "no ser como los demás". Por el contrario, trato de superarme y alcanzar objetivos que satisfagan a la comunidad y por ende, a mí mismo.

—¿Quién o quiénes fueron sus principales maestros en el trabajo y en la vida? ¿Qué cosas aprendió de ellos? ¿Para qué le sirvieron? ¿Qué enseñanzas recibió de su padre y de su abuelo?

—Diría que mi principal maestro fue mi padre. De él aprendí modestia, esfuerzo y perseverancia. Desgraciadamente no conocí a mi abuelo paterno. Sí, en cambio, a mi abuelo materno, un gran jurista de quien aprendí el derecho y la noción de que no debía de existir culpa sin castigo, ni castigo sin perdón. Se oponía terminantemente a la pena de muerte, opinión que me inculcó desde muy niño y que comparto plenamente en la actualidad.

—¿Cómo fue su infancia verdaderamente? ¿Tiene alguna anécdota que la sintetice?

—Mi infancia fue feliz, ya que mis padres constituyeron un hogar unido y se preocuparon por la educación de sus hijos.

—En el Nacional Buenos Aires, ¿era considerado un tragalibros?

—No era "tragalibros", pero me ubicaba entre el 10% de los mejores. En la universidad, en Estados Unidos, sí lo fui. Me recibí con honores en el primer puesto. Por aquellos años en USA consideraban que los sudamericanos éramos menos capaces que ellos. Supongo que ello picó mi amor propio.

—Un amigo suyo recuerda muy bien cuando discutió con el sacerdote Carreras por un tema social. Él decía que había que sacarle a los ricos para darle a los pobres. A usted le parecía injusto. ¿Recuerda su visión del mundo entonces?

—Lo recuerdo muy bien. Siempre supuse que era injusto sacarle a unos para darle a otros. Entonces, como ahora, pienso que hay que crear condiciones para que todos puedan tener las mismas oportunidades. De ahí en más, que más éxito tenga el que más trabaje y el que más haga para la sociedad.

—¿Podría detallar un día suyo, completo, desde que se levanta hasta que se acuesta?

—Mi día de trabajo comienza a las 8.30 hs., vuelvo a mi casa a las 20.00 hs. y ceno con mi familia. Salgo poco de noche, especialmente en la Argentina, porque todo se hace demasiado tarde.

—¿Es usted humano? ¿Hace el trabajo de todos los humanos?

—Pienso que soy humano, pero no me corresponde a mí autojuzgarme, sino a los demás establecer criterio en ese campo.

—¿Podría explicar cómo es vivir con la sensación de que se puede comprar todo, se puede conseguir todo, que nada está afuera de su alcance?

—Esa sensación no existe. Hay dos maneras de tratar el poder económico: una es utilizar el dinero para hacer más llevadero el ocio (como usted lo define: comprar todo, conseguir todo, etc.). Otra es utilizarlo como medio para producir bienes y servicios. En mi caso, no me interesa lo primero y, para lo segundo, el capital de trabajo a mi alcance no es suficiente.

—Si volviese a nacer. ¿Qué le gustaría ser? ¿Qué le gustaría hacer?

—Me gustaría hacer lo que hice y lo que estoy haciendo.

—¿Qué perfume usa? ¿Qué tipo de ropa? ¿Qué deportes juega? ¿Lee su horóscopo? ¿Canta en el baño? ¿Es cierto que lee libros sobre la administración empresaria japonesa?

—Juego al tenis. Leo todo tipo de libros sobre mi profesión y admiro la administración empresaria japonesa y la integración empresario-universitaria que existe en USA. Trato de extraer enseñanzas de ambos para mi vida profesional y aplicarlas a nuestras empresas.

—¿Qué cosas lo conmueven? ¿Qué cosas lo sacan de quicio? ¿Podría dar ejemplo con situaciones y personas reales?

—Me conmueve el éxito de los demás, especialmente cuando se trata de argentinos en el ámbito internacional: Houssay, Leloir, Fangio, Vilas, Bilardo, Sabatini, etc. Me saca de quicio la discusión estéril con los que creen saber todo y poco o nada han hecho o han contribuido al bienestar o progreso de los demás, o del país.

—¿Es cierto que es una persona extremadamente tímida?

No diría que soy extremadamente tímido; recatado sí. Hablo poco, porque constaté que quienes hablan mucho tienden a equivocarse.

—¿Toma mate? ¿Se duerme mirando televisión?

—Tomo mate aunque no regularmente. No me duermo cuando estoy ocupado con otras actividades, como mirar televisión o leer.

—¿Cuál fue el momento más intenso de su vida? ¿Podría relatarlo con día, hora, lugar y situación?

El día que mataron a mi colega y amigo de mi infancia, Alberto Bosch. Creo que el episodio es lo suficientemente conocido como para tener que entrar en detalles.

—¿Se emborrachó alguna vez? ¿Por qué?

—No me gustan los borrachos ni los drogadictos. No profeso ninguno de esos vicios, aunque los considero casos patológicos, que merecen una atención cada vez más seria y científica de la comunidad.

—Hay un dicho que reza: abuelo inmigrante, hijo estudiante, nieto derrochón. ¿Usted se crió como un derrochón?

—Esa pregunta hace al uso del dinero. Yo he sido educado para hacer del dinero un medio de producción, no de gasto superfluo.

—¿Es cierta la fama de austero que le hacen? ¿Podría detallar en qué gasta? ¿Podría remitir el último resumen de su tarjeta de crédito?

—Hace a lo anterior. Diría que gasto en lo mismo que cualquiera, para comer, vestirme, educar a mis hijos y vivir. El resumen de mi tarjeta de crédito no es tema que haga al interés nacional, sino al de mis gastos personales.

—¿Por qué a los 16 años participó en un acto estudiantil contra el gobierno de Perón?

—Porque me oponía al derroche que hacía el gobierno del erario público.

—¿Sus hijos son criados como millonarios?

—Mis hijos no se preocupan por el significado que damos a la palabra "millonario", ya que en mi familia nunca se mencionó el tema. Ellos han sido criados y educados en el extranjero y siempre se sorprenden de la cantidad de ceros de nuestra moneda. En las generaciones jóvenes la palabra millón no tiene el mismo significado que para los viejos.

—¿Tiene miedo que lo maten? ¿Por qué lleva tanta custodia?

—Creo que yo estuve lo suficiente cerca de la muerte como para preocuparme por el tema. Por otra parte, la Argentina de hoy no es la de 1970. Llevo custodia por ser política de la empresa que dirijo, con respecto a sus ejecutivos principales.

—¿Es el miedo a que lo maten la causa por la cual no vive en la Argentina?

—No vivo permanentemente en la Argentina porque me trasladé al Brasil en 1975, cuando las condiciones en el país hacían imposible mi entrada continua al mismo. (Pienso que el "Mercosur" hará que Sao Paulo y Rosario sean casi equidistantes de Buenos Aires y será indiferente residir en una u otra de esas ciudades.)

—¿Por qué cambia de casa cada dos por tres?

—No cambio de casa cada dos por tres, aunque los viajes sí me obligan a cambiar constantemente de residencia. Es bastante cansador...

—¿A qué tipo de reuniones sociales asiste?

—A las que me obliga el cargo que ocupo y a las de mis amigos.

—¿Qué comida le gusta más?

—Fui educado a comer todo lo que se me ofrecía y agradecer lo que se me daba.

—Dicen que todos los archimillonarios recuerdan el instante en el que consiguieron su primer millón. ¿Podría relatarlo?

—No sé cuándo tuve mi primer millón. La inflación disfraza el valor de las cifras y, por otra parte, repito lo dicho en el sentido de que el dinero sólo es un medio y no un fin.

—¿Por qué para el casamiento de su hija Marina contrató a custodias que estaban relacionados con los denominados carapintadas?

—Nunca me preocupó por saber con qué sector del ejército se relacionaban los componentes de la custodia. Debían custodiar el casamiento y no hacer política. Su tarea era estrictamente profesional.

—*¿Cuánto dinero tiene exactamente?*

—Tengo el dinero necesario para vivir decorosamente, no lo utilizo para derrocharlo en frivolidades. Mi compromiso es utilizarlo para incrementar la producción de bienes.

—*¿No le pesa ser el nieto y no el hacedor de la organización Bunge & Born?*

—La empresa se hace y se renueva constantemente. De lo contrario, desaparece.

—*¿Por qué se encontró con Aldo Rico en diciembre de 1989? ¿De qué hablaron?*

—Yo veo y hablo con todas las personas de gravitación en el país, sea cual fuere su posición ideológica, política, económica o social.

—*¿Cuántas reuniones tuvo con los carapintadas en el estudio de José María Menéndez, en la calle Olleros?*

—Nunca tuve reuniones con personal del ejército en actividad o retiro en el estudio del señor J. M. Menéndez; sí en cambio en el edificio del Estado Mayor.

—*¿Por qué almorzó con Rodolfo Galimberti? ¿Puede reconstruir ese encuentro?*

—R. Galimberti es una persona que no sólo reconoció su culpabilidad en el episodio de mi secuestro, sino que me pidió que lo perdonara y se ofreció a colaborar, en la medida de sus posibilidades, a recuperar el dinero robado. Lo hizo en declaraciones y actitudes constructivas ante la justicia. Merece mi respeto como hombre de honor.

—*¿Podría contar la historia secreta de su secuestro?*

—No hay "historia secreta". Ha sido ampliamente publicada.

—*Los Montoneros. ¿Los doblegaron a usted y a su hermano ideológicamente?*

—No, no es cierto. Fuimos educados con convicciones morales demasiado profundas como para ser doblegados ideológicamente.

—*¿Por qué su padre votó en contra del pago del rescate?*

—Mi padre siempre se opuso a cualquier arreglo amoral. Por ello lo he admirado toda mi vida y desearía que sus principios inspiraran a este país que él tanto quiso.

—*¿De dónde salió el dinero? ¿Fueron 60 millones o apenas 20?*

—El dinero salió de mi padre y fue entregado después del asesinato de 4 de nuestros ejecutivos y la amenaza de muerte a toda mi familia.

—*¿Tiene idea de dónde están esos millones?*

—Supongo que la justicia tiene ubicado ese dinero en algún país extranjero, pero pienso que no se divulgan los hechos por el secreto de sumario.

—*¿Bunge & Born colocó las estatuas de Evita en cada una de las empresas? ¿Todavía siguen en pie? ¿Repartió el millón de dólares en alimentos para las villas miseria?*

—Así es y así fue publicado.

—¿Es cierto que usted asesoró financieramente a los montoneros para que no dilapidaran el dinero del rescate?

—Entre otras cosas, les dije que ante su ignorancia y falta de conocimientos, lo perderían. Así sucedió en gran parte.

—¿Es cierto que Rapanelli llegó a ofrecerse como rehén?

—No, no es cierto.

—Galimberti dijo que un ex ministro peronista sabía lo del secuestro. Agregó que quiso utilizar a Montoneros en una lucha empresaria. ¿Puede aclarar eso?

—Eso habrá que preguntárselo a Galimberti. Supongo que es posible que así fuera.

—¿Cómo fue el juicio en el que usted era su único defensor?

—Un juicio absurdo, imitado de los juicios posteriores a la revolución Bolchevique, en el que se acusa y se juzga únicamente en base a la acusación. Visto, hoy en día, se asemejan a situaciones medievales.

—Un diario de la época sostiene que pasó todo el tiempo encerrado en una cárcel del pueblo, sin ver la luz. Otro sostiene que se presentó en la conferencia de prensa con la piel tostada. ¿Podría aclarar semejante contradicción?

—Quince días antes de soltarme me sometieron a un tratamiento de rayos ultravioleta.

—¿Qué les diría a los que agitan el fantasma del autosecuestro?

—Que es un tema obsoleto.

—¿Es cierto que Firmenich le robó un reloj y nunca se lo devolvió?

—Así es.

—En la publicación Evita Montonera, aparece una declaración suya, hablando de la relación entre obreros y patrones. ¿Es verídica?

—No la he leído, pero tengo ideas bastante concretas al respecto, ya que no creo en la diferenciación de la gente por tipos de ocupación, ni en la lucha de clases que, por entonces, pretendían imponer los Montoneros. Creo, en cambio, en el consenso y en dar responsabilidad a cada trabajador sea cual fuere el puesto que ocupa, y entiendo por trabajador, todos los que trabajan.

—¿Es cierto que la organización puso más de un millón de dólares en la campaña presidencial de Menem?

—Eso habría que preguntárselo al encargado de la campaña presidencial de Menem.

—¿Cómo registran los aportes electorales en sus balances?

—Como donaciones a los partidos políticos, aportes al sostenimiento del sistema democrático, o donaciones a fundaciones políticas o sociales, etc.

—¿Por qué dan dinero a políticos en forma individual?

—Son los partidos quienes se encargan del reparto a los candidatos, a menos que sean amigos personales de quienes deseamos ayudar.

—¿Cuántas reuniones tuvo con Jefes de Estado? ¿Es cierto que la organización le presentó el plan económico al gobierno de Alfonsín antes que a Menem?

—Siempre que me llamen, o ellos lo deseen, me reúno con los jefes de Estado. Discutimos un plan concreto con el ministro Sourrouille, cuando era ministro de Planificación, antes de asumir el Ministerio de Economía.

—¿Podría reconstruir la reunión que tuvo con Alfonsín primero y con Sourrouille después, en la que se tocó el tema de Grafa, el préstamo del Banco Mundial a sus empresas, y el perjuicio que le causó el dolarazo del 6 de febrero al grupo?

—Le expresé al presidente Alfonsín la imposibilidad de continuar trabajando si no se respetaban las reglas que el propio gobierno imponía, particularmente en el caso de la industria textil, que ya venía muy dañada por errores anteriores de política macroeconómica. El "dolarazo" del 6 de febrero causó a esa industria un fuerte perjuicio. De ahí que le dije al presidente que nos veríamos ante la disyuntiva de cerrar, si no se establecían reglas de juego duraderas y si no conseguíamos financiación a largo plazo. Para ello recurría a pedir su intervención o la del ministro, ante los organismos correspondientes. Lo mismo se habló con Sourrouille, pero nada pudieron hacer. Finalmente fuimos nosotros mismos (Bunge & Born) quienes conseguimos la financiación necesaria para evitar el cierre.

—¿Trabaja los sábados y los domingos?

—Normalmente no.

—¿Cuánto dinero perdió el grupo con el dolarazo del 6 de febrero?

—Algo parecido a cien millones de dólares. No recuerdo exactamente la cifra.

—¿Cómo funciona la mesa de dinero del grupo?

—Como la de cualquier entidad financiera. Compra y vende moneda extranjera, según las necesidades de la exportación o importación.

—El hecho de que muchas financieras e inversoras de Bunge & Born se hayan mudado a Suiza. ¿Es por el tema impositivo?

—No hay financieras ni inversoras de B & B que se hayan mudado a Suiza. Esa es una especie que se lanzó al mercado como tantas otras noticias falsas, casi diría infantiles que publicó cierta prensa mal informada.

—¿Quiénes toman las decisiones estratégicas del grupo? ¿Quiénes las tácticas? Entre las primeras computo las de radicarse en tal o cual país, o pagar o no el rescate de su secuestro. ¿Podría dar ejemplos concretos?

—Las estrategias las asume el Directorio que presido, las tácticas son la responsabilidad de los encargados de negocios. Sólo tuvimos casos de secuestros en la década del 70 (hace 20 años). En aquella época las asumía el Directorio que presidía mi padre.

—¿Hay un código de ética en Bunge & Born? ¿En qué consiste?

—Como en toda empresa multinacional, existe ese código. Consiste en respetar estrictamente las leyes y, en el caso nuestro, evitar negocios o negociaciones con los gobiernos, que puedan prestarse a interpretaciones espurias.

—¿Podría detallar cuál es el salario promedio de todas las empresas?

—Pretendemos mantenernos, en todos los niveles, en el sector superior del mercado.

—¿Serfina audita y controla a todas las empresas del grupo?

—Serfina es una empresa que concentra la planificación y la investigación de la macroeconomía para las empresas comerciales e industriales del grupo. No audita otras empresas. Sólo actúa como centro de asesoramiento.

—¿Es cierto que su hermano Juan Born es el cerebro financiero del grupo?

—Mi hermano Juan tiene a su cargo los sectores de alimentación y textil del grupo. No tiene bajo su responsabilidad el sector financiero, aunque como miembro del Comité de Dirección asesora y participa en la dirección de todos los sectores, inclusive el financiero.

—¿Es cierto que Octavio Caraballo lo reemplazará a usted cuando se retire?

—Mi sucesión está abierta a la decisión de los accionistas. No hay sucesores nombrados de antemano en nuestra organización.

—¿Por qué se va a retirar, rompiendo la regla que dice que los grandes emprendedores jamás se jubilan?

—Existe una regla en nuestro grupo que exige la jubilación a los 65 años.

—¿Es cierto que Octavio Caraballo posee el 25% de las acciones del grupo?

—No, no es cierto.

—¿Cómo se reparten las acciones?

—Como en toda sociedad anónima.

—¿Cómo se recluta personal?

—Se intenta reclutar a los más capaces de universidades locales y extranjeras.

—¿Usted consume los productos del grupo? ¿Come mayonesa Gourmet, fideos Matarazzo, duerme en sábanas Grafa, toma Whisky Seagram?

—Mi mujer se encarga de la compra de nuestros productos de consumo. Obviamente, damos preferencia a los producidos por nuestra organización.

—¿Cómo se asciende en Bunge & Born?

—Por mérito.

—¿Por qué se insiste en presentar a las empresas del conglomerado como unidades aisladas si los balances, las cuentas, la estrategia es única?

—Son unidades separadas con cuentas y balances separados. Sólo tienen en común su accionario, nuestra cultura empresaria y nuestro código de ética.

—Bunge & Born transfirió al Estado, es decir a los argentinos, cerca de 80 millones de su deuda externa. Seis de sus empresas gozan del subsidio de la promoción industrial. Para producir y

exportar, por ejemplo, aceite y girasol, gozan de protección arancelaria. ¿Podría explicar por qué?

—Hemos transferido al Estado mucho más de 80 millones de dólares, si se computan los impuestos que paga el grupo, las retenciones a la exportación, etc. Ya no existe el subsidio a la promoción industrial, práctica a la que siempre nos opusimos. La protección arancelaria a las exportaciones de aceites subsiste, para neutralizar las tarifas de importación que aplica la CEE a la importación de nuestros aceites.

—¿Por qué, ni bien ganó Cafiero las elecciones de 1987, el grupo radicó seis de sus empresas primero en Uruguay y después en Suiza?

—Información inexacta. Las empresas radicadas en Uruguay y en Suiza datan de los años de la preguerra de 40-45.

—¿Por qué Bunge & Born casi no participa en este nuevo proceso de privatizaciones?

—Lo que se privatiza no está en el campo de nuestras actividades específicas y carecemos del *know-how* correspondiente.

—¿Qué opina de las declaraciones siguientes de Menem: "No voy a parar hasta ver a Jorge Born preso"? Se las adjudican como propias.

—Es el chiste de un buen amigo, como réplica a mi comentario después de una derrota de River ante Boca. Como simpatizante yo de Boca y el de River, le dije que de ahora en más, les diría a ellos "síganme" ya que "la mitad más uno" había acabado con el "dirigismo" de la bandera roja. A Menem no le gustan esos chistes...

—¿Por qué antes de que asumiera Roig como ministro, se dijo que Bunge & Born iba a aportar dinero fresco al gobierno?

—B & B y otros exportadores adelantaron al gobierno los fondos mínimos necesarios, para evitar el colapso total de la economía del país. La prensa sensacionalista desfiguró ese hecho histórico, haciéndonos aparecer como aquellos que habían prometido sumas enormes al erario público, y no habían cumplido.

—¿Podría detallar sus cortocircuitos con Rapanelli?

—Con Rapanelli tuve discusiones sobre política financiera y tributaria, con Erman sobre política monetaria y con Cavallo, no sé aún cuáles serán. Sin embargo, es la primera vez que sólo discuto táctica con los ministros, y siempre coincido en lo estratégico. El gran mérito del presidente Menem, y lo que en último término determinará su éxito, es que las políticas transitan por el camino correcto, sea cual fuere el ministro de turno y las diferencias tácticas o coyunturales que los separen.

—¿Le duele que Rapanelli se haya ido a Bridas?

—¿Por qué me dolería si Bridas es una empresa reconocida y respetada en el país?

—¿Qué ganó y qué perdió Bunge & Born al comprometerse con el gobierno de Menem? ¿Sabía que muchos de sus directivos dicen que usted jamás debía haberse comprometido?

—Nosotros siempre hemos apoyado y apoyamos lo que consideramos ventajoso para el país, por encima de los intereses específicos de Bunge & Born. La opinión de mis directivos es escuchada, pero en último término, prima lo que más le conviene a la Argentina. Considero que nuestro apoyo al gobierno de Menem fue esencial en el momento en que la reputación internacional del país había caído a su más bajo nivel histórico. El continuo apoyo que seguimos prestándole obedece a nuestro convencimiento de que las estrategias de este gobierno son correctas.

—¿A cuál de sus empresas quiere más?

—Yo no quiero a mis empresas, son medios de producción de quienes exigiremos resultados.

—¿Qué sintió cuando se publicó que el hijo de Rapanelli era del P.O.?

—Que Rapanelli tenía un problema familiar.

—¿A cuánto asciende su sueldo? ¿Qué porcentaje de las acciones son suyas?

—No tengo sueldo fijo sino que depende del resultado de las empresas. Poseo acciones que varían entre 1% y 90%, según las sociedades de las cuales soy accionista.

—¿Por qué Raúl Cuello acusó a sus cerealeras de monopólicas?

—Raúl Cuello estuvo generalmente mal informado y, lamentablemente, no optó por recabar información correcta, antes de lanzar su acusación.

—¿Qué puede decir sobre los siguientes asuntos que involucraron a empresas del grupo?:

A) El escándalo de Nueva Orléans.

B) El escándalo del supuesto soborno de la inmobiliaria Lubeca.

C) El de contrabando documentado en 1978.

D) El entredicho con el ex presidente Levingston.

E) El problema que tuvo Rapanelli con Gramoven.

—En todos los países del mundo (la Argentina no es excepción) las grandes empresas son sometidas a una constante presión de tipo político. De ahí que el código ético de las empresas multinacionales sea mucho más severo que el de cualquier empresa mediana o pequeña. Los casos que usted menciona, aunque favorablemente dirimidos ante la justicia, nos han causado "daño de imagen". En todos los casos han demostrado ser tan falsos, como las acusaciones de Cuello de nuestras actividades monopólicas.

—¿Es cierto que todo el grupo es dirigido desde un paraíso financiero como Suiza o las Antillas Holandesas?

—El grupo es dirigido desde nuestras oficinas, ya que el Directorio es responsable de las decisiones que se toman. No contamos con paraísos de ningún tipo.

—¿Le gustaría ser el presidente de la Argentina?

—Ya tengo bastantes problemas siendo presidente de B & B.

—¿Podría detallar las asociaciones de Bunge & Born con otros grupos económicos como Techint y explicar por qué se consumaron?

—No tenemos asociaciones con otros grupos.

—¿Quiénes son los principales lobbystas del grupo?

—Diría que el máximo lobbysta soy yo, ya que soy amigo de todos los ministros, sindicalistas, legisladores, etc., y trato de que nos pongamos de acuerdo en lo que debe hacerse para que el país salga adelante. Si el país progresa, nosotros también progresamos.

—Es matemáticamente comprobable que, durante los años en que la economía nacional se achicó, Bunge & Born siguió creciendo. ¿Podría explicar esta contradicción?

—Así es. Si no fuera así no podríamos mantenernos entre los más exitosos. La razón debe buscarse en el hecho de que exigimos de nuestra gente que trabaje más que la mayoría, y con cierto orgullo, diría que son muy eficientes.

Conclusión

Ahora hay suficientes elementos de juicio como para demostrar:

* Que los protagonistas no son intrínsecamente corruptos, ni necesariamente perversos.

* Que son —aunque no los únicos— *los mayores dadores de trabajo en Argentina, y que gastan muchos millones de dólares en ayuda social.*

* Que sus empresas operaron dentro de un sistema que invita a la corrupción, *y no desentonaron.*

* Que se les puede achacar la responsabilidad de *no combatir ese sistema; de no denunciarlo, y de amoldarse a él, para no perder buenos negocios.*

* Que no son ogros sino seres humanos con virtudes y debilidades.

* Que, en general a ninguno de ellos se los investiga, se los denuncia o se los cuestiona *porque su poder económico funciona como un inhibidor natural para hacerlo.*

* Que *"se sienten con derecho a influir en la política económica porque financiaron la campaña política de Menem"*, como reconoció Javier González Fraga, ex presidente del Banco Central.

* Que *"se ocupan de pedir audiencias y de mover expedientes y se olvidan de bajar costos y aumentar productividad"*, como les enrostró el subsecretario de Industria Juan Schiaretti.

* Que hacen inversiones de riesgo, pero no las suficientes, en proporción a su capital.

* *Que su modus operandi no es muy diferente, en lo esencial, al del resto de la sociedad argentina.*

Pero que su responsabilidad es más grande, porque su capacidad para pecar también lo es.

Luis Majul, 10 de febrero de 1992.

Fuentes

Para hacer posible esta investigación el autor dialogó con veintiún diputados nacionales; doce personas que ocuparon en algún momento el cargo de secretario de Estado; dos ex presidentes del Banco Central y el titular de otro importante banco oficial; once ex altos empleados de los cinco grupos analizados; diez parientes directos e indirectos de los protagonistas; cinco concejales porteños; un ex intendente; tres fiscales generales y cinco jueces de la Nación; cuatro abogados penalistas y dos civiles; diez dirigentes sindicales; dos agentes de la Dirección General Impositiva; uno de la Inspección General de Justicia; un síndico de la SIGEP; un importante señor que pasó por el Tribunal de Cuentas de la Nación; cinco economistas; un ministro; dos ex ministros y ocho hombres de negocios que no pertenecen a las organizaciones escudriñadas en este trabajo. La mayoría de esas conversaciones fueron grabadas, bajo la condición de no divulgar la identidad de las fuentes. Cada afirmación está sustentada en documentos oficiales, públicos y privados entre los que se encuentran los diarios, revistas y libros que se citan más abajo; cincuenta y siete pedidos de informes de diputados y senadores al Poder Ejecutivo y parte de varios expedientes de juicios particulares y de organismos de contralor. Éstas son las notas correspondientes a cada capítulo:

Primera parte: AMALITA LA GRANDE

Capítulo I: QUIÉN ES ESA RUBIA

La versión del diálogo entre Mulford y González Fraga apareció en *El octavo círculo,* de Editorial Planeta, 1991, de Gabriela Cerrutti y Sergio Ciancaglini. La nueva versión que aparece aquí fue relatada al autor por un participante activo de la recepción.

La existencia de la resolución por la que las cementeras no pagan el 25 por ciento de la tarifa de gas fue confirmada por un asesor cordobés del ministro de Economía, Domingo Cavallo. Es un especialista en el sector energético que también trabaja en la *Fundación Mediterránea*. Se trata de la misma fuente que calculó el dinero que *Loma Negra* dejó de pagar al fisco a través de ese subsidio.

La hipótesis de que a Roig lo asesinaron las presiones fue lanzada por Bernardo Neustadt, en la revista *La Semana*, el 18 de julio de 1989. Parte de la tensa reunión de gabinete en la que se plantearon corte de subsidios apareció en *Por qué cayó Alfonsín, El nuevo terrorismo económico* (Editorial Sudamericana, 1990), de Luis Majul.

La constancia de que Amalita es pintora, bailarina de tangos y poetisa; ciertos datos sobre su fortuna; algunos detalles de su árbol genealógico; la manera de ser de sus padres; su romance con el vecinito de 7 años y el desaire a otro pretendiente de 12; su deseo de ser monja y el vaticinio de la bruja fueron publicados en distintos reportajes a la señora. Los más jugosos son los que realizaron René Salas en la revista *Gente*, entre 1977 y 1990; Luis Pazos, en el mismo semanario, en 1982; Julio César Petracca, en *La Semana*, durante el mismo año, y Rodolfo Bracelli en la revista *Para Ti*, en julio de 1990. El status social de los padres de Amalita aparece en *Los Capitanes de la Industria*, Editorial Legasa, junio de 1990, página 366, de Pierre Ostiguy. Otros detalles sobre su árbol genealógico, en la revista neoyorquina *Vanity Fair*, en su edición de noviembre de 1985. La manera de ser de los padres de la señora, fue recordada por un pariente directo de ella misma.

Las partes más minuciosas de la historia de Alfredo Fortabat fueron relatadas al autor por dos familiares muy directos, quienes aportaron, para sustentarla, valiosa documentación. Entre otros documentos se debe citar el libro *Extranjeros en Olavarría*, y el *Diario de Olavarría*, publicado en 1916, cuyo único ejemplar se encuentra en poder de esos familiares. El pacto de honor de los hermanos Fortabat, la división de la herencia, el compromiso de Alfredo de hacerse cargo de la familia de Juan y la relación entre Alfredo y Juan II fue contada al autor por las mismas fuentes. El dolor de la modelo Elena Fortabat por la forma en que vive su abuela fue confesado por ella al autor, a través de una conversación telefónica. La historia oficial del romance entre Alfredo y Amalia fue novelada en la revista *Gente*, el 4 de febrero de 1988. El grueso de la versión extraoficial lo recordaron los parientes de Fortabat anteriormente citados, excepto el contexto histórico en el que Alfredo y Amalia Lacroze consiguieron divorciarse de sus primeras parejas, que fue aportado por el especialista en Derecho de Familia, Atilio Alterini.

La existencia de la demanda de Amalita contra Alfredo fue implícitamente aceptada por el hijo del abogado que asesoró a ella, en conversación telefónica con el autor.

Capítulo II: EL TESTAMENTO DE FORTABAT

El diálogo entre la viuda de Fortabat y el profesor Etcheverry fue contado por el propio Etcheverry, al autor, sin ninguna malicia.

La reconstrucción de la muerte de Alfredo Fortabat (AF) tiene como base a las declaraciones de su viuda en la revista *Gente*, en 1977.

La afirmación de que AF testaba todos los años; la ceremonia de cómo lo hacía; el relato de cómo fue a parar toda su fortuna a las manos de Amalita fueron suministrados al autor por los familiares de Fortabat antes citados. Los requerimientos a la señora embajadora para confirmar estos y otros hechos tuvieron siempre una respuesta negativa.

La estrategia de AF para hacer crecer a *Loma Negra* fue relatada por un ex presidente de la empresa que todavía forma parte del directorio. Su estilo de conducción, fue retratado por un empleado que lo padeció. El trato del señor Fortabat a su esposa, por el mismo pariente de siempre.

Los activos que habría recibido Amalita, más las pertenencias que ella sumó a su fortuna, fueron obtenidas de diversas fuentes. Las principales: revistas *Vanity Fair*, de noviembre de 1985; *La Semana* del 23 de setiembre de 1987; *Town & Country*, de octubre de 1988; *Para Ti*, del 22 de enero de 1985; *Gente*, de enero de 1985 y del 3 de octubre de 1990; *Mercado*, del 17 de mayo de 1989; un pedido de informes de los diputados radicales Ricardo Felgueras y José Lizurume; diarios *La Nación* del 8 de mayo de 1980 y del 30 de enero de 1982; *Crónica*, del 31 de mayo de 1980; *Página 12*, del 15 de noviembre de 1989; *Convicción*, del 21 de noviembre de 1981, y *La Razón*, del 26 de enero de 1984.

El discurso de Amalita en el que ella afirma, entre otras, que cuadruplicó la fortuna de su marido, consta en las revistas de actualidad anteriormente citadas.

La información sobre las primeras medidas que tomó fue revelada por el ex presidente de la empresa antes citado. Los privilegios obtenidos por *Loma Negra* Catamarca, en *Cara y Contracara de los grupos económicos, Estado y Promoción Industrial en la Argentina*, de Eduardo Basualdo y Daniel Azpiazu, editorial Cántaro, 1989.

El precio de la bolsa de cemento fue suministrado por un alto directivo de la Unión de Mineros. Las discusiones que mantuvo Mazzorín con las cementeras fueron narradas por un testigo directo y ratificadas por un ex presidente de Loma Negra. La mayoría de las cifras sobre productividad y número de empleados fueron tomadas del *Anuario 1989* editado por la *Asociación de Fabricantes de Cemento Portland*. La paulatina caída de Loma Negra en el ránking de empresas, en distintas ediciones de la revista *Mercado*.

La identificación con Catalina la Grande en *Vanity Fair* ya citada. La sintética biografía de Catalina, en *El Pequeño Larousse Ilustrado*, edición 1991.

Capítulo III: MEMA

La anécdota del 24 de diciembre, fue recordada por un ex encargado de una de las estancias de Amalita. La del bife exactamente a punto apareció en un informe especial de la revista *Apertura*, en 1991. La del mucamo y el almohadón, la mucama y los zapatos, fue contada por el periodista que la presenció sorprendido. La de la mirada que le lanzó a su nieto cuando se sentó en el sillón de ella fue reconocida por ella misma, en una de sus entrevistas a *Gente*.

Las alternativas del juicio a Boitano constan en el expediente. Ciertos detalles de la *Fiesta del año*, en una completísima nota de Hugo Ferrer, en *Gente* de diciembre de 1988. Otros hechos del mismo festejo, en el expediente anteriormente citado.

La pelea entre la señora Lacroze y Miguelito Romano y los antecedentes de esa particular relación fueron suministrados por una periodista que conoce muy bien al peinador.

La utilización que hizo la señora de Nosiglia para enviarle mensajes a Alfonsín fue admitida por ella misma en un reportaje que le hizo René Salas, en *Gente*, en junio de 1989.

El texto grabado en la medalla que le regaló Prémoli, en la nota de Pazos en *Gente*. El deseo de que el coronel fuera presidente, en la nota de Petracca, en *La Semana*.

El pedido a Brodersohn para pagar menos impuestos fue revelado por un diputado mandato cumplido que siempre siguió directivas de Nosiglia. El chisme de que le regaló un libro de poemas a Canitrot con una dedicatoria sugestiva se le escapó a Canitrot, delante de un amigo indiscreto.

La metáfora de la Fontaine sobre la casa de Amalita, en *Gente*, una vez más. Los detalles sobre la casa de Amalita fueron suministrados por un amigo de la empresaria, un ex funcionario radical, y enriquecidos por un artículo de la revista *Libre* del 22 de mayo de 1984. Los de la reunión de setiembre de 1988, por el ex funcionario anteriormente citado. La definición de naïf, por el amigo que antes narró al autor cómo es la casa de la señora. El encuentro secreto entre Palito y Bussi, por una fuente muy cercana al ex cantautor tucumano.

La deuda externa que contrajo *Loma Negra* consta en *¿Quién es quién? Los dueños del poder económico (Argentina 1973-1987)*, Editora/12, enero de 1991, de Manuel Acevedo, Eduardo Basualdo y Miguel Khavisse.

La comprobación de que Amalita es una deudora morosa fue publicada en *La Arena*, el 7 de setiembre de 1989.

Los beneficios promocionales para la planta de Zapala, en la página 80 de *Cara y contracara...*, anteriormente citado en el capítulo II.

La obtención de los reembolsos para exportación fue revelada por un economista que prefirió dejar su nombre en reserva.

El decreto de promoción industrial firmado por Saadi en una

nota realizada por Gabriel Pandolfo en *Noticias* del 5 de mayo de 1991.

La visita de Prémoli y Amalita a Seineldín fue revelada por el encargado del régimen de visitas del penal, el general (RE) Pablo Skalany, durante el juicio a los carapintadas y reproducido en la nota anteriormente citada. La metida de pata de Amoedo al llevarse la plancha de *La Voz* fue recordada por un ex redactor de ese diario.

La acusación de Marcolli a Luque nunca fue comprobada.

El diálogo entre Amalita y Clara Lamas fue reproducido por un testigo directo.

Una buena parte de las donaciones y la ayuda social que prestó la protagonista a distintas entidades figuran en otra nota de *Gente*, de 1985. La confesión de la viuda de Fortabat en la que se la cree una extraterrestre, sus dichos al médico, sus premoniciones sobre el accidente mortal de su hermano y el infarto fatal de Roig y el vaticinio de que se volverá a casar en 1994, en distintas notas de Bracelli y René Salas, ya mencionadas.

Segunda parte: BULGHERONI, EL GRAN ACUSADO

Capítulo I: "EL PRINCIPITO"

La metáfora de Bauzá que escuchó Barrionuevo se obtuvo de *Por qué cayó Alfonsín*, igual que el relato de las negociaciones para reemplazar a Roig. La denuncia de oferta de coima fue ratificada por Maslatón en conversación con el autor, y que consta en una cinta grabada. La reconstrucción de sus encuentros con el presunto corruptor es también responsabilidad exclusiva de Maslatón. La desmentida posterior de Close y su interpretación de los hechos también fueron recogidas por el autor, personalmente, grabador de por medio.

Las denuncias de Cherasny y sus colegas contra Bulgheroni figuran en la querella iniciada por Close a los integrantes de *La trama y el revés*.

La constancia y las consecuencias de la resolución 487 nutren los pedidos de informes al Poder Ejecutivo de los entonces diputados nacionales Héctor Siracusano y Domingo Cavallo. Este último, incluso, presentó una denuncia al Juzgado Federal en lo Criminal y Correccional número 5.

Una parte de la historia de cómo los Bulgheroni se lanzaron a la aventura de las finanzas y cómo consiguieron los bancos se debe a la investigación de Horacio Verbitsky, en *Página 12* del 12 de junio de 1988. Esa información básica fue enriquecida por testimonios de altos ex funcionarios del Banco Central y fuentes muy seguras de la Fiscalía General, cuyo titular era Moreno Ocampo.

La existencia de la mesa de dinero paralela está acreditada y consta en la denuncia de esa misma Fiscalía.

Los delitos de fraude contra el Banco Central por prefinanciación de exportaciones, los autopréstamos a través de empresas fantasmas, así como los préstamos sin garantías fueron detectados por la Fiscalía y ratificados por la justicia. Todos ellos figuran en los expedientes de la causa madre.

La versión de Correa sobre su propia detención fue narrada por un abogado muy cercano al estudio jurídico que lo defendió. La de la Fiscalía, por uno de los fiscales que detuvo al financista.

La amenaza de Correa a Bulgheroni fue escuchada por varias personas en Tribunales.

El fraude a los ahorristas y su *modus operandi* consta en todas las demandas que presentaron ante la justicia los damnificados.

Todas las acusaciones de Bulgheroni contra Correa están en el expediente que inició la Fiscalía. Y todo lo que aparece en boca de Correa es lo que declaró ante el juez Martín Irurzun, los días 24 de mayo y 8 de agosto de 1989, excepto aclaraciones tales como en qué consiste un préstamo *back to back*, que son responsabilidad del autor.

El diálogo entre Moreno Ocampo y Bulgheroni fue reproducido por un testigo presencial y ratificado por otro, en diferentes encuentros con el autor. Las reuniones entre Maslatón y González Fraga fueron confirmados por ambos.

Las peripecias de Folcini como presidente del Banco Central fueron explicadas con lujo de detalles al autor por testigos muy directos. Tienen como sustento documentos de la carpeta con antecedentes del BIBA que el BC todavía debería conservar, así como el dictamen de la Comisión Investigadora creada por Folcini.

El diálogo entre Menem y González Fraga fue reconstruido por alguien que estuvo allí, mientras acontecía.

Los pedidos de juicio político a los magistrados Rosales y Dalla Fontana figuran en distintos pedidos de informes de diputados nacionales al PE. Los pasos judiciales y políticos para llegar a la liquidación del BIBA están contados con precisión en la segunda edición de un denso documento interno del grupo Bridas, publicado en agosto de 1990, y titulado: *La cuestión del Banco del Interior y Buenos Aires con el Banco Central de la República Argentina.*

Capítulo II: CÓMO LA HIZO

La hipótesis de cómo construyó su imperio Alejandro Bulgheroni fue relatada por el ex funcionario del gobierno de Videla y no contradice a la oficial, suministrada por Carlos Bulgheroni, sino que la completa.

La que se denomina en el texto Historia Extraoficial, tiene como fuentes documentos secretos de la Secretaría de Inteligencia de Estado (SIDE), la nota de Verbitsky en *Página 12* del 5 de julio de 1988 y el informe de Sergio Manaut en la revista *Apertura.*

Una buena parte de los datos sobre la génesis, la evolución y los conflictos de Papel de Tucumán se obtuvieron del paper confeccionado por la empresa, de una decena de pedidos de informes de diferentes diputados nacionales, de un artículo de Basualdo y Azpiazu que *Página 12* no publicó por razones que se ignoran y, una vez más, de *Cara y Contra Cara de los Grupos Económicos.*

La intención de Aguirre Lanari de incorporar el extraño artículo a la ley de emergencia económica, en una nota del autor, aparecida en la revista *Humor* en 1990.

La hipótesis de que Roggero, Nacul, Cavallo y Domínguez son instrumentos de ataque de Massuh se puede leer en la página 38 del libro sobre Papel de Tucumán actualizado hasta 1990 y editado por la misma empresa.

La deuda externa de Bridas en *Quién es quién...*, anteriormente citado. La deuda de las empresas con el BANADE fue revelada por la revista *El Periodista,* del 4 de noviembre de 1988.

La lista de amigos de Bulgheroni, así como sus poblados currículos, fueron conseguidos gracias a distintos mecanismos. Los esenciales fueron las listas que provee a sus clientes *Comunicaciones Empresarias,* las fichas de la SIDE y el testimonio de un ex empleado de Bridas, de dos ex funcionarios radicales y de periodistas que trabajaron en el desaparecido *Tiempo Argentino.*

Capítulo III: GALLO DE RIÑA

La reconstrucción de cómo es Bulgheroni de entrecasa fue posible gracias a la generosidad de dos amigos del empresario que lo conocen muy bien. La de cómo es el hombre de negocios, y la trama de la conducción de Bridas fue relatada por empleados y ex empleados del grupo.

El economista que se pasó estudiando a los grupos económicos es Eduardo Basualdo.

El episodio del empleado de Bridas que intentó llevarse importantes documentos de YPF, consta también en una solicitada aparecida el 14 de noviembre de 1989 en el diario *El Patagónico,* de Comodoro Rivadavia, y firmada por el personal profesional y técnico del Departamento Geológico de Exploración Comodoro Rivadavia YPF.

El episodio sobre el yacimiento ARA, fue explicado al autor por el diputado nacional Alberto Natale.

La descripción de El Gallo, aparece en *Horóscopo Chino,* de Ludovica Squirru, editorial Sudamericana-Planeta, octubre de 1987.

Tercera parte: MACRI, EL AVENTURERO

Capítulo I: BASURA

La revelación de que Pinedo, Maslatón y Azzaretto rechazaron antes de recibirla una presunta coima fue realizada por ellos mismos, en diferentes entrevistas con el autor, y por separado. La confirmación o desmentida de Manliba fue imposible de obtener, ya que los directivos del grupo Macri se negaron sistemáticamente a suministrar información.

El hecho de que días después de la extraña visita de los concejales a García Laredo y Macri hijo la Fundación Avellaneda recibió un cheque para comprar una Trafic fue reconocido tanto por Maslatón como por personal de la Fundación Avellaneda.

Los votos de los distintos concejales en la renovación del contrato a Manliba, igual que los incendiarios discursos, figuran en la versión taquigráfica de la sesión.

La denuncia de Laporta fue realizada ante el autor y frente a un grabador. La mayoría de los datos de la Waste Management International Limited fueron extraídos de la carpeta que utilizó Manliba para presentarse a una licitación pública. Otra parte fue suministrada por un ex funcionario municipal que se dedicó a investigarla por las suyas.

La participación accionaria de Macri en Manliba fue detallada por el concejal Herschberg en el recinto. La deuda externa de la compañía, figura en *Quién es quién...*, trabajo ya citado.

Los hechos más destacados del conflicto entre Manliba y la municipalidad de Buenos Aires fueron reconstruidos por distintos ex funcionarios que participaron de las decisiones, y los diálogos fueron recordados por muchos de sus protagonistas. Asimismo, esos diálogos y otras circunstancias fueron apuntalados con documentos como la denuncia del ex intendente Facundo Suárez Lastra presentada ante la Fiscalía Nacional de Investigaciones Administrativas el 13 de agosto de 1990, la versión taquigráfica del debate en el Concejo Deliberante, el pedido de informes de los diputados de la UCeDé Federico Zamora, Luis Herrera, José Ibarbia y Jorge Aguado y los informes parciales de la Comisión Investigadora del contrato entre Manliba y el CEAMSE que se creó en la Cámara de Diputados.

Los detalles más jugosos del vínculo de Francisco Macri con Bordón y Grosso fueron revelados por ex amigos de ambos. Una buena parte de los datos del patrimonio de Grosso corresponden a una investigación del autor, aparecida en la revista *Somos* el 17 de junio de 1991.

Las idas y venidas de la Comisión Investigadora fueron relatadas por dos de sus integrantes en distintas oportunidades.

Capítulo II: MI PRIMER MILLÓN

La mayor parte de la información de cómo llegó Macri a convertirse en lo que es hoy proviene de ex empleados que aceptaron contarlo. Estos relatos están apuntalados con los antecedentes de muchas de las empresas del grupo SOCMA, datos que fueron presentados al Estado con el objeto de ganar licitaciones.

La relación entre Macri y López Rega fue explicada por el diario *La Voz (de los que no tienen voz)*, en su edición del 15 de mayo de 1984, en los siguientes términos: "Cuando López Rega hacía y deshacía en el Ministerio de Bienestar Social, era cotidiano ver a Macri en pasillos y despachos campeando a sus anchas, sin duda en busca de beneficios para sus múltiples negocios".

Los diálogos de Macri con Haieck y Macri y Zinn fueron confesados por dos fuentes muy confiables que parecían recordarlos a la perfección.

La versión de que el dinero del rescate del secuestrado Mauricio Macri salió de Sevel fue publicada en la revista *Somos* del 16 de setiembre de 1991. Nunca fue desmentida.

La lista parcial de empresas acusadas por el delito de subfacturación se publicó por primera vez en *Clarín*, el 16 de enero de 1991. Una copia de la nómina completa que se reproduce está en poder del Sindicato Único del Personal de la Administración General de Aduanas (SUPARA).

La demora en la entrega de automóviles fue denunciada por el diputado mandato cumplido Osvaldo Ruiz, en un pedido de informes. La trama secreta de esa demora la conoce muy bien un ex altísimo directivo de Sevel, quien la confió al autor. Es la misma persona que narró con detenimiento la verdadera relación entre Macri y la Fiat. Y es también una de las principales fuentes de información que aportaron datos concretos sobre *Lincoln West*, el más rotundo fracaso del empresario italiano. La relación entre Macri y Greffier fue expuesta por un amigo de Macri que suele veranear en Pinamar y ratificada por otra persona que trabajó muy cerca de él en ese momento.

La maniobra de presunta evasión impositiva se encuentra en el expediente de Sevel contra Gutiérrez Urquijo.

Las circunstancias por las que Macri perdió 16 millones de dólares en un instante fueron narradas por el propio perjudicado al autor, en una entrevista publicada por la revista *Somos*, el 14 de enero de 1991.

La acusación de Rachid contra un conocido diputado mendocino que ahora es ministro del Interior fue publicada en otra nota de *Somos*, del 26 de setiembre de 1990. Sus responsables fueron Jorge Grecco y el autor de este libro. Manzano fue a quejarse ante los propietarios de la editorial, pero no desmintió una sola palabra de lo asegurado. La ratificación de Rachid de que el diputado era Manzano y el grupo económico era SOCMA consta en una cinta grabada. El ministro de Defensa, Erman González, también confirmó al autor lo que se habló en la reunión de gabinete.

Lo que se afirma sobre las cloacas de Morón, la licitación de los caminos y el asunto del Puerto Quequén figuran en otra nota del autor en la revista *Humor*, en 1990.

El caso Puente Encarnación Posadas tiene como base de datos el dictamen del Tribunal de Cuentas de la Nación, la versión oficial de la empresa Sideco, y el pedido de informes de Simón Lázara, Melchor Cruchaga y Marcelo Bassani.

Capítulo III: PLATA POR APELLIDO

El intento desesperado de conseguir un crédito en el Banco Nación y las instrucciones del presidente de no otorgarlo fueron reveladas al autor por una alta fuente de la entidad bancaria.

El monto del pago del rescate y la conversación entre Franco Macri y los funcionarios fue narrado al autor por un joven muy amigo de Mauricio Macri. Muchos de los detalles familiares y personales de la vida de Mauricio fueron suministrados por fuentes pertenecientes a organismos oficiales de información y seguridad que participaron de la investigación alrededor de su secuestro. Otros, fueron aportados por ex compañeros de estudios.

Muchos de los romances que le adjudican a Mauricio aparecieron en revistas como *Gente, Noticias, Teleclic y Somos,* después de la liberación del joven. El motivo de la separación de Franco con María Cristina fue explicado por amigos del primero que pasaron sus vacaciones junto a él, en Pinamar, durante varias temporadas.

La denuncia de que Antonio Macri había conseguido un crédito del Banco Ambrosiano y lo había puesto a "trabajar" en el Centro Financiero S.A. apareció en *La Voz...* del 29 de diciembre de 1982.

La información sobre el pedido de devolución del teléfono móvil y el auto que le hicieron a Ikonicoff apareció en un informe especial de la revista *Apertura* publicado en 1991, bajo el título de Lobying Ética y Negocios. La historia de cómo Canitrot cambió el coche proviene de una fuente muy difícil de desmentir.

Los negocios entre las empresas de SOCMA y la municipalidad figuran en los archivos de las distintas reparticiones de la intendencia.

Cuarta parte: ROCCA, SÓLIDO COMO UNA

Capítulo II: LA FAMIGLIA

La mayor parte de los datos que cuentan la vida de los Rocca hasta su llegada a la Argentina fueron tomados de *La sfida dell'acciaio, Vita de Agostino Rocca,* editorial Marsilio, escrito por Luigi Offeddu, Venezia, giugno, 1984.

La facturación, el número de empleados y el tipo y la cantidad de negocios del grupo fue revelada por Roberto Rocca.

La distribución de las acciones de cada una de las compañías del grupo Techint aparecen en un cuadro que Rocca entregó al autor.

El amarretismo de los Rocca fue confirmado por numerosas personas que los conocen bien. Los detalles de la vida de Agostino, el hijo de Roberto Rocca, fueron mencionados por dos personas cercanas a él.

La reconstrucción de cómo consiguió el grupo integrado por Techint la obra de Loma de la Lata fue posible gracias a los pedidos de informes de los diputados nacionales citados en el texto, el testimonio de dos importantes ex funcionarios y de un integrante de la SIDE. También se utilizaron datos aparecidos en el artículo escrito por Raúl De la Torre para *La Razón*, el 5 de marzo de 1987, y en la nota realizada por Daniel Muchnik en *Clarín*, el 29 de mayo de 1988. La denuncia de que Santa María, la financiera cautiva de Techint, se encargaba de recaudar los aportes de dinero con el que luego eran sobornados funcionarios y políticos tanto radicales como peronistas fue revelada por Horacio Verbitsky en su antológico libro *Robo para la corona*, Editorial Planeta, Buenos Aires, 1991.

La reconstrucción completa del caso Petroquímica Bahía Blanca se logró gracias a la inestimable ayuda de personal de la SIGEP, un ex asesor del Ministerio de Defensa, un ex altísimo funcionario de la SIDE, quienes aportaron documentos probatorios que se sumaron a los pedidos de informes de los diputados nacionales Rodolfo Quesada, Dámaso Larraburu, Alberto Albamonte y Roberto Irigoyen, entre otros.

Las andanzas de Geraiges fueron relatadas por un diputado que compartió algunas cosas con él y también por un subordinado directo en PBB. La mayoría de las informaciones sobre la cesión de los corredores ferroviarios, aunque no las interpretaciones, fueron dadas por directivos de la Asociación del Personal Superior de Ferrocarriles Argentinos (APEDEFA). También se utilizó el *Pliego de Bases y Condiciones* confeccionado por el Ministerio de Obras y Servicios Públicos para la *Licitación Pública Nacional e Internacional para la concesión de la explotación integral del sector de la red ferroviaria nacional denominado "Corredor Rosario-Bahía Blanca"*, en su versión del 18 de enero de 1990.

La primera noticia sobre el juicio de divorcio entre Marcela Rocca y Piñeyro apareció en una nota de Marcelo Zlotogwiazda, en *Página 12*, el 16 de diciembre de 1990.

Capítulo III: SI FUERA DUEÑO DE ARGENTINA

La frase sobre Italia, Argentina y Siderca se la atribuyen a Agostino Rocca desde el más importante accionista hasta el último operario de la compañía. La mayoría de la información sobre Siderca fue proporcionada por José Campelo, su jefe de Relaciones Públicas. Otros datos fueron extraídos de *Siderca. Vida e industria en Campana*, Campana, segunda edición, 1985; *Siderca, Ejercicio 1987/88; Ejercicio 1989/90; Boletín Informativo Techint número 260. Siderca, la función social de la empresa*, noviembre-diciembre 1989.

La composición accionaria de Siderca figura en el cuadro que fue entregado por Roberto Rocca al autor. La lectura de esa composición accionaria fue realizada por un especialista en estos asuntos, que prefirió dejar su nombre en reserva.

Las promociones, beneficios y subsidios que consiguió Siderca del Estado para ampliar su planta fueron detallados por el economista Daniel Azpiazu, y completados con los datos publicados en *Cara y Contracara de los Grupos Económicos...*, obra anteriormente mencionada.

Las informaciones sobre las condiciones de trabajo, el salario, el nivel de ocupación y la represión en Siderca, fueron proporcionadas por los dirigentes Recúpero y Tabares, citados en el texto. Ellos no son responsables de las interpretaciones del autor. Tampoco sobre el dato que indica que los gerentes de Siderca reciben información exclusiva del cuerpo de inteligencia de Campo de Mayo, además de la SIDE. Esto último se le escapó al citado Campelo, mientras almorzaba con el autor en el comedor de Siderca, igual que las anécdotas subsiguientes.

Los datos sobre los miembros del directorio de Siderca fueron obtenidos de fuentes cercanas a ellos y de los currículos que aparecen en *Comunicaciones Empresarias.*

Los detalles sobre la irregularidad cometida por Siderca y Acindar fueron dados por la compañía privada que trabaja para la Sindicatura General de Empresas Públicas y vetó la licitación.

El grueso de la historia oficial de Propulsora, en un folleto titulado *Organización Techint*, sin fecha.

La forma en que Propulsora obtuvo una superrentabilidad durante más de 20 años fue magistralmente explicada, de nuevo, por Azpiazu.

La trastienda de las negociaciones entre Canitrot, Tramutola y Einaudi fue recordada por un ex funcionario radical.

Capítulo IV: CONTRABANDO, FRAUDE Y EXTORSIÓN

Casi todo lo que en este capítulo se relata está basado en la causa número 11489 que tramitó el juzgado nacional de primera instancia en lo Criminal y Correccional del magistrado Néstor Blondi.

El retrato de Einaudi fue armado por un amigo que lo quiere.

La amable conversación entre Einaudi y González Fraga fue recordada por alguien que estuvo ahí, en ese momento.

La anécdota que fue contada a medias por *Apertura* fue ampliada y enriquecida por un ex funcionario del Ministerio de Economía.

Quinta parte: BORN, EL HEREDERO

Capítulo I: LA DECADENCIA DEL IMPERIO

La advertencia del ex gerente de B & B a Octavio Caraballo y la recopilación de mitos del grupo fueron obtenidos por el autor después de varios encuentros con tres ex empleados de Bunge.

El pedido del crédito de Cimbagé al BNDES y su rechazo se encuentran en el archivo de ese banco oficial brasileño.

La explicación de cómo administra el grupo sus empresas fue brindada por dos de los tres empleados anteriormente citados.

La tenida entre Sourrouille y Rapanelli, figura en *Por qué cayó Alfonsín*, trabajo ya nombrado.

Lo que perdió Bunge en Brasil durante 1990, así como muchas de las razones expuestas para explicar la decadencia del grupo fueron señaladas por el autor en una nota aparecida en *Somos*, el 30 de setiembre de 1991. Los nuevos motivos fueron suministrados por los ex empleados que padecieron esa decadencia.

El monto de las indemnizaciones de Rapanelli y Ferreres fue dado a conocer por alguien que es amigo de ambos.

La revelación de Jorge Born fue realizada durante el reportaje con Zlotogwiazda, en *Página 12*, el 22 de setiembre de 1991.

La mayor parte de la información sobre cómo funciona el lobby de B & B fue otorgada por un ex funcionario del actual gobierno que recibió los beneficios de ese lobby.

Muchos de los datos sobre Menéndez aparecieron en *Por qué cayó Alfonsín*. Las charlas pagas que Canitrot dio para los cuadros de B & B y el almuerzo que mantuvieron ese ex funcionario, Machinea y Sourrouille con Hirsch fue relatado por un miembro de aquel equipo económico.

Un pedazo de la interna del golpe de Estado contra JB fue contado en la citada nota de *Somos* de setiembre de 1991. La lectura política del momento que eligió Bunge para desembarcar en el gobierno corresponde a un estudioso de los grupos que prefirió no dar a conocer su nombre.

Las cifras del Presupuesto de 1987 acompañaron a un artículo de Ricardo Mazzorín en el periódico socialista *Ciudad Futura*, en 1990.

Los entretelones de la reunión entre Born y sus ex empleados fue narrado al autor por uno de los presentes.

Capítulo II: EL SÍNDROME DEL REHÉN

La sospecha de JB sobre los Hirsch fue comentada por un ex gerente que trabajó más de 24 años en Bunge y reiterada por un ex funcionario de este gobierno.

El raptor que le insinuó a JB que el autor intelectual del secuestro fue el fallecido ex ministro Gelbard fue Rodolfo Galimberti, según consta en una nota firmada por Rubén Correa, en *Somos* del 12 de octubre de 1989. Todos los efectos del secuestro en la organización empresaria fueron sumariados por el ex gerente antes mencionado y por otro ex empleado de Bunge que fue funcionario de la administración Menem.

Las aventuras de Sulfacid fueron narradas por un ex gerente y confirmadas por un agente del ministerio de Trabajo que tuvo la oportunidad de ver el expediente.

Algunas de las vicisitudes sufridas por los hermanos Born en cautiverio figuran en la causa que piloteó el fiscal Juan Romero Victorica y por la que Mario Firmenich fue encarcelado.

La fuente que anticipó la devolución de parte de 17 millones de dólares a JB conoce muy bien a Galimberti.

La explicación del triángulo perverso figura en *Por qué cayó Alfonsín...* Los detalles sobre el entorno de JB fueron aportados por el gerente otras veces citado, igual que la lista de errores que le achacan al Born pos-secuestro.

Capítulo III: EL DESTINO ME CONDENA

El número de contribuyente de JB figura en varios documentos de las empresas de B & B en Brasil que se presentaron a bancos oficiales.

Las dos versiones sobre la condición de judíos de los Born fueron citadas en *Los capitanes de la Industria*, de Pierre Ostiguy, editorial Legasa, junio de 1990.

La fecha y la constancia de la ciudadanía brasileña de JB figuran en una copia del acta de una de las asambleas de los accionistas del grupo.

El relato sobre la infancia de JB III pertenece a uno de sus vecinos del barrio de San Isidro. El de la adolescencia, a un amigo de Julio Born. El boletín con las calificaciones, fue reproducido por un artículo de la revista *La Semana*, del 27 de julio de 1989.

Parte del árbol genealógico de los Born fue recordado por el mencionado amigo de Julio Born.

La hipótesis sobre la crisis de identidad es una interpretación del autor. Los hechos que la sustentan fueron narrados por dos ex altísimos empleados de la organización, igual que algunos datos de cómo vive JB en San Pablo. La curiosa vida de Julio, por su amigo.

Los episodios en los que participa Romero Victorica, fueron relatados al autor por él mismo.

Para reconstruir la historia oficial de Bunge & Born, se consultaron diferentes fuentes. Esta es la lista: *El poder de Bunge & Born*, de Raúl Green y Catherine Laurent, editorial Legasa, mayo de 1989; *Los capitanes de la industria*, ya mencionado; *Los 100 años de Bunge & Born*, 1984, con motivo de su centenario; *Bunge & Born, crecimiento y diversificación de un grupo económico*, de Jorge Schvarzer, Cisea, junio de 1989; *Por qué cayó Alfonsín*, ya citado; *Confirmado*, del 16 de setiembre de 1970; *Apertura*, de julio-agosto de 1989; *Noticias*, del 12 de noviembre de 1989.

Distintos datos de la historia de los affaires de B & B fueron suministrados al autor por tres ex empleados y un ex secretario de Estado. Gozan del respaldo de las siguientes fuentes: los pedidos de informes al PE de los senadores Deolindo Bittel, Onofre Briz de

Sánchez y de los diputados Roberto García, Guillermo Tello Rosas, Daniel Ramos, Exequiel Ávila Gallo, Victorio Bisciotti, José Furque, Marcos Di Caprio, Bernardo Salduna y Federico Clérici; el expediente de la Aduana donde se encuentra la causa por contrabando documentado; *Quién es quién, El poder de Bunge & Born y Bunge & Born, crecimiento y diversificación de un grupo económico; Por qué cayó Alfonsín,* obras antes nombradas; *Wall Street Journal,* del 25 de junio de 1975; *Clarín,* del 30 de julio de 1975; un cable de Associated Press, citado por *Última Hora,* el 11 de setiembre de 1975; *Última Hora,* del 9 de octubre del mismo año.

El árbol genealógico de los Hirsch fue desentrañado por aquel gerente que trabajó en el grupo más de 24 años y, además, por un compañero del secundario de Mario Hirsch.

La anécdota de la Blaquier Unzué fue rememorada por Hardoy, en diálogo telefónico con el autor.

CONCLUSIÓN

La consideración de González Fraga fue realizada en su estudio, en más de una oportunidad.

La acusación de Schiaretti a los empresarios apareció en *Clarín* del 30 de junio de 1991. Fue realizada en Córdoba, frente a 500 hombres de negocios, en los salones del Jóckey Club de Córdoba, donde se festejó el cumpleaños número 14 de la Fundación Mediterránea.

Índice

Quinta parte
BORN, EL HEREDERO

Esta edición de 5000 ejemplares
se terminó de imprimir en
VERLAP S.A.,
Vieytes 1534, Buenos Aires,
en el mes de mayo de 1992.